W9-CKF-788

Александра
МАРИНИНА

НЕЗАПЕРТАЯ ДВЕРЬ

ЭКСМО-ПРЕСС
2001

УДК 882
ББК 84(2Рос-Рус)6-4
М 26

Разработка серийного оформления
художников *Г. Саукова, В. Щербакова*

Серия основана в 1993 году

Маринина А. Б.

М 26 Незапертая дверь: Роман. — М.: Изд-во ЭКСМО-Пресс, 2002. — 416 с. (Серия «Черная кошка»).

ISBN 5-04-008932-5

Во время съемок телесериала в парке «Сокольники» убит водитель съемочной группы и бесследно исчезла жена сценариста. На первый взгляд все указывает на очередную разборку между криминальными группировками, ведь убитый водитель связан и с азартными играми, и с наркотиками. Однако вскоре появляется версия о том, что убийство на съемочной площадке направлено на срыв работы по созданию сериала, а это, в свою очередь, выводит на первый план новых подозреваемых. В этот раз сотруднику уголовного розыска Насте Каменской работать куда труднее, чем раньше: полковник Гордеев ушел на пенсию, а с новым начальником отношения у нее никак не складываются. Каменской приходится всерьез задуматься над тем, оставаться ли служить на Петровке или все-таки уходить...

УДК 882
ББК 84(2Рос-Рус)6-4

ISBN 5-04-008932-5

Глава 1

На похороны Анечки Симоновой собрался весь город. Трудно найти в Камышове человека, который не был бы знаком с этой улыбчивой и доброжелательной девушкой. И у какого-то подонка поднялась рука на нее...

Но какой бы чудесной ни была Аня, разговоры в толпе провожающих ее в последний путь все-таки чаще касались ее несчастной матери, Клавдии Савельевны. Вот ведь как порой жестока бывает судьба! Сначала погиб старший сын, Юрка, до тридцати не дожил, работал взрывником на шахте. Потом скоропостижно скончался от сердечного приступа муж Клавдии. А теперь вот убили двадцатитрехлетнюю Анютку. И все за какой-то год с небольшим. Какое ж сердце столько горя выдержит? Двоих детей вырастила и воспитала, и обоих злая сила отняла. Совсем одна Клавдия осталась. Ни мужа, ни деток, ни внуков.

Аню, как и положено по православному обычаю, отпевали в церкви. Народу в храм набилось битком, и на человека в дешевом темном костюме внимания не обращали. Мало ли кто приехал проститься с девушкой, она после школы в Юрге училась, в техникуме, там, наверное, много друзей-приятелей осталось, а после техникума жила и работала в Мариинске, так что присутствие незнакомых людей на похоронах никого не удивляло. Конечно, последний год, после того как умер отец, Аня вернулась и жила в Камышове с матерью, но люди-то, вспоминавшие о ней с добрыми чувствами, и в Юрге есть, и в Мариинске, а может, и еще где. Славная была девушка, приветливая, отзывчивая, таких долго не забывают.

Человек в темном костюме стоял, как и все, опустив голову, но исподлобья внимательно наблюдал за присутствующими. В бога он верил, но в церкви ему всегда бывало неуютно и отчего-то хотелось скорей выйти на улицу. Он не знал ни одной молитвы, даже «Отче наш» мог произнести только до середины, и лишь недавно научился осенять себя крестом, но так и не усвоил толком, в какие моменты это полагается делать, поэтому подносил сведенные в щепоть три пальца ко лбу, груди и плечам только тогда, когда видел, что это делают окружающие. В последнее время он даже всерьез подумывал о том, что надо бы окреститься, а заодно и имя другое принять. Конечно, никто не позволит ему сменить свое татарское имя на какое-нибудь православное за просто так, за здорово живешь только потому, что он примет крещение, но Иреку казалось, что имя приносит ему неудачу, а если будет другое какое-нибудь, пусть и неофициально, то и жизнь может перемениться к лучшему. Ладно бы он был из татарской семьи — тогда носить такое имя было бы нормальным. Но ведь мать и отец, и бабки с дедами у него самые что ни есть русские, а вот, поди ж ты, взбрендило родителям дать ему такое имя! Ирек... Так, видите ли, отцовского друга звали, кореша задушевного, с которым они вместе срок мотали еще по малолетке. Вот в честь друга батя сына и назвал, не посмотрел, что имя нерусское. Ну куда это годится? Ирек Мухамедов, который в Большом театре танцевал, — это да, это имя, и вопросов никаких. А Ирек Сергеевич Шанькин? Курам на смех! Вот через это имя все его беды и приходят.

Служба подходила к концу, сейчас все выйдут, потом вынесут гроб с телом и понесут к могиле, где похоронены отец и брат убитой, точнее, то, что осталось от брата после взрыва на шахте. Кладбище расположено здесь же, позади церкви. Еще полчаса максимум — и все будет закончено, а Ирек так и не сделал то, ради чего приехал сюда. То ли это его вина — он недостаточно внимательно смотрит вокруг, то ли тот, кого он ищет, и в самом деле не приехал на похороны. Но факт есть факт: задание он не выполнил. Он вообще невезучий. Наверное, и вправду ему надо имя сменить, тогда и удача придет.

Тот, кого он ищет, должен быть один. И держаться подальше от гроба и от убитых горем родственников. Как он выглядит — неизвестно, сказали только, что на вид ему должно быть лет тридцать или около того, рост приблизительно метр семьдесят три — семьдесят пять, это единственное, что нельзя изменить, ну разве только при помощи толстой подошвы и каблуков, но и то ненамного. Вот и все приметы внешности. Ирека заранее предупредили, что искать надо, ориентируясь на особенности поведения. Но, как ни вглядывался Ирек в повадки присутствующих, как ни наблюдал за ними, нужного человека не находил.

Он так разозлился на собственную невезучесть, что вдруг особенно остро начал ощущать дешевизну надетого сегодня утром костюма. Давно уже он такое барахло не носит, предпочитает черные джинсы от Кельвина Кляйна, трикотажные майки от Версаче и свободные мягкие куртки из коричневой или темно-синей лайки, такие тонюсенькие, что больше похожи на рубашки. Они удобные, движения не стесняют, и неброские, и практичные — не мнутся, не пачкаются. Дорогие, конечно, слов нет, но они того стоят, и вообще он давно уже ничего дешевого не носил. Сначала отец баловал, а теперь Ирек и сам неплохо зарабатывает. Но в привычном фирменном прикиде являться на похороны в Камышов нельзя: слишком резко он станет выделяться в толпе небогатых горожан. Вот и пришлось купить какую-то дребедень в первом попавшемся универмаге в Кемерове. А еще предстоит обратная дорога по колдобинам из Камышова в Кемерово, и не на своей любимой тачке, а на чьих-то ржавых «Жигулях», потому как светиться в этом заштатном городишке на приличной иномарке тоже опасно — могут внимание обратить, а это Иреку совсем ни к чему.

Гроб поднесли к открытой могиле, мать убитой девушки стала истошно кричать... А тот тип так и не появился. Или все-таки появился, а Ирек его не видит? Может быть, он стоит совсем рядом, дышит ему в затылок, касается его локтем, а Иреку и невдомек, что это именно он, тот, кого он ищет. Нет, невезучий он, определенно невезучий. Пойти, что ли, потолкаться перед домом, где жила покойница? На похороны не явился, так, может, хоть на поминки заглянет, рюмку за упокой невинно загубленной души поднимет? Насчет поминок, правда, распоряжений не было, рассуждали так, что на похороны должен приехать, а в дом идти не рискнет. Ирек поразмышлял еще немного и решил инициативы не проявлять, а то как бы хуже не вышло. Здесь все-таки толпа, а там каждый будет на виду, начнут еще, чего доброго, с расспросами приставать, кто он да откуда покойницу знает. Никакой толковой легенды у Ирека припасено не было, об убитой Ане Симоновой он почти ничего не знал и, учитывая всегдашнюю невезучесть, наверняка попадет впросак, если придется вступать в разговоры.

Толпа двинулась с кладбища в сторону дома Симоновых. Ирек некоторое время шел вместе со всеми, потом, улучив удобный момент, юркнул в переулок и окольными путями добрался до места, где оставил машину. Тьфу, от одного ее вида Ирека сразу затошнило. Ржавая, раздолбанная... Ну да ладно, начальству виднее, на чем ему ездить. Его дело маленькое, сказали — выполнил, а что, зачем и почему — вникать не обязательно. Меньше знаешь — лучше спишь, этому его еще батя учил, а батя попусту говорить не станет, у него семь ходок за спиной, из сорока восьми лет жизни он в общей сложности двадцать один год на зоне провел. Опытный.

Сто с лишним километров до Кемерова Ирек проехал за два с половиной часа — старенький «жигуленок» на большее оказался не способен. Оказавшись на знакомых улицах родного города, первым делом порулил к бате. Доложиться надо, да и тачку свою взять, он ее еще утром там оставил, когда в эту консервную банку пересаживался.

Батя, рано постаревший лицом и шевелюрой, но сильный и жилистый, как молодой лось, жил один, как и положено порядочному вору. Мать давно, как только батю во второй раз посадили, ушла от него и сына забрала, но Ирек всегда тянулся к отцу, и в редкие месяцы, когда тот бывал на свободе, Шанькин-старший, имевший в своем кругу кличку Шаня, сына вниманием не обделял. Конечно, так повелось не сразу: пока Ирек был маленьким, Шаня к мальчику ни малейшего интереса вроде бы не проявлял, а вот лет с десяти все переменилось.

— Смена растет, — горделиво говорил рецидивист, похлопывая сына по спине, когда видел, каким восторгом и волнением загораются глаза мальчугана, слушающего рассказы отца о зоне и царящих в ней порядках.

— Ты меня слушай, ума набирайся, пригодится.

Пока, слава богу, не пригодилось. Но ведь все до поры до времени... Ирек с наслаждением захлопнул дверцу чужой машины, сунул ключи в карман и не удержался, подошел к своему темно-синему «Опелю», стоящему рядом. Погладил капот, прикоснулся пальцами к боковому зеркалу. Картинка, а не тачка! Век бы любовался. Сесть в нее сейчас и уехать куда подальше, не заходя к бате... Нет, нельзя. Ирек даже плечами передернул, представив, какой поток матерной брани обрушится на него через несколько минут, когда батя услышит, что он не выполнил поручение. Но если нарушить приказ и уехать, не доложившись лично, то потом будет еще хуже. Батя где хошь сыщет и ноги поотрывает, а следом и голову.

Прогноз Ирека оправдался лишь частично: Шаня действительно матерился, но сына особо не бранил, ругань свою направил на того, кого сыну так и не удалось найти.

— Не приехал, стало быть, — задумчиво повторил он несколько раз, выпустив пар при помощи потока хорошо известных слов, ранее считавшихся непарламентскими, но ныне, как говорят очевидцы, вполне принятыми в среде вершителей судеб. — А ты хорошо смотрел?

— Бать, да я глаза все проглядел, — горячо убеждал его Ирек. — Ты ж знаешь, для меня твое слово — закон.

— Ну смотри мне, — с неопределенной угрозой протянул Шаня. — Пока я тебе верю. Но если учую, что финтишь, не посмотрю, что родная кровь. Сам понимаешь, у нас закон твердый. Я за тебя поручился, братву заверил, что тебе можно доверять. Подведешь — жизни лишу, так и знай.

Ирек и без того знал. Батя шутить не любит, это точно. Сам он, понятное дело, «мокрухой» мараться не станет, не воровское это дело, но среди братков исполнители всегда найдутся. И сына своего родного Шаня любит ровно до тех пор, пока Ирек исправно выполняет поручения тех, кто стоит над батей.

* * *

Наталья Воронова была человеком более чем терпимым, ее не раздражали чужие вкусы и мнения, даже если она их не разделяла. Но с недавнего времени в ее жизни появилось слово, от которого у нее в буквальном смысле начинались судороги. Это слово «беспрецедентно». На протяжении последнего месяца Наталья слышала его не меньше тысячи раз, то есть раз по тридцать в день.

— Да как же можно снимать кино по книге, которую никто, кроме вас самой, не читал? Это беспрецедентно! А вдруг чутье вас подводит, и это не будет бестселлером? Новый автор, никому не известный. Надо подождать, пока роман издадут, посмотреть, как отреагирует читатель, понравится ли книга публике...

— Это беспрецедентно — снимать картину, не имея финансирования от телеканала!

— Это беспрецедентно — не иметь договора с телевидением...

— Это беспрецедентно — снимать, не имея законченных сценариев...

— Это беспрецедентно...

Наталья и сама прекрасно понимала, что то, что она делает, ни в какие, мягко говоря, ворота не лезет. В апреле прочла рукопись, которую ей принес знакомый журналист, до этого не написавший в «художественном» жанре ни строчки, загорелась, пошла с рукописью к руководству телеканала, для которого уже сняла два длинных телесериала, но понимания, естественно, не встретила. То есть понимание-то как таковое, конечно, было, Вороновой поверили, что материал — прекрасная основа для еще одного сериала, и готовы были рассматривать ее предложение в свете бюджета на будущий год. Но Наталья не хотела ждать целый год. Она хотела снимать немедленно, сейчас, с завтрашнего дня. А лучше — прямо сегодня.

Все смотрели на нее как на умалишенную. И это знаменитая Воронова, всегда такая сдержанная и терпеливая? Воронова, которая сто раз подумает и прикинет, прежде чем за что-то браться и принимать какие бы то ни было решения? Да не подменили ли ее?

Весь мир вокруг Натальи разделился на два лагеря. В одном оказался весь теле- и киномир. В другом — она и ее близкие: муж и воспитанница. Муж Натальи, Андрей Ганелин, давно и успешно занимался бизнесом и даже профинансировал двенадцать лет назад съемки ее первого полнометражного фильма. С насмешливой улыбкой выслушав охи и причитания супруги по поводу медлительных и неразворотливых чиновников, от которых зависит принятие решения, он мягко сказал:

— Наташенька, я дам деньги, начни снимать, а там видно будет.

— Но это очень большие деньги, — испуганно предупредила Наталья, — ты даже не представляешь, какие большие.

— Жить с женой-режиссером и не представлять, о каких деньгах идет речь? — усмехнулся Андрей. — Было бы смешно. Ты меня обижаешь. Скажи своему приятелю Южакову, что если телеканал в принципе согласен делать этот проект, то пусть пока утрясают все вопросы с финансированием, а ты тем временем будешь снимать на мои деньги. Сколько смогут выделить — столько и выделят, а когда картина будет готова, все доходы от проката и продаж поделим пропорционально вложенным средствам.

— Андрюша, ты понимаешь, на что подписываешься? — осторожно спросила Наталья. — Они будут думать и решать до тех пор, пока не закончится съемочный период. Им останется только оплатить монтаж, озвучание и еще кое-что, но это сущие мелочи по сравнению со съемками. Я ведь не собираюсь снимать три года, если начинать — то немедленно, мне нужны летние месяцы, там очень много натуры, и вся — процентов на восемьдесят — летняя. А ждать до следующего лета я не хочу. За лето я сниму почти всю натуру, осенью — павильон и, соответственно, осень, в декабре — зиму. К Новому году закончу. И все это придется делать за твой счет.

— А весну? Весны в твоей картине совсем не будет? — поинтересовался Ганелин.

— Весну можно снимать в ноябре, деревья голые, земля сырая.

— Ага, и хороший оператор, — подхватил он. — Ну что, Наташа, решаешься? В тебе всегда дремала авантюрная жилка, дай ей наконец проявить себя, а то ты ее всю жизнь задавливаешь и в темный угол загоняешь. Скучно живешь. Тебе сорок шесть лет, пора уже попробовать совершить рискованный поступок. Ну хотя бы ради интереса.

Наталья колебалась, но тут вступила в игру ее воспитанница, она же актриса Ирина Савенич.

— Натулечка, да о чем тут думать-то?! — кричала Ирина, размахивая руками. — Конечно, надо снимать. Тебе что, нравится без работы сидеть?

Сидеть без работы Вороновой не нравилось. Но влезать в авантюры ей нравилось еще меньше. Тем более в такие беспрецедентные...

И все-таки она решилась. Вместе с автором романа Русланом Нильским написала поэпизодный план сценария, заключила договор с компанией-производителем и в конце мая начала снимать, как говорится, «с колес». Готового и утвержденного сценария не было, но Наталья положилась на собственный опыт (все-таки она закончила сценарное отделение ВГИКа и много лет работала сценаристом до того, как получила второе образование и стала режиссером) и на талант молодого писателя. Каждый день в свободное от съемок время они с Русланом писали диалоги для ближайших съемочных дней, а многое придумывали и меняли прямо на площадке.

Руслан приехал из Кемерова, никакого жилья в Москве у него не было, и Наталья, недолго думая, поселила его в пустующую квартиру своего младшего сына, поскольку Алешка все равно жил с ней, никак не желая приучаться к самостоятельному существованию. В отличие от старшего брата Саши, который с радостью выпорхнул из-под материнского крыла, недавно женился и жил отдельно, девятнадцатилетний Алеша по-прежнему жался к матери и ее второму мужу Ганелину.

С Русланом, правда, тоже возникли трудности, в Кемерове у него остались жена и две дочки-близняшки, и пришлось потратить немало сил на то, чтобы убедить его в необходимости провести несколько месяцев в Москве. Главную роль в уговорах играла Ирина, и бог знает как, но ей удалось добиться его согласия. Во вторник, двадцать второго мая, торжественно разбили тарелку, что символизировало начало съемочного периода, разобрали на память осколки и, благословясь, приступили.

* * *

Яна, конечно же, примчалась в Москву с горящими глазами, оставив двухгодовалых дочек со своими родителями.

— Как здорово, Русик! — не уставала она повторять, снова и снова обходя все уголки небольшой однокомнатной квартирки, где им предстояло жить до конца съемок. — Мы с тобой целых полгода проживем в Москве! По твоему роману снимается кино! Поверить не могу. Неужели это происходит с нами?

Руслан подозревал, что причиной появления Яны было не стремление пожить в столице и, пожалуй, не столько любовь к мужу, сколько ревность. Так и оказалось. И объектом этой ревности была Ирина Савенич. Первые несколько дней Яна еще как-то держала себя в руках, но потом уже не могла скрывать неприязнь к красивой актрисе. Дружеские отношения между Ириной и Русланом приводили молодую женщину в откровенное бешенство, и никакие разговоры об их давнем знакомстве на Яну не действовали.

— Чего она к тебе липнет? — недовольно спрашивала Яна каждый вечер, когда они возвращались домой. — Как будто ты медом намазан.

— Она не липнет, — терпеливо объяснял Руслан. — Она общается со мной ровно столько же, сколько со всеми остальными на площадке. Можешь по часам засечь.

Но засекать по часам Яна Нильская не хотела. Она хотела только одного: чтобы вызывающе красивая, броская брюнетка с яркими темными глазами и густыми смоляными кудрями не приближалась к ее мужу и не разговаривала с ним. А они ведь не просто разговаривают, они улыбаются друг другу, вместе отходят в сторонку покурить, сидят рядышком, голова к голове, склонившись над сценарием. И эта старая сводня Воронова им потакает, чуть что — сразу зовет к себе их обоих и о чем-то шепчется. Самыми страшными были для Яны те часы, которые Руслан проводил у Вороновой, работая над сценарием. Яну туда не приглашали, и она сидела в крошечной квартирке на окраине Москвы и лелеяла возникавшие в воспаленном сознании страшные картины происходящего. А вдруг они там не над сценарием работают? Вдруг туда явилась Ирина, а Воронова ушла и оставила их наедине? Чем они занимаются вдвоем, ее муж и эта актрисулька? Или Руслан вообще не у Вороновой, а у Ирины дома?

Телефона в квартире не было, и Яна каждые полчаса бегала к ближайшему автомату и звонила Вороновой. Наталья Александровна всегда оказывалась дома и сама брала трубку, потом подзывала Руслана, который с трудом сдерживал раздражение от постоянных беспричинных звонков супруги. Подозрения Яны, казалось бы, не подтверждались, но это не заставляло ее пересмотреть свое отношение к ситуации. Она все равно ревновала, и с каждым днем все сильнее. Ежедневно находясь рядом с мужем на съемочной площадке и видя, как он то обсуждает что-то с Вороновой, то разговаривает с актерами, то сосредоточенно что-то пишет, склонившись к лежащему на коленях блокноту и не обращая на жену ни малейшего внимания, Яна ощущала себя лишней и ненужной, терзалась тем, что находится здесь напрасно, и страдала от того, что не может не приезжать на съемки вместе с Русланом. Пока она рядом, он не посмеет слишком сближаться с Ириной Савенич. Правда, Ирина снимается далеко не каждый день, но Яне хватало ума понимать, что нельзя появляться на площадке только тогда, когда там присутствует Савенич. Это сразу все заметят и сделают выводы. Над ней будут смеяться, за ее спиной начнут шушукаться и отпускать сальные шуточки в ее адрес.

Она пыталась отвлечься от черных мыслей и даже попробовала, надо признать, не без успеха, пофлиртовать с кем-нибудь из съемочной группы. Перебрав несколько кандидатур, Яна остановила свое внимание на одном из водителей.

Водитель — идеальная кандидатура для ее целей, он не занят непосредственно съемками и, пока все работают на площадке, может посидеть в сторонке и поболтать с Яной, жуя гамбургер и потягивая пепси-колу из горлышка бутылки. А если его посылают куда-нибудь с поручением, то можно поехать вместе с ним, все-таки какое-никакое — а развлечение. Она увидит новые улицы, новые магазины, а если все совсем хорошо сложится, то сумеет перекусить в новом для себя ресторанчике, куда они вместе заскочат. Рестораны Яна Нильская обожала, с самого детства для нее посещение любого предприятия общепита, отличного от забегаловки или учрежденческой столовой, было синонимом настоящей шикарной жизни, которую она видела только в кино. Руслан, конечно же, чувствовал противные уколы ревности, наблюдая крепнущую на глазах дружбу его жены с водителем съемочной группы, но при этом понимал, что так лучше для всех: и Янка не скучает, и ему самому спокойнее.

Водитель по имени Тимур был симпатичным парнем, веселым и обаятельным, умел смешно рассказывать анекдоты и говорил с легким, почти незаметным грузинским акцентом. Два дня назад, узнав, что предстоит почти две недели снимать в парке «Сокольники», он радостно сообщил Яне и Руслану, что это его родной район, и пообещал, что уж там-то они не заскучают.

— Творцы пусть творят, — сказал он, лукаво подмигнув, — Руслан будет создавать шедевр, а мы с тобой, Яна, такого шашлычка покушаем — пальчики оближешь. Ты кошек любишь?

— А что, мы будем кушать шашлык из кошки? — не на шутку перепугалась Яна.

— Глупенькая! — расхохотался Тимур. — Шашлык мы будем кушать из осетрины, тут есть одно местечко, где его превосходно готовят, «Фиалка» называется. А еще в Сокольниках по субботам и воскресеньям проходит выставка кошек. Там такие котята продаются — умереть можно! Посмотришь на них с полчасика и душой отходишь, особенно если настроение хреновое. Они такие маленькие, трогательные, беззащитные... Прямо взял бы всех и купил одним махом.

— Чего ж не покупаешь? — хмуро спросил Руслан. — Денег жалко?

— Были бы деньги, я бы их не жалел.

— Да ладно прибедняться, — не поверила Яна. — Можно подумать, у тебя лишних ста рублей не найдется.

— Сто рублей? — прищурился Тимур. — А сто долларов не хочешь? А то и сто пятьдесят.

— Сколько?! — ахнула Яна. — Это что же за кошки такие? Бриллиантовые, что ли?

Сто пятьдесят долларов — это же примерно четыре с половиной тысячи рублей! Яне такая сумма за какого-то паршивого котенка казалась просто немыслимой.

— Вот завтра начнем снимать в Сокольниках, я тебе все покажу, — загадочно произнес Тимур, продолжая соблазнять жену сценариста прелестями предстоящих развлечений. — Завтра как раз суббота, так что и шашлычка покушаем, и кошечек посмотрим. Ты в пинг-понг играешь?

— Играю.

— Я ракетки принесу, а ты оденься в спортивное, там столы есть, поиграем с тобой, если будет желание.

На следующий день, в субботу, девятого июня, Яна проснулась ни свет ни заря в самом радужном настроении, и Руслан понимал почему. Тимур обещал, что скучать ей не придется. К тому же сегодня Савенич не снимается, так что ревнивой супруге можно расслабиться.

— Ты чего? — удивленно спросил Руслан, увидев, что она достает из большой дорожной сумки кроссовки.

— Пока вы будете снимать, мы с Тимуром в пинг-понг поиграем, — беззаботно ответила Яна.

Ах да, пинг-понг. Водитель вчера что-то говорил об этом, но Руслан уже успел забыть.

— Опять с Тимуром? — нахмурился Руслан, и Яна с трудом сдержала торжествующую улыбку. Ничего, пусть поволнуется, не только ей одной от ревности себя изводить.

— А что такого? — она изобразила искреннее недоумение. — Чем он тебе не нравится? По-моему, очень хороший парень.

— Не понимаю, что у вас может быть общего.

— А что у тебя общего с этой Савенич? — отпарировала Яна. — Ты журналист, кстати бывший, она — актриса. Ты из Кемерова, она коренная москвичка. Но вы же находите, о чем поболтать, вас друг от друга тягачом не оттащишь.

— Я тебе тысячу раз объяснял: мы с Ирой знакомы уже десять лет. Это совсем не то, что ты думаешь... — Руслан снова начал заводиться, но сегодня Яну это не особо трогало. Такой чудесный день впереди!

Действие в романе и, соответственно, в фильме происходило частично в провинциальном маленьком городке, частично в столице. Городок этот снимали в Подмосковье, но для съемок некоторых сцен «на природе» вовсе не обязательно было выезжать за пределы Москвы, для них нашлись вполне подходящие места в московских парках. Все «лесные» эпизоды, например, планировали снимать в лесопарке Тимирязевской сельскохозяйственной академии, в Сокольниках же собирались имитировать лесные полянки, опушки и берег озера, а также провинциальную городскую танцплощадку и придорожные кафе на открытом воздухе.

Съемочная группа появилась в парке, как обычно, с опозданием минут на сорок. Руслан и Яна приехали точно в назначенное время, в два часа дня, и к тому моменту, когда прибыл Тимур, Яна успела осмотреться на местности и убедиться, что скучно здесь и в самом деле не будет. Она даже нашла тот самый ресторан «Фиалка», о котором говорил водитель, и заглянула внутрь. Ничего особенного, никакого шика, да и народу нет, в большом зале — ни одного клиента, все столы пустые, видно, популярностью это заведение не пользуется. О своих сомнениях Яна тут же сообщила Тимуру.

— Что-то в твой хваленый ресторан народ не ломится, — скептически заявила она.

— Понимала бы что-нибудь, — усмехнулся он. — Народ к вечеру появится. В «Фиалке» такие личности бывают, перед которыми вся Москва на цыпочках ходит. Посмотришь, на каких машинах туда гости приезжают.

— На дорогих?

— Не то слово. Ну что, пойдем шарик покидаем?

Время летело незаметно. Они поиграли в пинг-понг, посидели в «Фиалке», где им подали действительно потрясающий шашлык из осетрины, потом Тимур повел Яну смотреть кошек. Вдоволь насмотревшись на пушистых, гладкошерстых и даже совсем лысых котят и их родителей, Яна поняла, что имел в виду ее новый знакомый, когда говорил, что здесь, на выставке, у него словно тяжесть с души спадает. Не зря, видно, считается, будто кошки принимают на себя отрицательную энергетику. На душе у Яны стало тепло и уютно, и даже мерзкие мысли об отношениях ее мужа с актрисой Ириной Савенич стали смутными и расплывчатыми и уже не отдавались во всем теле острыми болезненными уколами.

— А теперь что будем делать? — спросила она Тимура, с тихой радостью думая о том, что съемки сегодня по плану будут идти часов до двенадцати, а то и до часу ночи, и столько всего интересного и приятного может уместиться в оставшиеся часы... А когда стемнеет, ее прогулка с Тимуром станет совсем уж романтической. Интересно, как он себя поведет? Впрочем, как бы ни сложилось, она, Яна, возражать не станет. Кажется, он сказал, что Сокольники — его родной район. Что это означает? Что он здесь вырос? Или что живет где-то здесь неподалеку? А коль так, то, возможно, ему надоест болтаться по парку, и он рискнет пригласить Яну к себе на чашку кофе. Она, разумеется, не откажется. И если Тимур захочет воспользоваться ситуацией, это будет даже к лучшему. Может быть, хоть это отвлечет ее от постоянно грызущей ревности.

* * *

Отремонтированная и обставленная новой мебелью квартира казалась Насте Каменской игрушечной и ненастоящей, и она никак не могла привыкнуть к мысли о том, что здесь надо жить обычной жизнью, то есть стирать, убирать, готовить еду. Вообще привыкать за последний год ей пришлось ко многому, и, оглядываясь назад, Настя каждый раз с ужасом чувствовала, как растет и углубляется пропасть между прежней Настей и нынешней.

Началось все с мужа. Как-то неожиданно профессору

Чистякову стали предлагать очень выгодные контракты на чтение курса лекций в Европе, Соединенных Штатах и Канаде, а также в Японии. Командировки следовали одна за другой с небольшими перерывами, в семье появились деньги, которые поначалу казались просто огромными. На эти деньги закончили наконец давно начатый и остановленный на полпути ремонт, купили мебель и технику, обзавелись мобильными телефонами. От таких перемен голова у Насти шла кругом, а тут еще и на работе беда: любимый начальник полковник Гордеев вышел на пенсию, ему исполнилось шестьдесят, и продлевать срок службы было уже нельзя. Некоторое время обязанности начальника отдела исполнял его заместитель Коротков, нового шефа все никак не присылали, и Настя почти полностью укрепилась в своей надежде, что в конце концов именно Юрку Короткова и назначат на эту должность. С Гордеевым она проработала полтора десятка лет, и, как ни напрягала фантазию, не могла себе представить работу на этом месте под руководством кого-то другого. Хорошо бы Юрку назначили начальником, он, конечно, не такой мудрый, как Колобок-Гордеев, но все же Коротков — свой, привычный, с ним Настя не один пуд соли съела, десятки запутанных дел вместе размотали, десятки убийц вычислили и отловили. Юрка — ее друг, давний, добрый и надежный, под его начальством она с удовольствием будет работать.

Не успела Настя привыкнуть к этой мысли и смириться с потерей Колобка, как пришло известие: вот-вот личному составу второго отдела МУРа представят нового руководителя, и это будет отнюдь не подполковник Коротков.

— Тебе что-нибудь говорит фамилия Афанасьев? — спросил ее Коротков, жадно глотая горячий кофе, который по издавна сложившейся традиции обязательно пил по утрам в кабинете Каменской.

— Афанасьев? Распространенная фамилия, — осторожно ответила Настя, мысленно перебирая всех известных ей людей, носящих такую фамилию. — Ты кого-то конкретного имеешь в виду?

— Сорок пять лет, закончил юрфак МГУ одновременно с тобой, — уточнил Юра.

— Афоня?! Не может быть!

— Может, — спокойно подтвердил Коротков.

— Да нет же, Юра, тот Славка Афанасьев, который со мной учился, был из Калининграда, туда же и уехал. И вообще, он был такой раздолбай, из троек не вылезал.

— Подруга, между Калининградом и Москвой Берлинская стена не стоит и расстояние не миллион парсеков. А что касается учебы, так ты в университете отличницей была, а толку-то? — ехидно поддел он. — За двадцать лет любой человек меняется и в худшую сторону, и в лучшую.

Но Настя все еще не верила. Афоня станет ее начальником вместо Колобка? Да быть такого не может!

Но тем не менее это произошло. Полковника милиции Вячеслава Михайловича Афанасьева назначили начальником «убойного» отдела. Настю Каменскую он либо не вспомнил, либо не узнал, во всяком случае, общался с ней новый шеф точно так же, как со всеми остальными сотрудниками и ни разу не дал понять, что они раньше были знакомы. Настю это более чем устраивало: чем дальше от начальства, тем лучше. А то начнет еще, пользуясь старым знакомством, вербовать ее в свои сторонники и через нее пытаться навести в отделе новые порядки или собирать информацию о подчиненных. Еще чего не хватало!

Через пару недель ей пришлось признать, что Коротков был прав — за двадцать лет люди и в самом деле меняются до неузнаваемости. Сегодня в полковнике Афанасьеве трудно было заподозрить троечника Афоню, прогульщика, бузотера и любителя попить пиво вместо посещения лекции. Афанасьев производил впечатление крепкого профессионала. Но это был, конечно, не Колобок. Совсем не Колобок... И к этому тоже нужно было привыкать.

Одним словом, много нового случилось за последнее время в жизни Насти Каменской. Муж снова убыл за границу, его не будет дома целый месяц, и она, дабы отвлечься от нервирующей ее ситуации с новым начальником и новым обликом жилища, решила попробовать научиться готовить. Хоть как-нибудь и хоть что-нибудь. И психику успокаивает, и для дела полезно. Отныне как только у нее выдавались свободные полтора-два часа, она брала с полки одну из многочисленных Лешкиных кулинарных книг и пыталась освоить очередной рецепт. Нельзя сказать, чтобы у нее здорово получалось, но после нескольких экспериментов хотя бы в голове стало проясняться, по крайней мере Настя начала понимать, сколько и как нужно жарить лук, чтобы он приобретал золотистый оттенок, в чем заключается процесс пассерования и почему он необходим для приготовления различных соусов, в чем смысл просеивания муки через сито перед замешиванием теста и для чего нужно внимательно смотреть на часы, когда отвариваешь кальмаров для салата. «Господи, какой же он умный! — думала она каждый раз, пытаясь запихнуть в себя малосъедобный результат собственных кулинарных упражнений и с недоумением вспоминая, каким восхитительным вкусом обладало это же самое блюдо, когда его готовил Чистяков. — Как много всего он держит в голове и умеет! Мне никогда этому не научиться».

В это воскресное утро, десятого июня, Настя постановила освоить изделия из бездрожжевого слоеного теста. Можно было бы, конечно, и дрожжевым тестом заняться, но тогда пришлось бы идти в магазин за дрожжами, а идти ей было лень. Просеяв муку, она сделала из нее горку, как было велено в книге, положила в углубление на вершине маргарин и принялась меланхолично рубить все вместе ножом «до получения однородной рассыпчатой массы», одновременно поглядывая на экран телевизора, висящего на стене на кронштейне. Это тоже было новшеством, раньше, до ремонта, у них был только один телевизор, который стоял в комнате, и Настя никак не могла привыкнуть к тому, что теперь можно одновременно есть и смотреть фильм или интересную программу, не бегая с тарелками и чашками из кухни в комнату и обратно. И даже ощущала особую прелесть в том, чтобы послушать новости за утренним кофе.

«Рассыпчатая масса» никак не желала делаться «однородной», комочки смешанной с маргарином муки все время оказывались разного размера, но Настю это не смущало. Времени впереди было достаточно, целый день, по телевизору шел хороший фильм, торопиться ей некуда, так что можно мерно стучать ножом по деревянной доске аж до финальных титров.

С размером комочков ей удалось справиться как раз к концу фильма, и Настя уже приготовилась к очередному ответственному этапу — смешиванию «однородной массы» с уксусом, когда треньknул дверной звонок. На пороге возник Коротков, прикрывшийся от Настиных упреков выражением глубокой скорби на лице.

— Ты одна?

— Нет, с тремя любовниками, — сердито ответила она. — Что, сегодня городская телефонная станция бастует? Что за манера являться без звонка? Может, я не одета или вообще еще сплю. Или, к слову сказать, с любовником.

— А я не миллионер, в отличие от некоторых, — Коротков выразительно ткнул в нее пальцем, — у меня собственного мобильника нет, а у служебного батарейка села, я его всю ночь эксплуатировал. Уже в машине сидел, в контору ехать собирался, когда вдруг сообразил, что до тебя по прямой — десять минут езды. Вот и решил заехать кофейку выпить.

— И поесть? — уточнила Настя.

— Ну... если дашь, то не откажусь, само собой.

— Ладно, — вздохнула она, — проходи. Придется тебя кормить, начальник все-таки. А кстати, откуда ты, собственно говоря, ехал ко мне «по прямой»?

— Из парка «Сокольники».

— Понесло же тебя с утра пораньше, — пробормотала Настя, замешивая тесто.

— С ночи, если быть точным.

Она подозрительно посмотрела на Юру. Он опять допоздна торчал на работе, не ехал домой, чтобы не нарываться на очередной скандал с супругой. И конечно, поехал вместе с дежурной группой «на труп». Но если так, то у Короткова должны были быть все основания полагать, что этот труп может повиснуть на их отделе, поэтому лучше все узнать и посмотреть самому. На всякий случай. Так бывало уже не раз.

— Понятно, — протянула Настя. — И кого у нас в Сокольниках на этот раз замочили? Опять бомжей? Или бандюки друг друга постреляли перед сном, чтоб крепче спалось?

— Пальцем в небо, — фыркнул Юра. — Там вообще такой коллаж — волосы дыбом встают. Ты, кстати, сериалы по телику смотришь?

— Нет. А при чем тут сериалы?

— Серая ты, Каменская! Но хотя бы про режиссера Наталью Воронову слышала?

— Да не слышала я ни про какую Воронову! Что ты мне голову морочишь! — рассердилась Настя.

— Ну, короче, эта Воронова — известный режиссер, сняла уже два сериала, сейчас снимает третий. В аккурат в Сокольниках. Вчера поздно вечером убит водитель ее съемочной группы Теймураз Инджия, по предварительным прикидкам — член сокольнической преступной группировки.

— Ясно, — бросила Настя. Убийство члена преступной группировки ее мало интересовало, этим должно заниматься региональное управление по борьбе с организованной преступностью. Она поставила тесто в холодильник и критически оглядела имеющиеся продуктовые запасы. — Ты пирожки с чем хочешь, с мясом или с капустой?

— И с тем, и с другим, — быстро ответил Коротков, жадно блеснув голодными глазами. — А скоро будет готово?

— Нет, еще часа полтора как минимум. У меня пока все медленно идет, я же только учусь. И две начинки точно не осилю, так что выбирай одну какую-нибудь.

— Тогда с мясом. И дай бутербродик, а? А то я полтора часа не выживу, в последний раз ел вчера часов в семь вечера.

Настя быстро сделала ему бутерброд с сыром, свежим огурцом и листьями зеленого салата и приступила к приготовлению мясной начинки для пирожков.

— И за каким, извини, интересом тебе сдался этот водитель? — спросила она через некоторое время, когда Коротков сжевал бутерброд и снова обрел способность говорить. — Это же не наша епархия.

— Ну наконец-то! А я уж испугался, что ты все мозги в кулинарную науку направила и совсем нюх потеряла. Жду-жду, а ты все не спрашиваешь, как будто так и надо, чтобы я на труп братка очередного выезжал. Так вот, подруга, водителя съемочной группы убили, а жена сценариста, присутствовавшая на съемках, исчезла.

— Куда? — машинально спросила Настя, внимательно глядя на острое лезвие ножа, которым резала лук.

— А кто ж ее знает? Вот в этом весь фокус и состоит. Режиссер на месте, сценарист на месте, никуда не делись, а жена сценариста как сквозь землю провалилась. При этом, заметь себе, она никак не может быть связана с сокольнической группировкой, потому что она вообще не москвичка. Из Кемерова приехала, вместе с мужем. Пошла вместе с водителем в ближайшее кафе перекусить. А потом водителя, этого Инджия, обнаружили в виде трупа, а ее не обнаружили вообще. Так что готовься на всякий случай, не исключено, что завтра ты поимеешь эту историю в виде служебного задания.

— Спасибо, — хмуро откликнулась Настя, — ты всегда приходишь в мой дом с приятными известиями и милыми сувенирами. И чего ты домой вчера не ушел, а?

Коротков некоторое время помолчал, потом поднял на Настю мгновенно потускневшие глаза:

— Я ушел. А потом вернулся.

— Зачем?

— Нужно же было куда-то из дома уйти. Я Ляльке сказал, что ухожу от нее. Интеллигентно выражаясь, попросил ее дать мне развод. Ты же знаешь Ляльку... После такого заявления оставаться дома я уже не мог. А к кому я пойду в десять вечера-то? Вот и вернулся в контору. И в Сокольники поперся, чтобы хоть чем-то заняться, делать что-нибудь. Понимаешь? К тебе вот пришел... Ты меня не выгоняй пока, ладно? Я что-нибудь придумаю, найду, где осесть, у меня уже есть идеи. Просто так внезапно все получилось, что я пути отхода не успел подготовить. Мне же, кроме тебя, податься не к кому, у всех семьи, дети.

Коротков опустил голову и горестно вздохнул. Настя молча погладила его по голове и вернулась к кулинарным забавам. Значит, не у нее одной происходят перемены в жизни. Вот и у Юрки тоже... Может, это полоса такая пошла?

Глава 2

И все-таки он появился. Не во время похорон Ани Симоновой, а гораздо позже, через полтора месяца. Выждал, когда пройдут сороковины, и появился в Камышове. К самой

Клавдии, убитой горем матери, схоронившей обоих деток, не приходил, однако сделал многое, чтобы облегчить ей существование. К примеру, нанял бригаду мастеров, заплатил, назвавшись давним другом сына Клавдии Юрки Симонова, хорошие деньги, чтобы они в кратчайшие сроки привели в порядок дом и приусадебное хозяйство. Нашел в городе женщину — недавно вышедшего на пенсию врача — и договорился с ней, что та будет ежедневно присматривать за вмиг сдавшей Клавдией. Тоже денег дал немало, правда, выдал себя не за Юркиного друга, а за Анюткиного. С толстым кошельком наперевес сходил в городскую больницу и взял с главного врача слово, что ежели Клавдии Симоновой понадобится стационарное лечение, то все будет организовано по высшему разряду. Еще в кое-какие городские службы наведался, долларами осыпал, чтобы вдова и осиротевшая мать ни в чем отказа не знала и никаких проблем не имела. Даже на кладбище сходил, заплатил за уход за могилой, где похоронены трое Симоновых. И в гранитной мастерской побывал, денег дал на новый памятник. И всюду, где бывал, произносил примерно одинаковые слова о том, что он, само собой, не местный, но если то, что им оплачено, выполнено не будет, то он узнает об этом сей же час, и расплата последует неминуемая и скорая. Говорил вежливо и негромко, но весьма и весьма убедительно.

Хозяева рецидивиста Шани узнали о загадочном незнакомце слишком поздно, дня через три после того, как он окончательно убыл из Камышова. Тут же послали в город своих людей, в том числе и Ирека. Сведения получили противоречивые. То есть все сходилось — и время приезда незнакомца, и время его отъезда, и куда ходил, и с кем встречался, и кому сколько и за что платил. Не сходилось одно: внешность. Как будто у него и вовсе никакого лица не было. Одни утверждали, что был он сух лицом и горбонос, похож на кавказца, только что не чернявый, другие — что рожа у него типично славянская и носик пуговкой, третьи же описывали таинственного графа Монте-Кристо как писаного красавца с правильными классическими чертами. Да и с прической не все ладилось, хотя цвет волос всеми опрошенными был указан как темно-русый, но одни говорили, что носит он их на косой пробор, другие же — что зачесывает назад.

Докладывать хозяину доверили Ireку — как-никак сын человека, приближенного к руководству, если что не так — ему меньше других достанется. Бывать в доме у хозяина Ирек любил и не любил одновременно. Любил — потому что кругом чувствовался запах денег, и запах этот сладко будоражил и обрисовывал главную цель жизни: заработать столько же, чтобы жить не хуже. А может, и лучше. Это было совсем не то же самое, что видеть роскошные особняки в кино или по телику. Те, экранные, особняки принадлежали ненастоящим героям, которых в жизни, может, и не было никогда, а этот, хозяйский, — вот он, его можно потрогать, ходить по нему, сидеть в кресле перед камином. Коль есть в России люди, которым это доступно, то почему он, Ирек, не может оказаться в их числе? А не любил он здесь бывать именно потому, что начинал остро ощущать свою мелкость и отставленность от всей этой роскоши на дальнюю-дальнюю дистанцию. Поручения хозяин обычно передавал через Шаню, а вот отчет всегда хотел выслушать лично. И каждый раз, приезжая с отчетом и переступая по ступенькам высокой лестницы, двумя полукружиями сбегающей на землю, Ирек испытывал чувство вожделения и униженности. Он страстно хотел такого же богатства и в то же время ясно понимал, что если оно и будет, то очень и очень не скоро, а то и вовсе никогда. Кто он? Пешка, шестерка, мальчик на побегушках. И самое главное — он неудачник, невезучий и потому бесперспективный.

Ирек точно знал, что хозяин — не самый главный, что есть и поглавнее его, а значит, и побогаче. Того, главного, он никогда не видел и называл его про себя боссом, а этого — хозяином, хотя были у него не только имя и отчество, но даже и фамилия, и кликуха, или, как говорят в их среде, погоняло — Старпом. В отличие от Шанькина-старшего кличка хозяина была образована не от фамилии, а произошла от давнего случая, когда человек этот при расправе с нелояльными членами группировки поразил своих подельников неожиданной жестокостью и прямо-таки иезуитским коварством.

— Ты не человек, — одобрительно сказал тогда ему кто-то, — ты — дьявол.

— Так высоко я не замахиваюсь, — со скромной улыбкой ответил он. — Я, конечно, не дьявол, но я его старший помощник.

С тех пор и пошло — Старпом, старший помощник, значит.

— Гримируется, сука, — процедил сквозь зубы Старпом, выслушав доклад Ирека. — Рост и фигуру не спрячешь, поэтому их все описывают одинаково. А рожу и прическу меняет, как артист. Ну-ка давай еще раз по датам пройдемся.

Ирек снова открыл блокнотик. Первое появление зафиксировано в понедельник, двадцать восьмого мая. Далее — по дням и часам: куда, к кому, с какой просьбой. Последний визит — тридцать первого мая, в четверг, в десять утра. После десяти тридцати его в Камышове никто больше не видел.

— Жил он где? В частном секторе? С хозяевами поговорили? — нетерпеливо спросил Старпом.

— Он в Камышове не останавливался. Приезжал каждый день на машине, потом уезжал. Мы по ближайшим населенным пунктам пошустрили — ничего, видно, где-то вдалеке осел, — пояснил Ирек.

— Машина? — задал следующий короткий вопрос Старпом.

— Темно-синяя «Нива».

— Номер?

— Никто не записал. Ни к чему было, внимания не обратили.

— Неделовые контакты?

— Сведений нет, — Ирек старался отвечать коротко и точно, он знал, что хозяин не любит длинных фраз и бессмысленных слов, лишенных информационной нагрузки.

— Должны быть. — Взгляд Старпома стал тяжелым и словно придавил Ирека к месту. — Обязательно должны быть. Откуда он мог узнать про девчонку? Только от кого-то из местных. Кто-то держит его в курсе, кто-то из камышовских с ним общается. И тот, кого мы ищем, непременно должен был вступить с ним в контакт, когда приехал. Ты что-то упустил, парень, не все сведения собрал.

— Я выяснил все, что можно, — упрямо возразил Ирек. — Вы же сами видите, он очень осторожен. Даже внешность меняет. Не такой он дурак, чтобы идти в гости к своему приятелю, через час весь город будет об этом знать. Если такой приятель есть, то он, скорее всего, сам выезжал на встречу, куда-нибудь за пределы Камышова.

Ему было очень страшно, возражать хозяину — большой риск, но Ирек изо всех сил боролся со своим клеймом неудачника, стараясь переломить привычный ход событий, в результате которого его снова не похвалят, а только укоризненно покачают головой, мол, сынок у Шани — как талисман невезения, куда его ни пошлешь — там всегда облом случается. И не оттого, что глупый или неумелый, просто судьбой так отмечен.

— Дело говоришь, — кивнул Старпом. — Отвык я от маленьких городков, не учел. А ты молодец, зубы показываешь, сразу не сдаешься. Значит, так. Поедешь в аэропорт, найдешь там Блинова, скажешь, что от меня с поручением. Он тебе поможет. Проверишь регистрацию на все московские рейсы, вылетевшие тридцать первого мая после полудня.

— А кого искать?

— Никого. Если бы я знал, кого искать, ты бы сейчас тут не сидел передо мной. Выпишешь всех мужчин с номерами паспортов. Принесешь сюда. Всё, парень, свободен.

* * *

С тестом Настя Каменская по неопытности промахнулась. Во-первых, оно оказалось слишком рассыпчатым, и слепленные ею пирожки с мясом разваливались прямо в руках. А во-вторых, его оказалось слишком много даже для оголодавшего Короткова, который в воскресенье съел сколько смог и еще с собой унес целый пакет, но все равно пирожков осталось больше, чем нужно для скромного ужина одинокой женщине. Самое обидное, что получились они вкусными, и выбрасывать было жалко.

В понедельник с утра Настя, давясь, впихнула в себя еще три пирожка, которыми до отвращения объелась накануне, и содрогнулась от ужаса, представив, что придется доедать их вечером. Даже самое вкусное блюдо нельзя есть в таких количествах без риска заработать идиосинкразию на много лет вперед! Нет, вечером она, пожалуй, этого уже не вынесет. Решительно завернув оставшиеся пирожки в пакет, она сунула их в большую сумку, чтобы угостить ребят на работе. Она свое отмучилась, теперь их очередь.

На утренней оперативке новый начальник заявил:

— Убийство в Сокольниках получило большой общественный резонанс. Все сегодняшние газеты пишут о продолжении войны между телеканалами. Высказывается мнение, что убийство водителя съемочной группы направлено на то, чтобы сорвать съемки и помешать созданию телесериала, который, как предполагается, будет иметь большой успех и, соответственно, значительно повысит рейтинг того канала, который будет его показывать. Скажу вам откровенно, мне такая постановка вопроса не совсем понятна, я считаю, что если бы хотели сорвать съемки, то убили бы ведущего актера или режиссера, а никак не водителя.

— Может, промахнулись, — подал голос кто-то из оперативников. — Хотели актера убить, но ошиблись или обознались.

— Резонно, — кивнул Афанасьев. — Именно поэтому нам необходимо подключиться к работе. Каменская, возьмешь это на себя. Свяжись с РУБОПом, пусть проверят убитого на причастность к какой-нибудь группировке. Если это обычная разборка, тогда они сами будут этим заниматься. Телевизионная версия остается за нами.

Настя мысленно поморщилась, она все еще не привыкла к манере нового начальника всем «тыкать». Одно дело — Гордеев, который своих подчиненных называл на «ты», и совсем другое — Афоня. Хотя почему другое? Логичного объяснения у нее не было. Почему Гордееву можно, а Афоне нельзя?

— Просто ты его не любишь, — засмеялся Коротков в ответ на ее в очередной раз озвученное недоумение. — И все, что он делает или говорит, кажется тебе неправильным. Слушай, у тебя пирожков не осталось?

Настя молча вынула из сумки пакет с пирожками и положила на стол:

— Ешь, солнце мое незаходящее, а то я на них уже смотреть не могу. И все равно у меня просто зуд какой-то критиковать Афоню.

— Ну-ну, давай, — подбодрил ее Юра, засовывая рассыпающийся пирожок целиком в рот. — А я послушаю.

— Вот зачем, например, он велел мне сделать запрос в РУБОП? Он что, считает, что на земле все полные идиоты? Ты мне еще вчера сказал, что есть информация о причастности убитого к сокольнической группировке, значит, ребята с территории первым делом этим вопросом поинтересовались. А Афоня считает, что только здесь, на Петровке, сидят люди, которые что-то понимают в раскрытии преступлений. Терпеть не могу этот высокомерный снобизм!

— Подруга, ты и права и не права одновременно. То, что я тебе вчера сказал, было неофициальной и непроверенной информацией, которая пришла ко мне вовсе не из РУБОПа. Но с другой стороны, опера, которые выехали на труп, этот вопрос обсуждали и запрос посылать действительно собирались. Может, даже уже и ответ получили. Так что не кручинься раньше времени, сейчас позвоним ребятам в Сокольники и все узнаем. Если окажется, что это была банальная разборка, можешь вздохнуть свободно.

— А как же жена сценариста? Ты говорил, она пропала.

— Ну и что? — Коротков пожал плечами и потянулся за очередным пирожком. — Пропала и пропала. Может, она оказалась свидетелем, видела, кто и почему убил водителя, и ее забрали с места убийства, чтобы потом решить, как с ней поступить. Все равно на версию о разборке это не влияет. Ты слышала, что Афоня сказал? Ты подключаешься только в том случае, если это была не разборка. А если окажется, что это сокольнические между собой или с кем-то другим отношения выясняли, то пусть на территории разматывают.

Слова Короткова прозвучали для Насти хоть и утешением, но слабым. В убийстве водителя Теймураза Инджия она не видела ничего для себя интересного. Вот если бы это был маньяк, само существование которого ежечасно и ежеминутно создавало угрозу для жизни новой жертвы — тогда другое дело. Тогда необходимо напрягать все силы, физические и умственные, чтобы спасти те жизни, которые еще можно спасти. А тут... «Что со мной? — испуганно одернула себя Настя. — Я никогда раньше так не думала. Раньше для меня любое убийство было преступлением, которое просто необходимо раскрыть. Любой ценой. Любыми усилиями. Неужели я настолько очерствела, что стала относиться к трупам людей как к сухим фактам, которые лично ко мне не имеют ни малейшего отношения? Или дело в Афоне? Мне не нравится новый начальник, поэтому я охладела к своей работе. Чисто бабский подход к делу. Кажется, прежде мне это было не свойственно. Старею, что ли? Человека убили, а я думаю только о том, как бы увернуться от работы по раскрытию преступления».

— Юра, может, мне пора уходить? — внезапно спросила она.

— Куда? — Коротков машинально посмотрел на часы, и Насте стало понятно, что он воспринял ее вопрос буквально: назначена деловая встреча, на которую она не хотела бы опаздывать.

— Вообще. Из розыска, — неуверенно пояснила она. — Без Колобка мне здесь нечего делать. Моя аналитическая работа теперь никому не нужна, а все остальное я делаю плохо.

— Не дури, — строго произнес Юра. — Ты все умеешь и все прекрасно делаешь. За последние пять лет мы с тобой на эту тему ругаемся с завидной регулярностью. Лучше бы ты мне пирожки пекла с такой же частотой, с какой высказываешь эти бредовые мысли. Толку больше было бы.

— Юра, я...

— Ничего не хочу слушать, — резко оборвал ее Коротков. Потом поднял на Настю полные тоски глаза: — Ася, я тебя прошу. Пожалуйста. Колька Селуянов ушел. Игорь Лесников ушел. Доценко женился и тоже поговаривает о переходе куда-нибудь, где побольше платят, ему теперь семью содержать надо, там, насколько я понял, уже ребеночек на подходе. В отделе один молодняк, мы с тобой единственные, кто проработал здесь больше десяти лет. Да и молодняк такой, что надежды мало, тоже все на сторону посматривает. За последние годы у нас больше полутора лет ни один опер не продержался, только-только начинает хоть что-то понимать в работе — и сбегает. Приходит новенький, которого мы начинаем учить, а он тоже уходит. И так без конца. Ася, пожалуйста. Ну хочешь, я на колени встану?

Настя его понимала. Каково это — быть заместителем начальника отдела, когда у тебя в подчинении нет ни одного сотрудника, на которого можно было бы полностью положиться, одни молодые неумехи, которые мало что знают и знать больше не стремятся, ибо не видят на этой работе своего будущего? Игорь Лесников ушел на повышение, в Главное управление уголовного розыска министерства. Колю Селуянова переманили в окружное управление замом по розыску. Ребят можно понять, им расти надо, подполковниками становиться, потом полковниками. Это Насте так повезло, что она на майорской должности сидит в звании подполковника, но и то только потому, что она на целый год уходила в главк к Заточному, где и получила очередное звание, а потом вернулась на Петровку с двумя большими звездами на погонах и заняла прежнее место. И хоть до самой пенсии просидит она на этой должности, полковником никогда не станет, потому как «потолок» у старшего оперуполномоченного — майор, и ни миллиметром выше. Просто она не очень честолюбива и ради звания полковника милиции в лепешку расшибаться не собирается. А Игорь и Коля — нормальные мужики, их такое «болотное» состояние не устроит. У Мишеньки Доценко тоже свои комплексы, женился на Ирочке Миловановой, и все бы ничего, но у Ирочки есть весьма состоятельная родственница, она же следователь Татьяна Образцова, она же жена хорошо зарабатывающего частного детектива Владика Стасова, она же известная писательница Татьяна Томилина, получающая за свои книжки очень приличные гонорары. Ирочка привыкла жить, не считая денег, а Татьяна привыкла ее содержать. И для Миши совершенно неожиданно оказалась невыносимой ситуация, при которой Татьяна и Стасов постоянно помогают им деньгами. Он сам должен содержать свою семью. А на одну милицейскую зарплату не очень-то получается содержать неработающую жену с ребенком, старенькую маму с грошовой пенсией и себя, молодого сильного мужика, как минимум трижды в день испытывающего здоровое чувство голода. Вот и получилось, что сколоченный и обученный Колобком-Гордеевым костяк стал постепенно разваливаться, рассыпаться на кусочки. Как Настины вчерашние пирожки... Они с Юркой одни остались.

— Юр, а давай вместе уйдем, а? — предложила она. — Я все понимаю, я тебя здесь одного не брошу, даю слово. Но с другой стороны, зачем тебе оставаться с Афоней? И меня привязываешь, и сам мучаешься. Хочешь, я поговорю с Заточным? Наверняка у него найдется место для нас обоих.

— Аська, ты в облаках витаешь, — грустно усмехнулся Коротков. — Ну какой Заточный? Ты что, забыла, что у нас новый министр? Он пока еще своих замов перетряхивает, а как с назначением новых заместителей все уляжется, эти заместители начнут менять начальников главков. И где тогда окажется твой Заточный?

— Тоже верно, — вздохнула Настя, — я об этом как-то не подумала. Но в принципе-то ты готов уйти?

— Честно?

— Честно.

— Если честно — нет. Ася, я не мальчик, мне скоро пятьдесят стукнет...

— Еще не скоро, — с улыбкой перебила его Настя.

— Скорее, чем хотелось бы. У меня тридцать лет выслуги. Ты понимаешь, что это такое — тридцать лет службы? Как поступил после десятого класса в Омскую школу милиции, так и служу в ментовке. Много чего повидал, много чего умею. Я любил и продолжаю, как идиот, любить свою работу. Я родился для нее, я в нее вошел, как в хорошо сшитый костюм влез — мне удобно, комфортно, не жмет, не тянет. У меня два ранения, восемнадцать выговоров и хренова туча благодарностей и прочих поощрений. И что, на исходе пятого десятка признать, что прожил жизнь неправильно? Что любил то, чего не нужно было любить? Что много лет с потом и кровью учился, нарабатывал профессионализм и теперь умею то, что никому не нужно и никем не востребовано? Пойми, Аська, розыск — это моя жизнь. И другой у меня не будет. Во всяком случае, я не хочу, чтоб была. Мне не нужна никакая другая жизнь и другая работа. Поэтому я прошу: не уходи, помоги мне. Если можешь, конечно.

— А ты меня от Афони защитишь?

— Все, что смогу, — Юра прижал руку к сердцу. — Костьми лягу между ним и тобой, чтобы он до тебя не дотянулся.

— Ладно, тогда иди звони насчет проверки убитого в РУБОПе. Кстати, ты нашел где жить?

— Пока нет... То есть я в принципе договорился, у меня приятель в Академии МВД работает, ему как иногороднему выделили квартиру в общежитии, а он недавно женился и живет у жены. Квартира эта ему без надобности, но сейчас там какие-то его родственники обитают, в Москву за культурой, а заодно и за покупками приехали. Через неделю уедут, и я вселюсь. Мне вот только неделю эту перекантоваться где-нибудь... А, ладно, ерунда это все, на работе поночую, не рассыплюсь. Не впервой.

Настя с сочувствием посмотрела на него. Ну что ж это за жизнь такая, а? Человек тридцать лет честно отдал делу раскрытия преступлений, дважды был ранен, имеет бесчисленное количество поощрений, а вот решил уйти от жены — и деваться ему некуда. Так и будет скитаться по временно свободным хатам, которые предоставляют знакомые, потому что снимать квартиру — дорого, на это вся зарплата уйдет, даже на сигареты не останется, не говоря уже о еде, одежде, алиментах на сына и бензине для машины, которая, кстати сказать, настолько старенькая, что постоянно требует ремонта, а он, между прочим, тоже небесплатно делается. Ну что ж это за жизнь, которая сама толкает сыщика в широко раскрытые объятия криминальных структур, которая не шепчет — в голос кричит каждую минуту: плюнь на все, возьми деньги, сделай, как тебя просят, и живи без проблем!

— Хочешь, поживи у меня, — предложила она совершенно искренне. — У нас теперь гостевое место не на раскладушке, а на мягком диване.

— Хочу, — так же искренне ответил Коротков. — А я тебя не стесню?

— Да брось ты, — Настя весело махнула рукой, — ты ж сколько раз у меня ночевал. Зато будешь по утрам возить меня на работу на машине, как белую леди.

Через полчаса стало известно, что по учетам регионального управления по борьбе с организованной преступностью Теймураз Инджия не проходит, то есть полученная Коротковым информация о причастности водителя съемочной группы к сокольнической преступной группировке оказалась недостоверной.

— Извини, подруга, — Коротков виновато развел руками, — я бы рад, но... Сама понимаешь. Ребята в Сокольниках уже в курсе, что мы подключаемся. Готовы рассказать тебе все, что знают.

— Да уж, — Настя скептически оглядела замначальника отдела, — на доброго вестника ты мало похож. Ну скажи хоть напоследок что-нибудь приятное, подсласти пилюльку-то.

— А ведет это дело следователь Гмыря, — торжественно объявил Юра. — Горячо тобою любимый Борис Витальевич.

— Ну слава богу, хоть здесь повезло, — Настя с облегчением вздохнула и отправилась в Сокольники.

* * *

Наталья Воронова милиции не боялась. Не то чтобы она была «крутой» и уверенной в своем могуществе особой, которая ничего не боится, потому что от всего и от всех откупится. Просто жизнь складывалась так, что посещать это государственное учреждение приходилось в свое время часто. Первый муж Натальи был моряком-подводником, служил в Западной Лице, и для приезда к нему требовался специальный пропуск в погранзону, который оформлялся именно в милиции. А ездила Наталья к нему каждый год на протяжении многих лет. Потом воспитанница, Иринка, соседка по коммунальной квартире, стала добавлять поводы для встреч Вороновой с милиционерами. Потом были документальный сериал о проблемах подростков и молодежи и полнометражные документальные фильмы «Законы стаи» и «Что такое хорошо и что такое плохо», для подготовки и съемки которых Наталье пришлось тесно общаться с представителями самых разных милицейских служб и провести немало времени в исправительно-трудовой колонии для несовершеннолетних. Так что в свои сорок шесть лет Наталья Александровна Воронова не испытывала ни малейшего душевного трепета ни перед самим учреждением, ни перед его представителями. И тем не менее ей было не по себе. Беседа со следователем и дача показаний в качестве свидетеля — такое с ней случилось впервые.

— Наталья Александровна, вы можете как-нибудь прокомментировать сегодняшние публикации в некоторых газетах? — спросил следователь, представившийся Борисом Витальевичем, и положил перед ней две газеты, которые она уже читала сегодня утром. В одной был опубликован материал под названием «Война телеканалов продолжается», в другой заголовок еще покруче: «Убит водитель. Кто следующий?»

Несмотря на внутренний неуют и неостывшие еще впечатления от произошедшего поздним вечером в субботу, Наталья не смогла удержаться от усмешки.

— Да бог с вами, Борис Витальевич, разве можно к этому относиться серьезно? Это же полный бред!

— Поконкретнее, пожалуйста. Есть ли у вас хотя бы малейшие основания полагать, что кто-то заинтересован в срыве съемок? Есть хоть один человек в нашей стране, который хотел бы, чтобы вы никогда не сняли свой новый сериал?

— Ну, если вы так ставите вопрос, то я вынуждена ответить утвердительно. Наверняка есть.

— Вы можете назвать имена?

— Борис Витальевич, я здравый человек и отдаю себе отчет в том, что живу среди людей. Понимаете? Среди самых разных людей с самыми разными мыслями и чувствами, а не среди ангелов, которые всех любят и которым неведомы злоба и ненависть. И глупо было бы полагать, что все ко мне хорошо относятся. Есть люди, которым я просто несимпатична, и они искренне порадовались бы каждой моей неудаче. Есть, наверное, даже такие, которые меня ненавидят, потому что считают, что я где-то в чем-то перешла им дорогу или помешала. И есть такие, которые мне завидуют, потому что полагают, что мне все в жизни далось легко и просто. Но я в этом смысле не исключение, то же самое можно сказать про каждого из нас. И про вас в том числе.

— Ну, про меня-то так сказать — святое дело, — широко улыбнулся следователь. — Трудно предположить, что те, кого я отправил в суд, питают ко мне страстную любовь. Но вы все-таки не следователь. А потому давайте остановимся для начала на тех, кто вас ненавидит. Так кому и в чем вы перешли дорогу, Наталья Александровна?

Она не ожидала, что он поймет ее так буквально, и растерялась.

— Мне кажется, для того, чтобы убить человека только ради срыва съемок, ненависть должна быть уж очень... — она поискала слово, ничего подходящего не нашла и употребила первое пришедшее в голову, — очень масштабной. А мозги очень маленькими. Убийство водителя не может сорвать всю съемку сериала. Оно внесет сумятицу, нервное напряжение, члены съемочной группы вынуждены будут тратить нервы и время на общение с сотрудниками уголовного розыска и со следователем, работа будет скомкана и затормозится, но это только на время. Пройдет максимум месяц — и все пойдет своим чередом. Сериал все равно будет сниматься. А на место убитого Тимура будет взят новый водитель, только и всего. Я понимаю, это звучит довольно цинично, но я хочу, чтобы вы поняли всю бесперспективность вашей странной версии.

— Она не странная, уважаемая Наталья Александровна. Представьте себе на минуту, что убит не водитель, а ведущий актер. Что тогда?

— Что тогда? Тогда, конечно, тяжелее. Но если оставить за рамками обсуждения чисто человеческий аспект проблемы, связанный с утратой чьей-то жизни, то тоже не катастрофа. Съемки идут всего три недели, и если из команды по какой-то причине выбывает актер, можно за три-четыре дня переснять все сцены с его участием, пригласив другого актера на эту же роль. Конечно, это время, это деньги, это лишняя нервотрепка, кроме того, сценарий пишется прямо по ходу съемок под конкретного исполнителя, так что сценарий тоже придется в чем-то менять. Но и это не катастрофа. Если уж срывать съемки посредством убийства актера, играющего главную роль, то делать это нужно ближе к концу, когда почти все уже снято, но именно ПОЧТИ, то есть осталось еще достаточно сцен с его участием и без него никак не обойтись. Вот тогда действительно встанет вопрос о пересъемке всех эпизодов с новым актером и с самого начала. На это уже нужны будут очень большие дополнительные деньги, и финансовые трудности могут полностью заблокировать окончание работы над сериалом.

— Интересно, — промычал следователь, выслушав ее объяснения. — Давайте затронем финансовый вопрос. Вот вы сказали, что если бы ведущего актера убили сейчас, все равно понадобилось бы дополнительное финансирование, чтобы переснять уже отснятые эпизоды с новым актером. Где бы вы взяли эти деньги?

— Из общего бюджета картины.

— И что, это прошло бы без последствий? Я имею в виду, картина не пострадала бы?

— Конечно, пострадала бы. Пришлось бы урезать себя в чем-то другом, например в костюмах, в съемках городской натуры — в Москве это ужасно дорого. В массовке. Даже в хороших актерах. Знаете, я люблю, чтобы в маленьких эпизодах у меня снимались звезды, но съемочный день звезды стоит больших денег. Пришлось бы в эпизодах занимать более дешевых актеров, малоизвестных или совсем неизвестных. Это пошло бы во вред картине.

— Правильно ли я вас понял? Если бы сегодня убили актера, играющего главную роль в вашем сериале, то сериал все равно был бы снят, но качество его было бы заметно ниже. Так?

— Вероятно, так. Мне трудно сказать совершенно точно, поскольку я в таких ситуациях не бывала... Да, пожалуй, так, но при одном условии: если бы у нас не было дополнительных денег.

— А они у вас есть?

— Они могут появиться. Например, источник финансирования может войти в наше положение и выделить дополнительные средства, хотя это крайне маловероятно, но теоретически возможно. А можно взять деньги в другом месте.

— В каком же?

— Да в любом. У любого спонсора. У моего мужа, например.

Судя по изумлению, мелькнувшему в глазах следователя, он совершенно не представлял себе, на какие деньги Наталья Воронова снимает свое кино. Пришлось и об этом подробно рассказывать.

— Так что видите сами, Борис Витальевич, если я не смогу снять сериал, то ни один телеканал серьезно не пострадает, поскольку никто, кроме моего мужа, пока еще не вложил в съемки ни копейки.

— Да-а, — протянул Борис Витальевич, — озадачили вы меня, Наталья Александровна. Интересно, а журналисты, которые это написали, — он ткнул пальцем в лежащие на столе газеты, — они вообще в курсе, на какие деньги вы снимаете кино?

— Вообще в курсе, так как я этого ни от кого не скрываю. У меня пару раз брали интервью, как только начались съемки, и я об этом говорила. Но это совершенно не означает, что теперь все всё знают. Вот вы же, например, не знали. Журналисты вообще очень часто не знают того, что написано во всех газетах, а уж если всего только в двух... Их нельзя в этом винить, они не могут читать все издания от корки до корки, они ведь не читатели, а писатели, — Наталья улыбнулась.

Они еще какое-то время поговорили о механизме финансирования съемок и об их организации, когда Борис Витальевич неожиданно и резко свернул совсем в другую сторону:

— Наталья Александровна, что вы можете мне рассказать о взаимоотношениях вашего сценариста Нильского с женой?

* * *

Люба с удовольствием оглядела свое отражение в большом, в полный рост, зеркале в ванной. Ни единого дефекта, даже самый предвзятый ценитель не смог бы найти недостатки в ее фигуре. И лицо, и волосы — все вместе так и просится на обложку журнала. Мужики штабелями вокруг падают от такой красоты. И Эдик, казалось бы, тоже от нее без ума, во всяком случае, до недавнего времени она была в этом уверена на все сто. И вдруг эта поездка... Ни с того ни с сего взял и уехал в Кемерово на несколько дней. Что он там забыл? Чего не видел? Несет какую-то бредятину насчет женщины, которая потеряла всю семью и которой непременно надо помочь. Что за женщина, кто она такая? С того дня, как Эдик вернулся из поездки, Люба только об этом и думает. Может, и вправду все дело в женщине, только не в одинокой и нуждающейся в помощи, а совсем-совсем в другой, молодой и красивой, еще моложе и красивее, чем она сама. Почти две недели Люба пристально вглядывается в своего возлюбленного, ища в его поведении признаки увлеченности неведомой соперницей, ничего определенного не находит и от этого только еще больше злится и нервничает. А Эдик ведет себя как ни в чем не бывало, шутит, смеется, ходит на работу, занимается с ней любовью, с удовольствием ест приготовленные ею завтраки, когда остается ночевать. Может, все не так страшно? Ну, увлекся, загорелся — с кем не бывает? Слетал к своей зазнобе на несколько дней, накушался ею досыта и понял, что лучше Любы для него никого нет. Хорошо бы, если так. А если нет?

Девушка умылась, тщательно расчесала густые, до плеч, волосы, подняла высоко на макушку и скрепила заколкой — Эдику нравится, когда полностью открыта длинная стройная шея. Слегка подкрасила ресницы — совсем чуть-чуть, чтобы даже догадаться невозможно было, что она делала макияж. Только глаза оттенить. Надела красивую шелковую пижаму и направилась на кухню варить кофе, но не удержалась и снова вернулась в спальню. Только на одну минуточку. Только посмотреть на него. Посмотреть, как он спит легким утренним сном, когда уже и будильник, поставленный Любой на семь часов, прозвенел, и солнце сквозь неплотно задернутые шторы заливает светом как раз ту часть кровати, где находится голова Эдика. Господи, как же она его любит! И его темно-русые волосы, и смешливые серые глаза, и широкие плечи, и узкие бедра, и длинные ноги. И даже короткие редкие ресницы на верхнем веке. Такие забавные...

Лицо Эдика чуть дрогнуло, с сожалением прощаясь с остатками сна, глаза открылись.

— Ты чего? — вяло спросил он, увидев стоящую в дверях Любу.

— Ничего. Просто смотрю.

— Зачем?

— Так просто. Смотрю, и все. Радуюсь, что ты у меня есть.

— Не выдумывай.

Он совсем не склонен к романтике и даже не особенно ласковый. Но это Люба тоже в нем любит. Только бы он не бросил ее, только бы не влюбился в другую.

— Что ты хочешь на завтрак?

— Как обычно, мюсли с молоком. Что ты каждый раз спрашиваешь? Я всегда ем на завтрак одно и то же.

Она не обиделась, Эдик всегда немного грубоват, она уже привыкла. Пока он брился и принимал душ, Люба сварила кофе, насыпала в глубокую тарелку мюсли из пакета, налила слегка подогретое молоко. Остатки молока еще немного подержала на огне и залила ими овсяные хлопья с изюмом — ее завтрак.

— Тебе к которому часу на работу? — спросила она осторожно, понимая, что сейчас может последовать очередной взрыв недовольства: Эдик либо ходил к десяти утра, либо не ходил вообще. Он работал официантом по графику «три через три» — три дня работал, три дня отдыхал. Вчера у него был выходной, третий по счету, стало быть, сегодня надо идти в ресторан.

Люба и сама не знала, зачем задала вопрос, имеющий совершенно очевидный ответ. Наверное, чтобы прервать молчание, которое неожиданно стало ее тяготить. Как странно! Эдик никогда не был особо разговорчивым, а уж за едой и вовсе предпочитал помалкивать, и Люба всегда принимала это как должное. Он так устроен, такой уж у него характер. Но теперь, после внезапной и какой-то непонятной поездки в Кемерово, ей все время было тревожно и постоянно хотелось получать доказательства того, что Эдик по-прежнему принадлежит ей. Ей одной, и больше никому. В качестве подобного доказательства выступало все, любая мелочь, даже банальный обмен репликами. Даже просто тот факт, что он разговаривает с ней. Девушка понимала, что ведет себя глупо, но поделать ничего не могла. Это было выше ее сил.

Однако Эдик ее вопрос проигнорировал, продолжая вычерпывать ложкой из тарелки мюсли с молоком. Люба решила повторить попытку завязать разговор.

— Эдинька, а та женщина, к которой ты ездил...

— Что? — он поднял голову и недовольно посмотрел на нее. — Что женщина? Ты опять? Я же тебе все объяснил! Сколько можно, в конце концов!

— Не сердись, — торопливо заговорила Люба. — Я только хотела спросить: тебе нужно будет еще к ней ездить?

— Зачем?

— Ну я не знаю... Опять помочь чем-нибудь, проверить, все ли в порядке.

— Не знаю, может быть, — неопределенно ответил Эдик. — А почему ты спросила?

— Я подумала, может быть, мне есть смысл съездить с тобой? Вдвоем всегда проще проблемы решать. И вообще...

— Что — вообще?

— И тебе не скучно будет.

— Мне никогда не бывает скучно, — отрезал он, отодвигая пустую тарелку.

— А я без тебя тоскую, — призналась девушка. — Когда тебя нет, я сама не своя. Возьмешь меня с собой в следующий раз?

— Не знаю. Там видно будет.

Сердце у Любы тревожно заныло. Неужели ее самые худшие предположения оказываются правильными? У него в Кемерове женщина. И он собирается снова к ней ехать. А Любу бросит. Господи, подскажи, научи, дай силы сделать так, чтобы этого не случилось!

Глава 3

Работать со следователем Гмырей Настя Каменская любила. Борис Витальевич когда-то сам был оперативником, посему проблемы и трудности сыщицкой жизни знал не понаслышке и относился к ним с пониманием. И никогда не делал кислую мину, если розыскники приносили ему информацию, добытую со всеми мыслимыми и немыслимыми нарушениями закона, а садился вместе с ними за стол и начинал придумывать, как бы придать этим сведениям вполне приличный вид.

— Что-то ты подозрительно хорошо выглядишь, — заявил Борис Витальевич, едва Настя переступила порог его кабинета. — Влюбилась, что ли?

— Никак нет, ваше благородие, — шутливо откликнулась она. — Просто вы меня давно не видели и успели основательно забыть.

— Ну да, тебя забудешь, как же. Садись, рассказывай.

— Да нет уж, это вы рассказывайте. Вы же в деле с самого начала, а все, что мне ребята из Сокольников поведали, вы и сами знаете. Ни к сокольнической, ни к какой-либо другой группировке наш убиенный никакого отношения не имеет, то есть это была не разборка. Что у вас осталось?

— Много чего. Во-первых, то, о чем написали газеты. Я сегодня имел подробную беседу с мадам Вороновой, режиссером сериала, она меня кое в чем просветила, но мало в чем убедила. Так что версию убийства с целью срыва съемок пока оставляем как первоочередную. Далее у нас по списку следует... что?

— Шантаж, — быстро подсказала Настя. — Жену сценариста могли похитить, поскольку она стала свидетелем, а могли и с целью шантажа. Тогда убийство водителя пойдет как устранение помехи к похищению.

— Молодец, — одобрительно кивнул Гмыря. — Цель шантажа?

— Прекращение съемок, например. Или вымогательство денег. Только у кого?

— Да у Вороновой, у кого же еще. У нее муж — богатый бизнесмен, у него своя фирма, «Центромедпрепарат» называется. Денег — куры не клюют. Воронова свое кино на эти деньги снимает, между прочим.

Настя не удержалась и присвистнула. Вот это да!

— Богатый муж — это, конечно, здорово, но все равно как-то смутно... У Вороновой дети есть?

— Двое.

— Тогда проще было похитить ребенка, ради ребенка уж она точно раскошелилась бы. А тут жена сценариста. Десятая вода на киселе.

— Не совсем так, Настасья, — покачал головой Гмыря. — Дети у Вороновой — здоровые лбы, в недавнем прошлом — спортсмены, много лет серьезно занимались плаванием. Одному двадцать один год, другому двадцать вот-вот исполнится. Таких под мышку не схватишь и втихаря не унесешь.

— А жена сценариста?

— Жена сценариста, жена сценариста, — запел следователь на мотив популярной в далеком прошлом песни о березовом соке и вытащил из папки какой-то листок. — Жена сценариста у нас Нильская Яна Геннадьевна, двадцати семи лет от роду, рост один метр пятьдесят один сантиметр, вес сорок два килограмма.

— Да, — протянула Настя, — такая кроха может физическое сопротивление только комару оказать. И то нет гарантий, что успешно. И что, Воронова с этим сценаристом шибко сильно дружит? Так сильно, что даст деньги на выкуп его жены?

— Говорит, что даст. Но я не верю. И потом, Воронова может говорить что угодно, но деньги-то в любом случае должен будет давать ее муж, а не она сама. Вот и возникает вопрос: если Яну Геннадьевну похитили с целью вымогательства, откуда у преступника такая уверенность, что господин... господин... — Гмыря снова заглянул в свои записи, — господин Ганелин, муж нашей мадам режиссерши, даст деньги. Потому как больше взять их неоткуда, сам сценарист Нильский никаких сбережений не имеет и выкупить супругу не сможет.

— А гонорар? — удивилась Настя. — Он же должен был получить гонорар за сценарий. Насколько я знаю, это очень приличные деньги. Тысячи две — две с половиной долларов за серию. Сколько предполагалось серий?

— Тридцать с чем-то, так, во всяком случае, утверждает Воронова.

— Вот видите, — торжествующе улыбнулась она, — по

самым скромным подсчетам, Нильский должен иметь не меньше шестидесяти тысяч долларов.

— Ничего я не вижу, — проворчал Борис Витальевич, — потому что Нильский гонорара не получал.

— То есть как? Почему?

— Потому что. Там сложная схема выплат... И готовых сценариев нет. Короче, со слов Вороновой выходит, что съемки фильма начались на средства ее мужа, но телеканал обещал подключиться к финансированию попозже, когда получит деньги из бюджета на следующий год. Вот из этих денег Нильскому и будет выплачен гонорар в полном объеме. А пока он получил совсем немножко рубликов, чтобы было на что жить в Москве и с голоду не опухнуть. Но это все, конечно, надо проверять. Идем дальше. Если у Нильского денег нет, остается муж мадам. Надо выяснить, не связывают ли его с похищенной Яной Геннадьевной какие-то особые отношения, и если да, то кто мог об этом знать. Если преступник имел в виду именно его карман, то откуда у него уверенность, что сей карман широко откроется ради крошки Яны? Сечешь?

Настя молча кивнула. Дело об убийстве водителя теперь не выглядело для нее скучным.

— Смотрим дальше, — продолжал между тем следователь. — Предположим, преступник все-таки имел цель сорвать съемки, хотя мадам три часа с пеной у рта убеждала меня в том, что этого быть не может. Но ты же знаешь, Настасья, меня убедить трудно, где на меня сядешь — там и слезешь. Допустим, Воронова со слезами, истериками и угрозами развода или самоубийства выклянчила у своего богатенького муженька деньги на съемки. Понятное дело, что он их не вынул из кошелька и не положил перед ней на стол. Он частями, по мере необходимости, переводит эти деньги на счет съемочной группы. Так вот, где гарантия, что, столкнувшись с такой неприятностью, как убийство на съемочной площадке, он не прекратит финансирование очередной блажи своей супружницы? А если уж он совсем не хотел давать деньги, но пытался сохранить лицо перед мадам, тогда он просто воспользуется убийством водителя, чтобы свернуть проект. И не даст больше ни гроша. Дескать, не судьба, небеса против и всякая такая дребедень. Из этого следует что?

— Из этого следует, что либо убийца точно знал, что так и будет, и съемки прекратятся, либо все это организовал сам муж Вороновой. И получается, что он... как его фамилия?

— Ганелин, — подсказал Борис Витальевич.

— И получается, что господин Ганелин становится у нас с вами центральной фигурой. И по версии о похищении, и по версии о срыве съемок, — закончила Настя.

Да, любопытно все складывается... Начали с убийства водителя съемочной группы, а закончили крупным бизнесменом.

— А если все-таки водителя убили потому, что хотели убить именно его? — спросила она осторожно. — Ну и что, что он не связан с криминальной группировкой. Во-первых, это еще не факт, в РУБОПе тоже не боги сидят, они не могут знать все и обо всех. Просто он им на заметку еще не попадался. А во-вторых, можно подумать, что, кроме разборок, нет других причин для убийства.

— А что, разве есть? — невинно осведомился Гмыря.

— Да хоть та же ревность.

— О! Вот тут ты в самую точку попала, — довольно засмеялся Борис Витальевич. — А знаешь ли ты, Настасья, что похищенная Яна Геннадьевна отчаянно флиртовала с невинно убиенным Теймуразом Инджия?

— Мне в Сокольниках что-то говорили об этом, но как-то неуверенно. Вроде бы жена сценариста весь съемочный день не сидела на площадке, а гуляла по парку в обществе водителя. Вы это называете отчаянным флиртом? — с сомнением произнесла Настя.

— И этот съемочный день, и все предыдущие они постоянно общались, отлучались куда-то, вместе ходили обедать и пить кофе. А если водителя посылали с поручением, наша кроха ездила вместе с ним. Скажу тебе больше: в вечер убийства, незадолго до того, как все случилось, у сценариста Нильского случился весьма неприятный разговор супругой на повышенных тонах. У тех, кто слышал этот разговор, создалось впечатление, что они поссорились. Причем крупно.

— Думаете, Нильский мог убить водителя из ревности?

— Да запросто. Почему нет?

— А где же тогда Яна? Ее ведь похитили. Тоже из ревности, что ли?

— Дорогая моя, а кто тебе, собственно, сказал, что Яну Геннадьевну похитили? — задал неожиданный вопрос Гмыря.

— Как кто? Коротков, еще в воскресенье. А теперь вы то же самое сказали.

— А ты, дурочка, и поверила. Эх, Настасья, учить тебя еще и учить. Она пропала, понимаешь? Пропала. И ее нигде не нашли. Может быть, ее и в самом деле похитили. А может быть, она сама ушла. Поссорилась с мужем и ушла куда глаза глядят. И ни о каком убийстве водителя знать не знает. Нашла где переночевать, сидит там и дуется на своего благоверного, ждет, когда он наволнуется всласть и поймет, какая она чудесная и как он без нее жить не может. Типично бабский ход. А может быть, ее тоже убили.

— Где же труп в таком случае? — резонно спросила Настя.

— Где-нибудь лежит. Найдется рано или поздно. Теперь смотри, у нас есть три варианта объяснения, куда девалась Яна Нильская. Из них два не исключают убийства водителя из ревности. Значит — что?

— Значит, сценарист, — вздохнула Настя. — Его тоже надо разрабатывать. Но ведь и у убитого водителя могла найтись дамочка, которая его приревновала бы. И тоже могла организовать убийство либо его одного, либо обоих.

— Могла, — согласился Гмыря. — Короче, работы — непочатый край. В воскресенье этим делом занимался дежурный следователь, сегодня утром я принял его к производству. Сегодня, как ты помнишь, тоже выходной, и завтра у нас день нерабочий, то есть до самой среды, до тринадцатого июня, дело будет валяться без всякой пользы для общества и без малейшего движения. А к тринадцатому уж все следы простынут. Вы же, сыщики так называемые, ничего толкового не можете сделать без моего мудрого процессуального руководства, верно? Все, что можно будет запороть, — запорете непременно, а то, что испортить нельзя, приведете в полную негодность. Ладно, шучу, шучу, не кривись, это у меня юмор такой на фоне выходного дня. Поэтому я сегодня уже связался с руководством и договорился, чтобы дело оставили у меня. Спросишь, зачем мне это надо? Отвечаю: хочу уйти на повышение и набираю очки в свою пользу. Но тебе это ни к чему, это мои проблемы. Сыщики с территории работают версии, где центральной фигурой является сам потерпевший, изучают его связи, смотрят, не было ли там конфликтов или еще каких причин для убийства. Тебе это интересно?

— Не-а, — помотала головой Настя. — Сколько лет потерпевшему?

— Двадцать пять.

— Стало быть, его окружение — из молодых. Я с таким материалом не совладаю. Мне бы что посолиднее, тем более новый начальник требует, чтобы я занималась версией о срыве съемок.

— Вот и ладушки, — согласился Борис Витальевич. — Значит, Настасья, в первую очередь ты мне собери сведения о том, насколько близки супруги Нильские с семьей Вороновой. И конкретно: насколько близка пропавшая Яна Нильская с богатым мужем нашей мадам. Ну и все вокруг этого. Дальше: я хочу знать, насколько охотно муж дал деньги Вороновой на съемки. Подозреваю, что он при этом скрипел зубами и клял все на свете, но хочу знать точно. И последнее: сценарист Нильский живет в квартире без телефона, мобильника у него нет, так что позвонить лично ему похитители не смогут. Это в том случае, конечно, если Яну похитили с целью вымогательства. Либо они подбросят ему письменное сообщение на адрес, либо будут звонить кому-то из его окружения. Скорее всего, самой мадам Вороновой или ее мужу. На адресе человек должен находиться круглосуточно. А ты крутись возле Вороновой. Чуть что — звони немедленно.

— Да ладно, не маленькая, — улыбнулась Настя.

* * *

Ирина Савенич на цыпочках прошла из комнаты в кухню, притворила за собой дверь, налила в электрический чайник воду, нажала кнопку. Наконец-то Руслан задремал, впервые почти за двое суток прикрыл глаза и расслабился. Пусть отдохнет, она постарается ему не мешать. Бедный парень, надо же такой напасти случиться! Жена пропала. А паренек-водитель, с которым она ушла выпить кофе, убит. Кошмар какой-то! Вообще-то Яна Нильская Ире была совершенно несимпатична, но в такой ситуации разве имеют значение всякие вкусовые глупости? Где сейчас эта маленькая Янка? Ее похитили и держат в каком-нибудь темном подвале, может быть, пытают и истязают, но только зачем? Что от нее хотят? И почему до сих пор никто не объявился, не позвонил и не сказал о своих требованиях? Не знают, как найти Руслана, потому что у него нет телефона? Глупости, Янка прекрасно знает адрес. И потом, она знает телефоны и Натальи, и Иры, звонила им неоднократно. Если похитители захотят связаться с Русланом, они сообразят, как это сделать. Но зачем, зачем? От Янки они ничего не могут хотеть, она обычная портниха, никакими особыми сведениями не располагает. И денег у нее нет. Значит, они хотят чего-то от самого Руслана. Он в прошлом журналист, много про кого всяких сведений насобирал. Может, в этом все дело? Но ведь он уже больше года не работает в газете, вообще из журналистики ушел, сидел дома и роман писал. Ни в каких серьезных делах участия не принимал, никаких журналистских расследований не вел. Кому он может быть интересен? Кому-то, наверное, интересен, раз Янку похитили. Но почему же они не звонят? Господи, хоть бы объявились уже скорее, представили доказательства, что маленькая Янка жива-здорова, тогда можно было бы вздохнуть свободно. А они все не звонят...

Вода в чайнике закипела, Ира достала чашку, бросила в нее пакетик французского чая с васильками и с сожалением отметила, что коробка быстро пустеет. Она купила этот чай в Париже месяц назад, когда ездила на майские праздники отдыхать вместе с Натальей и всем ее семейством. Чай ей очень понравился, и теперь Ира корила себя за то, что купила всего две упаковки. Как ни экономь, а все равно скоро закончится. После того, что случилось в субботу, было решено не оставлять Руслана одного, пока ситуация с его женой не разъяснится. И Ира на правах старой знакомой взяла это на себя. Заскочила домой, побросала в сумку самое необходимое — туалетные принадлежности, косметику, таблетки от аллергии, коробочку с заменителем сахара, смену одежды, зарядное устройство для мобильного телефона. И чай свой любимый прихватила.

Руслана жалко — просто до спазмов в горле. Плохо еще, что он совсем не пьет, привычки такой не имеет. То есть рюмку поднять может, когда за общим столом сидит, но не о рюмке сейчас речь, а о том, чтобы выпить как следует и снять напряжение, расслабиться, отключиться. А Руслан не умеет. Не приучен. Всю ночь с субботы на воскресенье он провел в милиции, где его по двадцать раз спрашивали об одном и том же, потом Ира отвезла его сюда, в квартиру Наташиного сына, и сидит с ним, ждет у моря погоды. В воскресенье сюда милиционеры приезжали, опять терзали Руслана вопросами, мол, нет ли у его жены знакомых в Москве, да не могла ли она обидеться на него и уйти к ним, да не угрожали ли ему, не требовали ли чего, и все в таком духе. Потом снова наступила ночь, но у Руслана сна ни в одном глазу, то мечется по квартире, то сидит неподвижно, раскачиваясь и обхватив руками голову, то вдруг начинает говорить без остановки. И Ира не спит, успокаивает, как может, утешает, строит оптимистичные прогнозы. Только толку-то от всего этого — чуть с каплей. Сегодня утром она не выдержала и заснула, часа два проспала, а Руслан так глаз и не сомкнул. Слава богу, хоть к вечеру задремал. А телефон все молчит...

Ира не выдержала, достала сотовый телефон, набрала номер Натальи.

— Ну что? — вполголоса спросила она, стараясь говорить потише.

— Ничего. А у вас там как?

— И у нас ничего. Натуля, почему они не звонят? Чего ждут?

— Может быть, выжидают, когда Руслан рассудок потеряет от волнения. Надеются, что он станет сговорчивее. А может быть, Яну и в самом деле никто не похищал. Ты же знаешь, они поссорились в субботу вечером...

— Так куда она могла деться? — Ира не заметила, как повысила голос. — У нее в Москве никого нет, кроме нас. Ни одной знакомой души. Она здесь никогда раньше не бывала. Милиционеры сказали, что проверили все гостиницы — ее нигде нет. Так где она, если ее не похитили? Мы тут уже самое плохое думаем...

— Что ты имеешь в виду? — строго спросила Наталья.

— Что Янки вообще уже... ну, что ее нет, — выдавила Ирина.

— Это кому из вас пришла в голову такая мысль?

— Руслану... Он уже чего только не передумал. И что она с любовником сбежала. И что ее убили. И что у нее внезапно сделалось умственное помешательство, она забыла, кто она, где живет, зачем здесь находится. Бродит где-нибудь по Москве и не знает, куда идти. Натуля, как ты думаешь, ее ищут? Или так только, видимость создают?

— Ириша, возьми себя в руки, — еще строже произнесла Наталья. — Ситуация действительно тяжелая, но ты не должна ее усугублять. Я тебя отправила к Руслану для того, чтобы ты оказала ему моральную поддержку, а вовсе не для того, чтобы ты поддавалась панике. Если ты немедленно не прекратишь накручивать себя и его, я приеду и буду сама с ним сидеть, а тебя отправлю домой. Ты меня поняла?

Ира ничего не имела против того, чтобы Наталья приехала. Более того, она сейчас хотела этого больше всего на свете. Так уж повелось в ее жизни, что в тяжелой ситуации Наталья всегда была рядом и подставляла плечо или протягивала руку. И сейчас присутствие старшей подруги, которая ее вырастила и воспитала, было Ирине совершенно необходимо. Но она понимала, что просить Наталью приехать — верх эгоизма. Она сама издергана донельзя, сегодня ее несколько часов допрашивал следователь, а до этого забрасывали вопросами какие-то другие милиционеры. Она тоже не спит и с ума сходит от тревоги. А ведь у нее муж и сын, не может же Наталья их бросить и снова мчаться на подмогу своей воспитаннице. Воспитаннице-то, слава богу, уже тридцать один, чай, не девочка, дважды замужем побывала, институт закончила, в нескольких картинах снялась, а все по привычке к Наталье тянется, когда на душе тяжело.

— Я поняла, Натулечка, — покаянно пробормотала Ирина. — Я постараюсь вести себя правильно. Только ты сразу же позвони, если что-нибудь станет известно, ладно?

Она залпом допила остывший чай, открыла холодильник и с огорчением убедилась, что еды почти никакой не осталось. То, что Янка купила и приготовила в субботу утром, к вечеру понедельника оказалось полностью съеденным. Гостеприимная Ира предложила приехавшим в воскресенье оперативникам чай с бутербродами, они не отказались, смущенно признавшись, что работали всю ночь и голодны как волки. У самой Иры на нервной почве сделался зверский аппетит, да и Руслан тоже что-то поклевал, он есть совсем не хотел, но Ира его заставляла. Вот и доклевались... Даже хлеба нет ни кусочка. Надо бы выскочить в магазин, здесь совсем рядом, на углу, есть круглосуточный.

Ирина вырвала из записной книжки чистый листочек и быстро написала: *«Я вышла в магазин, через пятнадцать минут вернусь, не беспокойся. Ира»*. Немного подумала и поставила время: 21.40. Если Руслан проснется, то по крайней мере не испугается, что она ушла давно и тоже пропала. Тихонько прокравшись в комнату, Ира положила записку рядом с диваном, на котором в неудобной позе прикорнул Руслан, взяла ключи и вышла из квартиры, стараясь не щелкать замком.

В магазине она купила сыр и копченое мясо для бутербродов, хлеб, яйца, творожную массу с изюмом, несколько сладких булочек и банку джема из черной смородины. Поразмышляв, добавила к этому две полуторалитровые бутылки воды без газа для себя и две с газом — для Руслана, а также несколько тяжелых, по полкило, плиток шоколада. Шоколад хорош в стрессовых ситуациях, когда есть не хочется и в горло ничего не лезет, а силы надо чем-то поддерживать. Сложив покупки в несколько пакетов, Ира подхватила их и невольно охнула: поклажа получилась внушительной, одной воды шесть литров. И шоколада килограмма два. И все остальное тоже свой вес имеет. Хорошо, что до дома недалеко, метров двести, не больше.

Возле подъезда с ней почти столкнулся какой-то парень.

— Не тяжело? — слегка насмешливо спросил он. — Может, помочь?

— Перебьешься, — грубо бросила ему Ира и нырнула в подъезд, тут же мысленно упрекнув себя в беспечности. Ну как так можно? Парень явно собрался пристать к ней, а она прямо у него на глазах входит в подъезд, в котором нет консьержки. А ну как он сейчас рванет следом за ней и при помощи легкой физической силы постарается объяснить ей, что разговаривать с незнакомыми мужчинами нужно вежливо? Совсем с ума сошла!

Ожидая лифт, она испуганно прислушивалась к звукам у себя за спиной, но ничего не произошло. И только когда двери лифта стали закрываться, Ира услышала, как кто-то вошел в подъезд. Боже мой, ну она точно полная идиотка! Это же милиционер, который наблюдает за домом на тот случай, если кто-то захочет принести записку Руслану от похитителей. Ведь вчера еще их предупредили, что кто-то из работников милиции обязательно будет рядом. От осознания собственной глупости Ира даже рассмеялась. Потом, вспомнив об убитом водителе Тимурчике и о пропавшей Яне, снова погрустнела.

Руслан так и не проснулся, пока она ходила в магазин, но резко открыл глаза и вскочил с дивана, едва Ира переступила порог.

— Что? — напряженно спросил он, вглядываясь в ее лицо. — Кто-то приходил? Я слышал, как дверь открывалась. Принесли письмо? От Яны?

— Да нет же, это я пришла. Я в магазин бегала, у тебя в холодильнике пусто.

— А от Яны ничего? Никто не звонил?

— Нет. Ложись поспи, тебе надо отдохнуть, — ласково сказала Ира.

— Я не хочу спать.

— Тогда пойдем чаю выпьем, я бутерброды сделаю.

— Не хочу, — упрямо повторил Руслан.

— Надо, — жестко произнесла Ира, памятуя наказ Натальи не рассиропливаться и не потакать упадническим настроениям Руслана.

— Я не буду есть.

— Будешь, — она примирительно улыбнулась, — куда ты денешься. Я понимаю, что тебе ничего не хочется, но кушать все-таки надо обязательно. Мало ли как ситуация будет складываться, ты должен быть готов к любому повороту, и тебе могут понадобиться силы. Оттого, что ты ослабеешь или заработаешь гастрит, никому лучше не будет.

Руслан стоял перед ней, такой несчастный, такой маленький — на целую голову ниже рослой Ирины, со спутанными волосами и в очках с толстыми стеклами, и Ира с трудом удерживалась от порыва обнять его, как сына или младшего брата, прижать к себе, утешить, защитить. Они ровесники, ему тоже тридцать один, а Ира отчего-то продолжает относиться к нему как к маленькому мальчику, нуждающемуся в ее помощи и поддержке. Еще десять лет назад, когда они впервые встретились, Ира уже была в разводе после первого брака и много чего повидала и испытала в жизни, в том числе раннее сиротство, венерологические диспансеры, аборты и лечение от алкоголизма, а Руслан был таким трогательно-наивным и чистым, и девушка ощущала себя рядом с ним полнейшей старухой, циничной и разочарованной в жизни. С тех пор ее отношение к Руслану как к младшему и неразумному так и не изменилось. Какая же Янка дурочка, ревнует его к Ире!

Она крепко ухватила Руслана за руку, и он покорно поплелся за ней на кухню. Ире удалось заставить его взять в руки бутерброд с копченой грудинкой, и Руслан машинально начал жевать.

— Как ты думаешь, Яна могла меня бросить? — спросил он неожиданно спокойно.

— Могла, — так же спокойно ответила Ира, хотя внутри у нее все сжалось от сочувствия к нему. — Любая женщина может бросить любого мужчину, в этом нет ничего невозможного.

Она сама не верила в то, что говорила. Ну как это так — взять ни с того ни с сего и бросить мужа, отца своих двоих девочек? И потом, Янка так отчаянно ревновала его, как не ревнуют женщины, имеющие любовников на стороне. Хотя бывает, что женщина уходит от мужчины не потому, что у нее появляется новая любовь, а только лишь потому, что любовь к данному мужчине становится для нее невыносимой. В том числе и из-за ревности. История знает немало тому примеров, да вот хоть саму Иру взять. Она ведь тоже любила, любила страстно и самозабвенно, потому и ушла. Понимала, что эта ее безоглядная любовь превращается для любимого в обузу, в неподъемную и, главное, ненужную тяжесть. Может, и у Янки так же? Да нет, не может, глупости это все! У них с Русланом нормальный брак, стабильный, детьми скрепленный. Но если настаивать на том, что она не могла бросить мужа, то автоматически придется признавать, что с ней случилась беда. Или ее убили, или похитили, или она сошла с ума. Других объяснений исчезновению Янки нет. А так она хотя бы жива и благополучна...

— Разве женщина может внезапно разлюбить? — продолжал допытываться Руслан. — Вот так просто, в одну секунду взять и разлюбить? И решить, что больше она своего мужа видеть не хочет. И уйти без объяснений. И наплевать на то, что он волнуется, места себе не находит, самые черные мысли его одолевают. Неужели вы можете так поступать?

— Дружочек, вы, мужчины, можете поступать точно так же. И поступаете подобным образом, между прочим, гораздо чаще, чем женщины. То, что ты описал, — типично мужской стиль поведения. Вспомни, сколько раз ты слышал душераздирающие истории о том, как «он ушел за сигаретами и не вернулся». Но и некоторые женщины так делают, хотя и редко. Давай еще раз позвоним в Кемерово твоей теще, может, Яна все-таки объявилась там, — предложила Ира.

— Не могла она там объявиться, — в голосе Руслана она

уловила раздражение, — паспорт здесь остался, ключи от кемеровской квартиры тоже. Как она в самолет сядет без паспорта?

— Всякое бывает, — философски заметила Ирина. — А вдруг она звонила матери? Яна нормальный человек, и даже если она плохая жена, она все равно будет беспокоиться о девочках.

Она протянула ему телефон и почти силой всунула в безвольно лежащую на столе руку. Руслан набрал номер, поговорил с тещей. Нет, дома Яна не объявлялась, не приезжала и не звонила.

— Ее убили, — вдруг пробормотал Руслан, глядя на Иру безумными глазами. — Я чувствую, Янки больше нет в живых... На душе так черно... Господи, что же мне делать!!!

* * *

На Щелковском шоссе Настя жила уже много лет, но все равно ее частенько посещало неприятное чувство несвободы, когда она выходила из вагона метропоезда. Станция «Щелковская» — конечная, все пассажиры выходят из вагонов, и в этот момент приходило странное ощущение, будто она, Настя, стоит на платформе не потому, что живет здесь, а единственно потому, что ее выгнали из поезда. Кто-то там, наверху, решил, что поезд дальше не пойдет и пассажирам следует освободить вагоны. Кто-то решил за нее, а не она сама приняла решение. Кто-то не посчитался с тем, что людям надо ехать дальше, и прекратил движение состава. Мысль была глупой и совершенно несправедливой, Настя это отчетливо понимала, но отделаться от нее за многие годы так и не смогла.

Она поднялась по ступеням, вышла на улицу и вытащила из сумки мобильник. Надо найти Юру Короткова, а то она пригласила его временно пожить, а сама уехала и ключей не оставила. Сидит небось на работе, бедняга, голодный, уставший, на часы поглядывает и мечтает о горячем душе, горячем ужине и теплой дружеской компании. В кабинете Короткова телефон не отвечал, и Настя набрала другой номер — Юркиного мобильника.

— Ты где? — спросила она, медленно двигаясь от метро к автобусной остановке.

— Глаза протри, курица, — беззлобно ответил ей Юркин голос. — Или очки надень.

Погруженная в свои мысли, Настя не заметила издевки и послушно полезла в сумку за очками. Открыла на ощупь футляр, водрузила на нос шедевр немецких оптиков.

— Ну, надела. И чего? Я хочу сказать, что минут через двадцать уже буду дома, так что можешь выдвигаться в мою сторону.

— Не через двадцать, а через пять.

— Почему? — непонимающе откликнулась Настя.

— Потому. Балда ты, — коротко бросил Коротков и отключился.

Она недоуменно посмотрела на зажатый в руке телефон, пожала плечами и тут же испуганно шарахнулась в сторону, потому что прямо над ухом завопил автомобильный клаксон.

— Я что, ногами за тобой бегать должен? — раздался совсем рядом голос Короткова. — Садись в машину, слепота ты моя непроглядная.

И только тут Настя с изумлением поняла, что звонила Юре, стоя в метре от его машины.

— А что ты здесь делаешь? — глупо спросила она, усаживаясь рядом с ним на переднее сиденье.

— Тебя жду. Я уже домой к тебе приезжал, смотрю — нету, не открывает никто. Позвонил на трубку, а мне отвечают — мол, абонент временно недоступен. Ну я и понял, что ты в метро трясешься. Оцени, между прочим, мое душевное благородство. Я ведь мог пойти куда-нибудь пожрать, пока ты дома не объявишься. Ан нет, как я есть твой лучший друг, то решил сделать тебе приятное и с шиком домчать от метро до подъезда, а потом разделить с тобой твою скудную холостяцкую трапезу. Ценишь?

— Ценю, — кивнула Настя с улыбкой, — только насчет трапезы ты, пожалуй, обломался. Пирожки кончились, а больше я вчера ничего не готовила. Кстати, тормозни у магазина, купим какой-нибудь еды, а то у меня и в самом деле ничего нет.

— Обижаешь, — Коротков укоризненно покачал головой и сделал вид, что надулся. — Я ж не какой-то там нахлебник, я ж с понятиями. Жилье твое, продукты — мои. Годится?

— Еще как, — Настя весело рассмеялась. — Слушай, Чистякова не будет еще три недели, можешь рассчитывать на мою квартиру, если обещаешь продукты покупать.

— Ага, и готовить заодно.

— Нет, это я сама попробую, — неуверенно сказала Настя.

— Уж конечно, ты попробуешь, — фыркнул Юра. — Я, знаешь, еще пожить хочу, хотя бы пару лет. Я не самоубийца.

— Ах ты, мерзавец! — Настя возмущенно стукнула его кулаком по коленке. — А кто мои пирожки вчера сверетенил? А кто сегодня добавки просил?

— Так это я с голодухи. С голодухи, знаешь ли, и уксус сладким покажется.

— Мерзавец, — повторила Настя ласково. — И к тому же неблагодарный и лицемерный.

Дома выяснилось, что готовить, к счастью, ничего не придется: Коротков вместо продуктов из магазина привез уже готовые к употреблению блюда китайской кухни, которые оставалось лишь разогреть в микроволновой печи.

— Что это? — Настя подозрением оглядела тонкие пластиковые коробочки, сверху укутанные фольгой. — Пахнет как-то странно.

— Это, подруга, бамбук с грибами моэр, а вот в этой коробке... короче, тоже что-то такое овощное. Сплошные витамины.

— Ты уверен, что это съедобно?

— Спрашиваешь! Китайская кухня, между прочим, во всем мире популярна. Они ж там, в Европах-то и Америках, не полные идиоты, было бы невкусно — они б не ели, — авторитетно пояснил Коротков.

Настя задумчиво понюхала содержимое сначала одной коробки, потом другой, но уверенности ей это не прибавило.

— Слушай, а они там что, в Китае этом, вообще мясо не едят? Только бамбук и вот эти вот... овощи?

— Да ты чего! — возмутился Юра. — Еще как едят. В том

киоске, где я это покупал, еще курица была с орехами, свинина в кисло-сладком соусе и говядина какая-то мудреная, якобы нежно-жареная.

— Чего ж ты говядину не взял? Или курицу с орехами? Все-таки понятнее было бы, и привычнее.

Коротков явно смутился.

— Чего не взял, чего не взял, — проворчал он. — Дорого потому что! Взял что подешевле. Но продавец мне клялся, что вкусно, говорил — все берут и хвалят.

— Ладно, — Настя безнадежно вздохнула и засунула коробочки в печь, — будем пробовать. Может, выживем, если повезет.

Еда оказалась на удивление вкусной, хоть и непривычной. Настя и Юра глазом моргнуть не успели, а тарелки уже сияли девственной чистотой, лишенные даже остатков соуса, который оба собрали кусочками белого хлеба.

— Здорово! — одобрительно признала Настя, убирая посуду в раковину. — Если хочешь продолжать у меня ночевать, завтра поедешь и купишь еще чего-нибудь такого же вкусненького. Это далеко отсюда?

— Далеко, на Новослободской.

— Ну вот и съездишь, чего на работе зря сидеть.

— Мать, ты нахалка, — возмутился Коротков. — Я, между прочим, твой начальник. Кто тобой руководить будет, если я за едой буду целыми днями разъезжать?

— Ой, и правда, — Настя испуганно всплеснула руками. — Я забыла совсем, что ты начальник. Прости, родной. Тогда давай я перед тобой отчитаюсь о проделанной работе. Хочешь?

— Хочу, — с отчаянием готового к смерти камикадзе ответил Юра. — Вот сядь и отчитайся, что ты сегодня полезного сделала по убийству водителя в Сокольниках.

Настя села напротив него, закурила.

— Я, любезный начальник, пришла к выводу, что человек не в силах переломить ход событий, если этот ход предначертан свыше.

Коротков вытаращил глаза и чуть не поперхнулся соком, который пил из высокого стакана.

— Ты чего несешь, подруга?

— А того. Я сегодня провела немало времени в обществе Натальи Александровны Вороновой и поняла, что убийством члена ее съемочной группы нам все равно пришлось бы заниматься, не сегодня — так завтра, или через месяц, или через два. Но все равно пришлось бы.

— Это как же тебя понимать?

— Понимаешь, Юрик, если бы не убили водителя Тимура, то убили бы кого-нибудь другого. Например, актрису Ирину Савенич. Или сценариста Нильского. Или саму Воронову. Или еще кого-нибудь мужского пола. Дело в том, видишь ли, что исчезнувшая Яна Нильская безумно, до истерик и на потеху всей съемочной группе ревновала своего мужа Руслана к актрисе Савенич.

— Этого обрубка? — Коротков в изумлении вскинул брови. — Он же ей до пупка не достает.

— Кому это — ей?

— Да Савенич. Она здоровенная, как я не знаю кто, выше меня даже.

— Удивил, — усмехнулась Настя, — я тоже выше тебя. А откуда, кстати, тебе это известно? Ее же не было в Сокольниках, когда ты туда с группой выезжал, она в тот день не снималась.

— Все-то ты знаешь, умная больно, — обиделся Юра. — Тебе разве не сказали, что через час после приезда опергруппы Савенич примчалась в Сокольники? Ей Воронова позвонила, и она тут же прилетела.

— Зачем?

— Моральную поддержку оказывать. Воронова с Савенич — не разлей вода, подружки, едрёна матрёна. Одной тридцать, другой полтинник, двадцать лет разницы, вот ты мне объясни, что между ними может быть общего?

— Не преувеличивай, Вороновой всего сорок шесть, а Савенич — тридцать один. Там длинная история, они в одной коммуналке много лет жили, у Савенич родители были проблемные, отца посадили, мать спилась, Воронова ее фактически с самого рождения пестовала. Ничего удивительного, что в стрессовой ситуации Воронова первым делом Ирине позвонила. И точно так же ничего удивительного, что Савенич тут же приехала. Они всю жизнь так прожили. А отсюда знаешь какой вывод?

— Знаю, — буркнул Коротков, наливая себе еще сока из литрового пакета. — Что бы ни случилось, Воронова будет ее покрывать. Или Савенич Воронову, что сути дела не меняет.

— Злой ты, Юрик, — вздохнула Настя. — И недоброжелательный.

— Ага, зато ты у нас образец доброты и мягкосердечия. Ты вообще к чему ведешь-то? К тому, что Яна Нильская могла убить соперницу?

— Элементарно. Мне Воронова знаешь что сказала? Что Яна закрутила с водителем Тимуром исключительно из ревности, потому что дошла до ручки. А когда женщины доходят до ручки, знаешь, что бывает?

— Представляю, — хмыкнул Коротков. — То есть если бы ситуация продолжала развиваться, она бы рано или поздно укокошила либо соперницу, либо неверного мужа. А мне говорили, что она маленькая такая, хрупкая...

— Солнце мое, для того, чтобы взвести курок и нажать на спусковой крючок, не обязательно быть Шварценеггером. Вполне достаточно иметь одну руку и на ней пять пальцев. А для того, чтобы нанять исполнителя, даже рук можно не иметь. Яна Нильская, по отзывам очевидцев, девушка очень темпераментная, даже излишне. И очень энергичная. И очень эмоциональная. И способная на необдуманные и неожиданные поступки.

— Красиво...

Юра задумчиво поковырял чайной ложечкой в розетке с вишневым вареньем, выбирая ягоды.

— А почему ты сказала, что могли убить и Воронову тоже? За что Яне Нильской убивать режиссера?

— Потому что Яна Нильская была убеждена, что, во-первых, у ее мужа роман с Ириной Савенич, а во-вторых, что Воронова их покрывает и создает им условия для интимных встреч.

— Это кто ж тебе такое сказал? — изумился он.

— Да сама Воронова и сказала.

— А ты и поверила, да?

— Юра, Воронова показалась мне нормальной теткой, умной, порядочной и разбирающейся в людях. И муж у нее, кстати, тоже очень приятный. Мне Гмыря велел понюхать, как относится муж Вороновой к съемкам и не пытается ли он заставить ее отказаться от проекта из-за этого убийства. Иными словами, не хочет ли он воспользоваться трагедией, чтобы сэкономить денежки, которые он так щедро пообещал своей жене на сериал. Так вот, этим там и не пахнет. Пока, во всяком случае.

— Это Гмыря такую бредятину придумал? — Юра скептически приподнял брови.

— Ну не я же. Боря вообще считает, что муж Вороновой мог сам организовать убийство, чтобы сорвать съемки, потому что ему денег жалко, а отказать жене в финансировании он по каким-то причинам не смог. Юр, это не такая уж и бредятина, это нормальное логическое построение, проработка всех возможных версий. Просто когда видишь людей живьем, в их доме, видишь и слышишь, как они между собой общаются, как ведут себя, то понимаешь, что может быть, а чего быть не может. А когда людей не видишь и не знаешь, то любая версия кажется правдоподобной. Вот ты, например, веришь в то, что Анатолий Андреевич Аксючиц может быть убийцей?

— Аксючиц? Это еще кто такой?

— Нет, ты ответь, может или нет он человека убить?

— Ну, может. А почему бы и нет? Раз он человек, и к тому же живой, значит, он может все, в том числе и убить. Не вижу в этом ничего невероятного. Не, Настюха, серьезно, кто он такой?

— Это Лешкин аспирант, ты его видел у нас месяца два назад.

Коротков от души расхохотался.

— Это такой толстенький, добродушный? Который так смешно испугался, что мы с тобой вот-вот поссоримся?

— Именно.

— Не, этот не убьет. Никогда, — твердо заявил Юра. — Милейший человек, абсолютно бесконфликтный. По-моему, он даже рассердиться толком не может. Короче, я понял, что ты хотела сказать. А другие версии у Гмыри есть?

— Навалом. Например, что водителя убили, потому что он мешал похищению Яны. А саму Яну похитили с целью вымогательства денег у мужа Вороновой, который, как тебе известно, человек далеко не бедный. То есть Боря считает, что у Яны Нильской и Андрея Константиновича Ганелина мог случиться страстный роман.

— Еще красивше... Муж, значит, глядит в сторону красотки-актрисы, а я ему назло буду спать с богатым мужем режиссера. Чего ты не смеешься-то?

— А что тут смешного? — не поняла Настя.

— Что смешного? Да все! — Коротков стукнул кулаком по столу. — Все смешно, что Гмыря придумал, а ты повторяешь. Когда Яна Нильская приехала в Москву?

— Накануне начала съемок, двадцатого мая.

— А исчезла она девятого июня. Три недели всего она здесь, и ты считаешь, что за эти три недели сначала завязался роман ее мужа с Ириной Савенич, потом Яна долго и упорно ревновала, потом решила обаять Ганелина, потом какое-то время складывались их романтические отношения, потом наконец сложились, потом о них узнали преступники, потом разрабатывали план, как выманить у бизнесмена денежки, потом его осуществляли. И все за двадцать один день! Да на такую историю год нужен, если не больше. Это все равно что «Сагу о Форсайтах» изложить на трех страницах.

— Юрочка, Нильский знаком с Ириной Савенич ровно десять лет, — заметила Настя, — так что уйми свой пыл.

— Ну хорошо, пусть так. Но Яна-то Нильская впервые в Москву приехала только сейчас, — не сдавался Коротков. — Не может за три недели ситуация развиться до такой степени, чтобы привести к похищению и вымогательству. Не могла она за три недели так окрутить мужа Вороновой, чтобы преступникам, наблюдающим со стороны, стало ясно: здесь можно поживиться денежками.

— А кто тебе сказал, что все это развилось всего за три недели? — невинно осведомилась она.

— Потому что Яна впервые в Москве. Ты что, не слышишь, что я тебе говорю?

— Слышу. А ты уверен, что муж Вороновой никогда не бывал в Кемерове? Уверен, что он не мог познакомиться с Яной в любом другом городе, кроме Москвы? На каком-нибудь курорте, например.

— Удавила, — сердито произнес Юра.

— Кто кого? — не поняла Настя.

— Ты — меня. Тебя послушать, так Яна вообще могла всю эту петрушку сама придумать и организовать, чтобы вытянуть деньги у богатого любовника. Скажешь, нет?

— Скажу — да. Могла. И это тоже надо проверять. Пока что мы с тобой варим кашу на воздухе, а не на молоке и даже не на воде. Потому что Яна так и не объявилась. И совершенно непонятно, похитили ее или она сама по себе куда-то делась. И если похитили, то с какой целью. Ни Вороновой, ни Савенич, ни кому бы то ни было еще пока никто не звонил и ничего не требовал. Пошли укладываться, — Настя со вздохом поднялась со стула. — Так уж и быть, выдам тебе чистое постельное белье.

Пока Коротков плескался в душе, она раздвинула «гостевой» диван, застелила его свежим бельем, поставила мобильный телефон на подзарядку, постелила постель себе. Юра вышел из ванной, закутанный в махровый халат Чистякова, посвежевший и довольный.

— Вот где счастье-то! — констатировал он, падая на диван и вытягивая ноги. — Только и начинаешь ценить, когда две ночи подряд в кабинете поспишь. Когда завтра подъем?

— В семь, — безрадостно сообщила Настя.

— Чего так рано? — удивился Коротков. — Нам и в полдевятого нормально будет, тут езды-то минут сорок, по прямой до Садового кольца, а там уж совсем чуть-чуть. Умыться, пожрать и доехать — полтора часа за глаза хватит. И вообще, завтра во всей стране законный трудовой выходной, вся прогрессивная российская общественность будет праздновать День независимости от конституции, и мы с тобой попремся на службу исключительно из чувства долга и здорового сыщицкого азарта. Кто сказал, что мы должны являться завтра к десяти ноль-ноль? Когда начнем работать — тогда и начнем.

— А меня Афоня сегодня предупредил, что завтра в десять я должна явиться и доложить о результатах сегодняшней работы. Ему тоже в выходные дни неймется, очень уж хочет телевизионную версию раскрутить.

— Ох ты господи, — вздохнул Юра, — вот уж правду говорят насчет нового начальства, что оно хуже беды. Ладно, повезу тебя к десяти, подъем объявляю в половине девятого.

— Я так не могу, Юрик, я по утрам долго прочухиваюсь. Чтобы выйти из дома в девять, мне нужно встать в семь.

— Ну, как хочешь, — пожал плечами Юра. — Вставай в семь, а меня раньше половины девятого не поднимай.

Он уснул мгновенно, не успев даже дотянуть одеяло до груди. Настя молча позавидовала его способности быстро отключаться и поплелась в душ.

Глава 4

Он с отвращением смотрел на лежащий на тарелке бутерброд с сыром и ломтиком свежего огурца и понимал, что должен это съесть. Должен, хотя и совсем не хочет. Из тридцати трех прожитых лет как минимум лет пятнадцать он ничего не ел на завтрак, только чай пил или кофе. По утрам аппетита не было, зато за обедом и ужином он обычно, что называется, отрывался по полной программе, ел много и с удовольствием. Теперь все должно быть по-другому, и ему приходится насильно впихивать в себя ненавистную утреннюю еду, а по вечерам ограничиваться количеством пищи, чуть не вполовину меньшим, чем раньше.

Отныне у него другая жизнь, и выражается это не только в том, что надо съедать плотные завтраки и довольствоваться легкими ужинами. Он и одеваться должен по-другому, и смотреть по телевизору или видаку не те фильмы, которые ему всегда нравились, и книжки читать, которые он когда-то на дух не переносил. И даже утренний туалет совершать приходится в другом порядке, сначала бритье, потом душ, а не наоборот, как он привык с юности. Один умный человек сказал ему: «Ты должен стать совсем другим, а для этого тебе необходимо измениться во всем, вплоть до мелочей, иначе ничего не выйдет. Одна-единственная старая привычка, которую ты захочешь сохранить, окажется той веревочкой, которая будет крепко держать при тебе твою прежнюю жизнь. А свою прежнюю жизнь ты должен отрезать и выбросить на свалку, иначе ты не сможешь выкарабкаться». Сперва он не поверил, думал — туфту этот мужик гонит. Кому помешают старые привычки, если о них никто не узнает? Любимые боевики можно смотреть в одиночестве, а когда рядом никого нет, кто догадается, что он в свободное время делает, книжки читает или музыку слушает? Кому какое дело, что он ест на завтрак?

А потом тот же самый умник, как обычно заглянув к нему среди дня, нахмурился и строго спросил:

— Опять утром пустой чай пил? Смотри мне, чтоб без глупостей.

— Как вы догадались? — изумленно спросил Виктор, который и в самом деле нарушил в тот день режим и ограничился только горячим питьем.

— Ничего мудреного. Начал день как раньше — и ведешь себя как раньше. Шутишь, улыбаешься, дурака валяешь. Из тебя прежняя жизнь лезет — только дурак не заметит. Небось и книгу сегодня не открывал? Запомни, ты новую жизнь не для меня начинаешь, а для себя. Мне ничего не нужно, если тебя удавят в темной подворотне, я даже не икну. Ты мне никто. Ты для себя стараться должен, потому что речь идет о твоей жизни, а не о моей. Хочешь жить — делай, как я говорю.

Жить он хотел. Очень хотел. Поэтому вот уже полгода истязал себя отказом от всего, что раньше нравилось, было приятным и привычным. И со сложным чувством сожаления, смешанного с удовлетворением, словно со стороны наблюдал за собой, за тем, как меняется его характер, образ жизни, манера вести себя. Он стал злым, мрачным, вечно недовольным, циничным. Ему было тяжело, невыносимо тяжело жить этой новой жизнью, но Виктор отчетливо понимал, что лучше тяжелая и неприятная жизнь, чем вообще никакой, и поэтому старался.

Бутерброд показался ему сухим и безвкусным, но Виктор мужественно сжевал его целиком. Потом, морщась, влил в себя стакан кефира, который он с детства терпеть не мог. И только потом выпил крепкий сладкий чай. Он ненавидел сладкий чай, раньше всю жизнь пил его без сахара, с конфеткой или печеньем, но ничего, привык понемногу и даже стал находить в таком питье некоторое удовольствие. Может, ему и в самом деле удастся измениться до неузнаваемости? Так измениться, что никто и никогда не признает в нем азартного игрока и любимца женщин Юрку Симонова. У него теперь другая внешность, другое имя, новые документы. Но его ищут, причем ищут, зная, что он выглядит по-другому и живет под другим именем. Значит, будут ориентироваться на привычки, вкусы, образ жизни. На походку, манеру разговаривать, доведенные до автоматизма жесты, которых люди, как правило, сами не замечают. Например, жест, которым вынимаешь из кармана бумажник и вытаскиваешь из него купюры. Чтобы изменить привычное движение руки и пальцев, Виктор стал хранить деньги не в бумажнике, а в кошельке, и прятать его не в карман куртки или пиджака, а в сумку, которую носит на плече. Потом заметил как-то, что люди, носящие очки, поправляют их разными характерными жестами, и заказал себе очки с простыми, без диоптрий, стеклами в тонкой оправе. И еще много чего изменил в своем повседневном существовании. Может быть, Виктор сумеет их обмануть. Может быть...

Утро тянулось медленно и тоскливо. Обязательная программа — новости по телевидению, чтобы быть в курсе событий, и не меньше двадцати страниц из какой-нибудь книги о жизни известных людей, чтобы было чем поддержать разговор. Виктор выбрал для себя серию «Триумф — Золотая коллекция», и написано легко, и читать любопытно. За последние месяцы осилил книги Аллы Демидовой и Михаила Жванецкого, сейчас дочитывал воспоминания Олега Табакова. Многого не понимал, поскольку не знаком с русской и мировой драматургией, не представлял, что такое «зыбкая, нервная атмосфера спектакля», но запоминал, когда говорилось «про жизнь». Иногда какие-то фразы легко и естественно западали в память, а иногда и специально зубрил, если слова казались ему удачными, а формулировки красивыми и пригодными для того, чтобы непринужденно вставить в беседу, продемонстрировав образованность и интеллигентность.

К полудню Виктор уже был в центре Москвы. Походы по дорогим магазинам — тоже часть его новой жизни, хотя и далеко не самая неприятная. Ходить по магазинам ему нравилось, нравилось рассматривать элегантные вещи, украшенные символами знаменитых на весь мир фирм, и осознавать, что он может купить любую из них, а то и все скопом. Но знание всех этих вещиц и точное понимание их стоимости — не только часть новой жизни, но и необходимый элемент в работе, ведь когда разговариваешь с клиентом, который якобы готов выложить перед тобой кругленькую сумму, надо уметь с одного взгляда оценить его часы, галстук, обувь, портфель или бумажник, кольцо и браслет на руке у женщины, отличить подделку от настоящего изделия, сделать вывод о платежеспособности. Зачем тратить силы и время на обслуживание человека, который заявляет о многотысячных притязаниях и в то же время носит на руке турецкую подделку под Картье, купленную за двадцать долларов.

Сегодня больше всего времени он провел в магазине «Джентльмен» — впереди лето, и если оно снова окажется жарким, клиенты-мужчины будут ходить в легких трикотажных майках «ти-шорт», поэтому необходимо ознакомиться с ассортиментом и модными вариантами отделки, чтобы не попасть впросак и не ошибиться при оценке, не принять дешевую майку с рынка за дорогую или наоборот. Проходя мимо «Дикой орхидеи», Виктор машинально кинул взгляд на витрину, но заходить не собирался, женское белье его не интересовало. Через стекло витрины ему были видны яркие кружевные тряпочки, очаровательные в своей бессмысленности, а также три женские фигуры, две из которых, затянутые в униформу, явно принадлежали продавщицам. А вот третья фигурка заставила его замедлить шаг. Тоненькая невысокая девушка со смуглой кожей и длинными, спускающимися ниже пояса прямыми блестящими волосами стояла к Виктору в профиль и рассматривала что-то невесомое, похожее на коротенький пеньюар. Первым побуждением Виктора было войти в магазин, купить эту штучку из переливающегося шелка и подарить смуглокожей красавице. Именно так поступил бы он в те времена, когда носил фамилию Симонов, он никогда не был жадным, деньги тратил не глядя и с удовольствием, и при помощи такого приема легко завязывал приятные знакомства, почти всегда перетекавшие в необременительные интимные отношения длительностью от недели до нескольких месяцев. Но сейчас он уже не Симонов, он другой человек, и поступить так не может. С сожалением бросив еще один взгляд на девушку, Виктор прошел мимо. Зайдя еще в два магазина и ознакомившись с новыми моделями мужских часов и женских сумочек, он отправился в свой любимый ресторан «Трюм», где подавали самое лучшее, на его вкус, пиво — светлое нефильтрованное. Слава богу, хоть в этом ему не пришлось себя ломать, в прежней жизни он пил темные тяжелые сорта, но однажды попробовав пиво в «Трюме», понял, что нашел «свой» напиток, и теперь при каждом удобном случае, при любой возможности приходил сюда если не поесть, то хотя бы просто выпить две-три кружки.

Открыв меню, Виктор, как всегда в последние месяцы, пошел «от противного». Симонов любил свинину, значит, закажем баранину на ребрышках. В прежней жизни он обязательно взял бы холодную закуску к пиву — рыбку или креветки, стало быть, сейчас придется есть овощи, пресные и не доставляющие никакой радости. Одно хорошо — сегодня работает официантка Оля, обладательница ног такой длины и красоты, что просто непонятно, как она оказалась на этой работе.

Он уже пил вторую кружку пива и ждал горячее, когда в ресторан вошла та самая девушка с длинными волосами. В руках у нее ничего не было, кроме крошечной сумочки, видно, ту шелковую тряпочку она так и не купила. Интересно, почему? Дорого оказалось? Но ведь и «Трюм» — заведение не из дешевых, сюда с тремя рублями не приходят. Девушка не стала садиться за столик, устроилась у барной стойки. Неужели пиво закажет? Виктор с любопытством наблюдал за ней, любуясь узкой спиной, полностью закрытой плотной завесой темных волос.

— Оленька, вы знаете вон ту девушку? — спросил он, когда официантка принесла дымящуюся баранину.

— Она бывает здесь иногда, — сдержанно улыбнулась Оля.

— Одна?

— Или одна, или с подругами.

— Что заказывает? — продолжал допрос Виктор.

— Кофе и пирожные.

— А спиртное?

— Не помню такого. Может быть, не в мою смену...

Оля отошла, а Виктор начал есть, решив про себя, что если девушка не уйдет, пока он борется с ребрышками, то он с ней познакомится. Если же длинноволосая смуглянка уйдет раньше, значит, не судьба.

Однако девушка, судя по всему, никуда не торопилась. Ей подали кофе и два пирожных, теперь она сидела вполоборота к Виктору, и он краем глаза видел медленные движения тонкой руки с зажатой в ней ложечкой от тарелки с пирожным ко рту и обратно. Покончив с едой, Виктор встал из-за стола и решительно подошел к стойке.

— Вы так ничего и не купили? — спросил он.

Девушка подняла на него глаза, в которых не было ни удивления, ни улыбки.

— Почему я должна что-то покупать? — ответила она чуть глуховатым голосом.

— Я вас видел в «Дикой орхидее», вы там что-то выбирали. Я не очень понял, что это было, но оно было красивое. Я почему-то был уверен, что вы это обязательно купите.

— Почему?

В ее голосе по-прежнему не было удивления, и вопрос прозвучал как-то дежурно, словно ей было совсем не интересно, почему этот мужчина решил, что она должна была сделать покупку.

— Вам этот цвет был бы к лицу.

— Неправда, мне бордовое не идет.

— Кто вам это сказал?

— Я сама знаю.

— Вы ошибаетесь. Хотите — зайдем в любой магазин,

найдем любую вещь бордового цвета, вы ее примерите, и я вам докажу, что вы ошибаетесь. Хотите пари?

— Не хочу.

Девушка поднесла к губам чашку с кофе, сделала маленький глоточек и снова начала медленно есть пирожное.

— А чего вы хотите?

— Ничего, — она слегка пожала плечами.

— Так не бывает. Человек в каждый момент своей жизни чего-то хочет. Пить, есть, спать, что-то сделать, куда-то пойти, с кем-то поговорить. Если он ничего не хочет, значит, он не живет. Вы хотите, чтобы я от вас отстал?

— Вы? — Губы чуть дрогнули в улыбке. — Нет, не хочу. Вы мне не мешаете.

— Значит, я могу продолжать с вами разговаривать? — уточнил Виктор, хотя и сам уже понимал, что девушка не старается от него отделаться. Просто она или сильно устала, или не в настроении, но ничего не имеет против того, чтобы поболтать с ним.

— Можете.

— А угостить вас чем-нибудь я тоже могу?

Вот сейчас все станет понятным. Все зависит от того, что она ответит. Если у нее мало денег и поэтому она берет только кофе с пирожными, просто потому, что ей приятно походить по дорогим магазинам, подержать в руках дорогие вещи, чувствуя себя состоятельной дамой, а потом зайти в дорогой ресторан, то она попросит угостить ее спиртным или накормить обедом. В этом случае можно чуть попозже завести разговор о белье в подарок, и подарок этот она непременно примет, а дальше все понятно. Если же откажется от угощения, то придется подумать, как развивать и закреплять успех.

Девушка задумалась, и это несколько воодушевило Виктора. Раз думает — значит, прикидывает, чего бы у него попросить. Но он ошибся.

— Спасибо, я уже съела все, что хотела, — неторопливо ответила смуглянка, отправляя в рот последний кусочек пирожного.

— Может быть, еще одно пирожное? — предложил он. — Или еще кофе?

— Нет, спасибо, я больше не хочу.

— Пиво? Здесь очень хорошее пиво, самое лучшее в Москве.

— Я не пью пиво, спасибо, — вежливо произнесла девушка.

— А что вы пьете? Давайте выпьем то, что вы любите, — не отступал Виктор.

— Я люблю шампанское, но не среди бела дня. Днем я вообще спиртное не пью.

Ну вот, так бы сразу и говорила! Все ясно — она согласна пить с ним шампанское вечером, возможно, в ресторане за ужином, а возможно, и в более интимной обстановке. С каждой секундой Виктор чувствовал, что девушка нравится ему все больше и больше. Сколько же ей лет? Двадцать — двадцать два, не старше. Интересно, чем она занимается? Днем ходит по магазинам, пьет кофе в ресторане. Не работает, что ли? Это опасно, неработающие девушки — это совсем не то, что Виктор может себе позволить. Ведь что такое неработающая красивая девушка? Либо дочка богатого папы, который под микроскопом рассматривает каждого, кто приближается к ненаглядному чаду, либо содержанка богатенького Буратино, которому вряд ли понравится, что его собственность гуляет «налево». И тот и другой вариант Виктора совсем не устраивал. Было, правда, и третье объяснение — девушка работает, но в данный момент находится в отпуске. Или работа у нее сменная. Четвертое объяснение к данному случаю, по мнению Виктора, вряд ли подходило: девушка могла быть сотрудницей «горячего уличного цеха» и занята на работе по ночам, но манеры смуглянки этому как-то не очень соответствовали, хотя против проституток Виктор ничего не имел, более того, регулярно пользовался их услугами. Молодой организм требовал своего, а заводить стабильные отношения с женщинами он пока побаивался.

— Значит, я могу рассчитывать на то, что вы согласитесь выпить со мной шампанское сегодня вечером? — спросил он.

Девушка долго и внимательно смотрела на него, потом снова слегка пожала плечами.

— Странный вы какой-то, — равнодушно бросила она. — Вам что важно, познакомиться со мной или выпить в моем обществе?

— Конечно, познакомиться, — быстро ответил Виктор.

— Ну так знакомьтесь.

— Что, вот прямо так, сразу? — опешил он.

— Ничего себе сразу! Вы мне уже полчаса голову морочите то бордовым цветом, то дармовой выпивкой. Вы что, робкий?

— Я... ну да, в каком-то смысле.

Впервые за последние месяцы ему стало по-настоящему смешно. Его, киллера, положившего не меньше десятка человек и заработавшего на этом огромные бабки, заподозрить в робости! Никогда прежде девушки так его не воспринимали. Может, и вправду он стал меняться? Робким он, конечно, не стал, об этом и речи нет, но впечатление, наверное, производит совсем не такое, как в той жизни. Что ж, это хорошо.

— Виктор, — представился он.

И тут же вздрогнул от испуга. Что это с ним? С тех пор, как он поменял документы, он ни разу не назвался своим новым именем. То есть на работе-то его, конечно, знают как Виктора, там же паспорт надо было показывать при трудоустройстве, и соседи по дому тоже знают это имя, потому что именно под именем Виктора Слуцевича он прописан в своей квартире. Но вот при случайных знакомствах с девушками он всегда назывался по-разному. И даже не смог бы объяснить, почему. Называть старое имя нельзя, а новое — язык не поворачивался, вот и лепил первое, что в голову приходило: то Сергей, то Николай, то Алик, а то и что-нибудь более редкое. Коль отношения ненастоящие, то и имя пусть будет ненастоящим. А тут вдруг взял и брякнул: Виктор. Неужели он начал сживаться с новым образом?

— А я — Юлия.

Юлия, Юля, Юленька... Славное имя. И девчонка славная, не вульгарная, но в то же время и не скованная, не зажатая. Это на сегодняшнем сленге называется «в меру отвязанная».

— Ну так как, Юленька, где будем время проводить до вечера? — бодро спросил Виктор. — Вечером у нас шампанское и ужин при свечах, а до того?

— Боюсь, что у нас будет только «до того», — улыбнулась Юля. — Сегодня вечером я занята.

— А отменить нельзя?

— Зачем? — искренне удивилась девушка. — Шампанское можно выпить и в другой раз, не обязательно сегодня. Или у вас пожар?

— Пожар, Юля. У меня пожар, я непременно хочу провести сегодняшний вечер вместе с тобой.

Он умышленно перешел на «ты», чтобы сделать свои слова более интимными и, как ему казалось, более убедительными.

— Но у меня-то нет никакого пожара. Сегодня вечером я не могу, — твердо ответила она. — Если хотите, можем встретиться и поужинать завтра.

— Хорошо, — согласился Виктор, — но с одним условием. Я переношу наше свидание на завтра, а ты за это расскажешь мне, чем это таким серьезным ты будешь заниматься сегодня вечером.

Что ж, так даже лучше. Можно еще немного поболтать с девочкой и выяснить, кто она такая и чем занимается. Если ответы его не устроят, то завтрашнее мероприятие он просто-напросто «продинамит», исчезнет и больше не появится.

— Вечером я обещала подруге помочь готовиться к экзамену. Я сегодня сдавала, а ее группа сдает послезавтра.

Оп-па! Так мы, оказывается, студенты! Н-да, маловато света проливается на твою жизнь, девочка Юля. Тот факт, что ты студентка, никоим образом не может отменять ни придирчивого папу, ни ревнивого богатого спонсора.

— И что ты получила сегодня на экзамене?

— «Отлично», как всегда.

— То есть ты круглая отличница? — уточнил Виктор.

— Пока да, но впереди еще шестой курс и госэкзамены, так что все может случиться.

— А почему шестой курс? — не понял он. — Где это так долго учатся?

— В медицинском. Ну все, допрос окончен?

Она смотрела на Виктора спокойно и серьезно, в голосе ее не было раздражения или неудовольствия, но он отчего-то почувствовал себя полным идиотом.

— Ну что ты, Юленька, все еще только начинается. Я хочу,

чтобы ты рассказала мне, сколько тебе лет, где ты живешь, есть ли у тебя папа с мамой и чем они занимаются, а также нет ли у тебя ревнивого кавалера, который захочет набить мне морду. Я, знаешь ли, драться не люблю.

— А что вы любите?

— Я люблю простую и понятную жизнь, без конфликтов, интриг и сложностей.

— А еще вы любите все про всех знать, да?

Юля протянула бармену деньги, взяла сдачу, сунула купюры в сумочку, щелкнула замочком и легко соскользнула с высокого стула.

— Подожди, — Виктор придержал ее за руку, — мы не закончили. Так как насчет завтра? Встретимся?

— Можно, — равнодушно ответила девушка, высвобождая руку. — Завтра я приду сюда часов в семь пить кофе, если захотите — найдете меня здесь.

— Обязательно найду! — почти крикнул Виктор, потому что Юля стремительно удалялась от него в сторону выхода.

До вечера он переделал массу полезных дел, которые давно уже откладывал, оплатил телефонные счета, отнес в химчистку две пары светлых летних брюк и забрал белье из прачечной. Ровно в десять вечера снял трубку и позвонил, чтобы узнать, как дела.

— Пока все идет по плану, — сказали ему.

Ну что ж, по плану так по плану, им видней. Виктор много отдал бы, чтобы узнать подробности, ведь речь идет не о чем-нибудь — о его собственной безопасности и сохранении его жизни, но в детали его не посвящали и ни в какие обсуждения по телефону не вдавались, разрешили только звонить один раз в три дня, не чаще.

* * *

К концу рабочего дня в кабинет к Насте ввалился сияющий Коротков.

— Ну все, мать, поздравляй меня!

— С чем? — не поняла Настя. — Тебе досрочно присвоили звание полковника?

— Ну да, от них дождешься! — фыркнул Юра. — Я в отдел нового сотрудника спроворил. С завтрашнего утра приступает к работе.

— Кого? — испугалась она. — Где ты его взял?

— На помойке нашел, — хмыкнул Коротков. — Чего ты придираешься-то? Сама ноешь, что отдел пустой, работать некому, все разбежались, а теперь от лишней пары рабочих рук отказываешься.

— Я не отказываюсь, Юрик, я только спрашиваю, где он работал и что умеет.

— Экая ты, право... А почему ты не спрашиваешь, какого труда мне стоило его переманить к нам? Почему не спрашиваешь, как я уламывал сначала его самого, потом его начальство? Ты его и в глаза не видела, а интересуешься, а про страдания твоего лучшего, можно сказать, друга Короткова и слышать не хочешь, да?

— А ты, наверное, тоже забыл, что я — твоя лучшая подружка, — отпарировала Настя. — Как это так получилось, что ты берешь в отдел нового сотрудника, уламываешь сначала его самого, потом его начальство, а я об этом ничего не знаю? С друзьями так не поступают. Короче, шеф, кончай душу выматывать, говори, кого к нам назначают, а то мне через двадцать минут к Афоне идти докладываться.

На лице Короткова расплылась улыбка садиста, предвкушающего мучения жертвы.

— Вот и хорошо, вот и пойди доложись руководству, а завтра новый человек придет — все и узнаешь.

— Издеваешься?

— А как же! Это тебе за «шефа». Я сколько раз предупреждал, чтобы ты не смела меня так называть.

— Значит, не скажешь?

— Теперь — ни за что, — твердо пообещал Юра.

— Ну и черт с тобой, — махнула рукой Настя. — Я у Афони спрошу.

Идти к начальнику отдела с докладом Насте Каменской совсем не хотелось, потому что докладывать было не о чем. Яна Нильская так и не нашлась, и ни ее мужу, ни режиссеру Наталье Вороновой никто насчет выкупа или других условий освобождения пропавшей женщины не звонил. Сегодня уже среда, через несколько часов стукнет ровно четверо суток с момента преступления, а ясности — ни на грамм. То есть сведений собрано огромное количество, но на убийство водителя и исчезновение жены сценариста они никакого света не проливают. Поводов убить симпатягу Тимура Инджия оказалось великое множество, но этим занимаются оперативники на территории, и по большому счету это направление работы интересует Афоню меньше всего. Подумаешь — водитель какой-то, из убийства водителя имени себе не сделаешь. А вот убийство и похищение с целью срыва съемок — это да, это может прозвучать, во всех газетах напишут. Честь и слава Вячеславу Михайловичу Афанасьеву, начальнику «убойного» отдела! Честь и слава Вячеславу... Настя мысленно улыбнулась случайно сложившейся рифме, собрала в папку свои записи и отправилась на доклад к начальству.

— Вячеслав Михайлович, я буду докладывать так, как привыкла, — начала она, раскладывая на столе бумаги.

— Это как же? — насмешливо спросил начальник. — Сумбурно и глядя в потолок? Судя по тому, как работают у вас в отделе, здесь именно так и принято действовать — безалаберно и стихийно. Никакой системы.

Настя молча проглотила упрек и решила не отвечать. «У ВАС в отделе»! Тоже еще варяг-контролер нашелся. Забыл, вероятно, что это теперь не чей-то чужой отдел, а его. Ничего, новые начальники часто так говорят в течение первого месяца, когда можно все грехи списать на предшественника. Посмотрим, что ты, Афоня, через месяц запоешь. Особенно если под твоим чутким руководством громкое дело раскроют. Небось сразу «вы» на «мы» поменяешь.

— В деле об убийстве в Сокольниках наметились четыре направления работы, — начала она, стараясь не смотреть на полковника Афанасьева. — Первое: убийство водителя съемочной группы Теймураза Инджия совершено по личным мотивам, а Яну Нильскую похитили как нежелательного свидетеля. Возможно, она тоже уже убита. В ходе отработки версии проверены связи Инджия и его образ жизни. Выявлено по меньшей мере три конфликтных узла, которые могли стать причиной убийства. У Инджия были крупные долги, кроме того, он вел весьма беспорядочную личную жизнь. Дважды, в девяносто девятом году и в двухтысячном, доставлялся в отдел милиции в связи с групповыми драками, один раз в Москве, второй раз в Сочи, где находился на отдыхе. Оба раза драки происходили из-за девушек, за которыми ухаживал Инджия. Кроме того, есть сведения, что Теймураз Инджия причастен к сбыту наркотиков.

— Дальше, — нетерпеливо перебил ее начальник, — эти подробности можешь опустить, это не твое направление.

— Но я хочу, чтобы у вас была полная картина, — возразила Настя.

— Мне не нужна полная картина, полную картину будешь следователю рисовать, а мне нужен результат. Давай дальше, — потребовал Вячеслав Михайлович.

— Второе направление, — послушно продолжала Настя, — состоит в том, что целью было похищение Яны Нильской, а убийство водителя совершено с целью устранения помехи к похищению или свидетеля, что, в сущности, одно и то же. По этой версии отрабатываются связи Нильской и ее мужа. На сегодняшний день установлено, что Яна Нильская никогда прежде в Москве не бывала, но ее муж систематически приезжал сюда на протяжении последних десяти лет. Он работал в газете сначала корреспондентом, потом обозревателем, часто направлялся в Москву для сбора материала, имеет много знакомых. Конфликтные узлы на сегодняшний день не выявлены, но вполне вероятно, что похищение его жены — это месть за какую-то публикацию в прошлом. Нильский у себя в Кемерове считался «острым пером номер один», написал много разоблачительных статей, и недоброжелателей у него наверняка немало, в том числе и в Москве.

— Очень хорошо, — одобрительно кивнул Афанасьев, и в глазах его Настя уловила плотоядный блеск. Ну еще бы, такая версия ничуть не хуже телевизионной, тоже шуму будет выше крыши, если окажется, что таким зверским способом кто-то из крупных воротил посчитался с журналистом.

— План работы этой версии есть?

— Завтра представлю.

— Почему завтра? Почему план до сих пор не составлен?! — начальник повысил голос, и Настя, не выносившая громких звуков, невольно поморщилась. — Чем ты занималась три дня? Мух на потолке считала? Или в парикмахерской сидела?

— Вячеслав Михайлович, я эту версию еще не обсуждала со следователем. Если он сочтет нужным разрабатывать это направление, тогда я напишу план.

— Ты меня будешь уголовному процессу учить? Собираешься мне напоминать, что руководит расследованием следователь как процессуальное лицо? Запомни, Каменская, следователь в каждом деле будет разный, а я твоим начальником буду каждый день. С утра и до вечера. Поняла? План работы по версии принесешь мне сегодня же, и чтобы не смела домой уходить, пока плана не будет. Давай дальше. Третье направление.

Настя на мгновение отстранилась от ситуации, как будто поднялась над столом, над начальником и над самой собой, мягко воспарила к потолку и с интересом взглянула на происходящее. У нее новый начальник. В этом кабинете, в котором много лет сидел замечательный, самый лучший на свете начальник Колобок-Гордеев, теперь сидит Афоня, ее бывший сокурсник, и распекает ее, не стесняясь в выражениях, как девчонку-школьницу, не выучившую урок из-за собственной несобранности и безалаберности. Афоня, который совсем-совсем, ну ни капельки не похож на Гордеева, который не собирается ее щадить и защищать, который ни секунды не задумывается над тем, как лучше и эффективнее распределять задания между подчиненными, чтобы было больше пользы для дела, а думает только о том, чтобы выдать результат, который сразу заставит всех говорить: вот это я понимаю, вот это начальник, как только он пришел — так сразу дело пошло. Афоня, который искренне не понимает, что вообще может женщина делать в уголовном розыске, а в особенности — в «убойном» отделе, и считает, что если уж она все-таки тут работает и никуда от нее не денешься, то надо или выжить ее, выдавить, чтобы сама ушла и освободила место для толкового мужика, или вести себя с ней как с мужиком. Бедный Афоня, он так недавно работает в Москве, что до сих пор не понял, какая катастрофа происходит с кадрами! Да, Настя занимает должность старшего оперуполномоченного, в отделе полно вакансий, но это все должности оперуполномоченных, у которых и зарплата поменьше, и звание пониже, на эти должности никто особо не рвется, вон Короткову удалось кого-то найти — так это большая жизненная удача. Афоня искренне считает, что если освободится место старшего опера, то он немедленно возьмет на него кого-нибудь более толкового и пригодного для дела, нежели баба, хоть и с погонами подполковника. А где он возьмет такого? Все толковые ребята, имеющие стаж оперативной работы не меньше десяти лет, если и остались в системе МВД, так уже сидят на хороших должностях с минимумом головной боли и максимумом удобств, и ни за что эти должности на работу в «убойном» отделе не променяют. На Настино место Афоня сможет найти только совсем молодого парнишку, имеющего за плечами крохотный опыт, и парнишка этот будет ничем не лучше Каменской, да и убежит на гражданку при первом же удобном случае, как только призывной возраст истечет. Но самое главное — начальник на нее кричит, ругается, высказывает явное недовольство ее работой, то есть происходит именно то, чего она всегда так боялась и всеми силами стремилась избежать. Насте казалось, что если такое хоть раз случится — она этого не перенесет. И вот случилось. И что же? Да ничего. Потолок не рухнул, пол не провалился, мир не перевернулся. И сама она не умерла от стыда и обиды. Более того, даже не покраснела. Даже не разволновалась. И не расплакалась. И руки не задрожали, как бывало раньше при малейшем стрессе. Оказывается, гнев начальства и отсутствие взаимопонимания — совершенно не смертельно. Это вполне можно пережить и спокойно продолжать работать. Противно, но не катастрофа. «Мне уже сорок один год. Пора вообще перестать бояться кого бы то ни было. А уж тем более Афоню», — пронеслось у Насти в голове.

Всего две или три секунды парил ее дух под потолком начальственного кабинета, но, когда сознание вновь слилось с телом, перед Вячеславом Михайловичем сидела совершенно другая Настя.

— Третье направление...

Она слегка изменила порядок доклада и решила вместо третьей группы версий изложить сначала четвертую. Чистое ребячество, мелкое служебное хулиганство, ведь она понимает, что Афоню больше всего интересует версия умышленного срыва съемок, так пусть помучается еще немного, пока она будет докладывать ему о том, о чем он и слышать не хочет.

— Третье направление работы ориентировано на то, что убийство Теймураза Инджия и исчезновение Яны Нильской вообще не связаны между собой. В этом случае работа по убийству водителя идет так же, как по первому направлению — долги, ревность, наркотики. Что касается Нильской, то здесь все так же, как во второй группе версий, плюс версии ее самовольного ухода. Внезапное психическое расстройство, ссора с мужем и желание его наказать, неожиданное любовное приключение. В любом случае убийство и исчезновение — совершенно самостоятельные факты, случайно совпавшие по месту и времени и никак друг с другом не связанные.

— Так не бывает, — резко оборвал ее Афанасьев. — Что ты мне тут голову морочишь какими-то совпадениями? Совершенно очевидно, что эти события связаны между собой.

— Почему очевидно? Из чего это вытекает?

— Да из всего! — взорвался начальник. — Инджия и Нильская целый день были вместе, то в теннис играли, то гуляли, то в кафе ходили. Они целый день были вместе, и в событии преступления участвовали вместе, иначе и быть не может.

— Может, — спокойно возразила Настя. — Вы прекрасно знаете, какие невероятные совпадения бывают в жизни и как часто они случаются. Даже тот факт, что вы — мой начальник, а я — ваша подчиненная, — тоже чистое совпадение.

— Глупости! Меня предупреждали, что у тебя абсолютно отсутствует сыщицкое чутье и ты работаешь исключительно при помощи математики и логики. Так вот запомни, Каменская, сыщик без чутья — это не сыщик, а так, название одно.

Я своему чутью привык доверять, оно меня еще ни разу не подвело. И оно мне говорит, что рассматривать убийство и исчезновение по отдельности — полный бред. Выбрось это в помойку и не трать мое время на выслушивание этой ерунды. Давай дальше. Что там у тебя еще осталось?

— Осталось то, что вам больше всего нравится, — нахально заявила Настя, по-прежнему не глядя на начальника. — Преступление совершено с целью срыва съемок.

— Вот об этом поподробнее.

— Пожалуйста. Это самое слабое направление, — злорадно начала Настя, — оно пока ничем не подкрепляется. Опрос членов съемочной группы показывает, что ни убийство водителя, ни исчезновение жены сценариста не могут повлиять на съемки сериала. С водителем все понятно, а что касается сценариста, то если исчезновение жены сделает невозможным его дальнейшее участие в работе, то пригласят другого кинодраматурга, но картина все равно будет сниматься. Была выдвинута версия о том, что Инджия убили по ошибке, приняв его за одного из ведущих актеров, но и эта версия не выдерживает никакой критики. Во-первых, ни один из актеров, занятых в сериале, внешне не похож на водителя, и их нельзя было перепутать. Во-вторых, убийство актера после трех недель съемок ничего не изменило бы, приглашают другого актера и переснимают несколько сцен с его участием, только и всего. Следующая версия: преступление в Сокольниках организовано мужем режиссера Натальи Вороновой, который хочет воспользоваться несчастьем, чтобы отговорить жену от продолжения съемок. В этом случае действительно целесообразно было совершить убийство в самом начале съемочного периода, пока дело не зашло слишком далеко и начатую, но недоделанную работу не так жалко бросить, как было бы, если бы сериал был почти целиком снят. Муж Вороновой — бизнесмен, ранее уже дававший ей деньги на съемки. Вполне вероятно, что у него возникли серьезные финансовые проблемы, о которых он не может сказать жене, но и финансировать ее творчество он тоже больше не может. Версия рыхлая, мне она кажется надуманной, но следователь настаивает на ее отработке в полном объеме. План работы вами утвержден еще вчера, следователь с ним ознакомлен. У меня все.

— Плохо, Каменская.

— Сама знаю, — с улыбкой огрызнулась Настя.

— Что значит «сама знаю»? Если знаешь — так почему не делаешь, как надо?

— Не успеваю, Вячеслав Михайлович. Версий много, ребята на территории отрабатывают только часть из них, да у них и у самих работы по горло. Я готова вплотную заняться мужем режиссера Вороновой и публикациями Руслана Нильского, но жену сценариста пусть ищет кто-нибудь еще. Вот, кстати, завтра приходит новый сотрудник...

— Ты меня не учи. Я сам буду решать, кто из вас чем должен заниматься, — оборвал ее полковник. — И что у вас за порядки в отделе? С каких это пор рядовые сотрудники вмешиваются в распределение заданий? Развел ваш Гордеев, понимаешь, демократию, а у нас тут не парламент, мы все тут офицеры, погоны носим, у нас должна быть строгая иерархия и беспрекословное подчинение приказу вышестоящего начальника. Усвоила?

— Так точно, товарищ полковник, усвоила. Вопрос можно задать?

— Ну, задавай, — смилостивился Вячеслав Михайлович.

— Наш новый сотрудник — он кто? И откуда?

Начальник порылся в бумажках, разбросанных по столу.

— Какой-то Зарубин Сергей Кузьмич, из Центрального округа. Еще вопросы есть?

— Никак нет, — радостно ответила Настя, собирая свои записи и складывая их в папку. — Разрешите идти?

— Не забудь про план работы по версии о публикациях журналиста. Я жду. Не вздумай уйти домой, пока я не увижу план.

— Ни за что не уйду, — пообещала она. — Я спать не смогу, если не увижусь с вами сегодня еще раз.

— Ты что себе позволяешь, Каменская?! — заревел Афанасьев. — Это тебя Гордеев научил так с начальником разговаривать?

— Никак нет, Вячеслав Михайлович, это не Гордеев, это жизнь меня научила. Жизнь, Афоня, — она ужасно длинная, не каждой памяти под силу ее всю охватить. Моей — как раз под силу. Ты уже забыл, как достал мне по большому блату три банки бразильского кофе за то, чтобы я тебе написала шпаргалки по уголовному процессу? А я хорошо это помню. И много чего другого тоже. Пока, Афоня, сиди и жди, скоро план принесу.

У самого выхода из кабинета она не удержалась и посмотрела все-таки на начальника. Выражение его лица было трудно описать. Тихонько прикрыв за собой дверь, Настя вприпрыжку помчалась по коридору. Сережка Зарубин с завтрашнего дня будет работать в их отделе! О большей удаче и мечтать нельзя было. Сережка — классный опер и вообще отличный парень. Какой же Коротков молодец, что уговорил его перейти к ним на работу! И какая же молодец она сама, что перестала бояться Афоню! Дело есть дело, и если начальник отдает приказ, она обязана его выполнить. Но кто сказал, что она обязана прогибаться перед своим бывшим сокурсником, которому все пять лет учебы писала шпаргалки и который в благодарность за это продавал ей дефицитные кофе и сигареты по спекулятивным ценам? Вот это уж она точно не обязана. И не будет.

— Юрик, с меня коньяк! — радостно заявила она, врываясь в кабинет к Короткову.

— Не надо, — буркнул Юра, не отрываясь от бумаг, — это тебе подарок от меня ко дню рождения, который ты, между прочим, нахально зажала от товарищей по оружию. Я так понимаю, Афоня тебе сказал про Зарубина?

— Сказал, — кивнула Настя, — а как же. Юр, мне очень стыдно... я хочу сказать, насчет дня рождения... Я думала, ты забыл, вот и не стала напоминать, а то ты с подарком начал бы суетиться, а у тебя ни времени на это нет, ни денег. Ты обиделся, да?

Коротков поднял голову, спрятал папку с бумагами в сейф и хитро улыбнулся.

— Я? Да, обиделся. Страшно и жестоко. Чуть-чуть не успел, хотел, чтобы Серегу назначили в аккурат к твоему дню рождения, но просчитался с этими праздниками бесконечными. Но у тебя есть возможность реабилитироваться.

— Я готова, — быстро ответила Настя. — Говори свои условия.

— Мы сейчас звоним Зарубину и приглашаем его к тебе. В теплой дружеской обстановке отмечаем твой день рождения и его назначение, вводим нашего малыша в курс дела, чтобы завтра прямо с утра он включался в работу. Идет?

— Идет. А мне можно встречное условие выставить?

— Валяй. Только не зарывайся, — на всякий случай предупредил Юра.

— По дороге домой мы заедем за китайской едой.

— Что, так понравилось?

— До жути. Кажется, в жизни ничего вкуснее не ела. Только, Юр, мне еще надо план написать, Афоня там копытами бьет. Но я быстро, мне пятнадцати минут хватит.

— Кстати, — Коротков с подозрением уставился на Настю, — что-то ты больно веселая от начальника прискакала. Вы что, общий язык нашли?

— Ну прямо-таки! — Настя с размаху плюхнулась на стул, вытащила из Юриной пачки сигарету и с наслаждением закурила. — С точностью до наоборот. Я ему нахамила.

— Ты?! Никогда не поверю, — в голосе Короткова прозвучала такая убежденность, словно он отстаивал справедливость совершенно очевидного факта, который не может быть оспорен никогда и ни при каких обстоятельствах.

— Честное пионерское. Ты знаешь, я пока у Афони сидела, вдруг вспомнила, что у меня вчера был день рождения. Мне исполнился сорок один год. Ты понимаешь, Юрик? Сорок один! Я же пятый десяток разменяла! И что же я, как девчонка-малолетка, всех боюсь? Начальников боюсь, родителей боюсь, даже просто людей на улице боюсь, а вдруг меня кто-нибудь обидит, оскорбит, нахамит мне? Ну сколько же можно всех и всего бояться, а? Что я, рассыплюсь оттого, что на меня кто-то наорет? Да пусть орут, пусть ругаются, с меня даже волосок не упадет. И так мне легко стало в эту секунду — ты представить себе не можешь! Словно груз с плеч упал. Вот я на радостях и брякнула ему то, что думала. Конечно, не надо было, зря я это сделала. Но зато сколько удовольствия получила!

— И что же ты ему сказала? — поинтересовался Юра.

— Не скажу. Напомнила кое-что из нашего общего университетского прошлого.

— А-а-а, понятно. Ну и он что?

— Ничего. Рожа вытянулась, как стираный чулок. И речь отнялась. Пока он в себя приходил, я успела слинять. У тебя еще много дел?

— Аська, нашу работу никогда до конца не переделаешь. Поэтому главное в нашей работе что?

— Что? — послушно переспросила она.

— Умение вовремя поставить точку и уйти домой. Катись, пиши свой план, я пока Зарубина найду.

Через двадцать минут Настя принесла Афанасьеву отпечатанный на лазерном принтере план работы по версии.

— Разрешите, Вячеслав Михайлович? — Она вошла в кабинет начальника, стараясь не поднимать глаза выше отполированной поверхности стола для совещаний. — Вот план, как вы велели.

Афанасьев молча взял бумагу, пробежал ее глазами, положил на стол. Настя уже горько раскаивалась в своей несдержанности, потому что понимала: начальник не знает, как себя вести с ней. То ли по-прежнему хамить и разговаривать, как с нерадивой подчиненной, то ли признать в ней однокурсницу и взять более дружеский тон, то ли избрать что-нибудь третье, вроде нейтральной холодной вежливости, дескать, так уж и быть, орать на тебя я не буду, но и дистанцию сокращать не собираюсь, все-таки хозяин, то бишь начальник, здесь я.

— Я могу идти? — спросила Настя, не дождавшись словесной реакции полковника на свое появление.

Тот по-прежнему молча кивнул и с деловым видом принялся рыться в сейфе. Осторожно попятившись, Настя нащупала дверную ручку и тихонько выскользнула в коридор.

* * *

— У тебя есть детские фотографии?

Вопрос был неопасным, но все равно неприятно резанул Виктора. Детские фотографии! Они остались дома, у родителей, в Камышове. Но если бы они были здесь, все равно их нельзя было бы показывать Юле. Слишком заметна разница между тем лицом, которое у него было когда-то, и тем, которое он носит сейчас. Между десятилетним мальчиком и тридцатитрехлетним мужчиной общего, конечно, не так уж много, но ни при каком раскладе курносый нос не может превратиться в горбатый, а округлый подбородок — в раздвоенный с ямочкой.

— Есть, наверное, где-то у родителей, — ответил он как можно небрежнее.

— А студенческие? — не отставала девушка.

Ха, студенческие! Можно подумать, он студентом был! Техникум закончил и на этом с учебой завязал. Но легенда есть легенда, и согласно ей Виктор Слуцевич закончил какой-то коммерческий институт по какой-то невнятной специальности, которую давно и прочно забыл, ибо к его нынешней работе эта специальность никакого отношения не имела. Диплом у него, естественно, был, корочки он получил в комплекте вместе с новым паспортом, водительскими правами и еще целой кучей бумажек.

— Да нет же, детка, я свои изображения не коллекционирую. Зачем тебе мои фотографии?

— Хочу посмотреть, каким ты был раньше.

— Зачем?

— Просто интересно.

— Не понимаю, — Виктор пожал плечами, — какой интерес копаться в прошлом человека? Ты же сегодня общаешься со мной сегодняшним, а не с тем, каким я был когда-то. Так какая тебе разница, каким я был?

— Никакой, — легко согласилась Юля, и Виктор с удивлением заметил, что произнесла она это с явным облегчением. Ну и девчонка! И что у нее в голове делается, хотел бы он знать. Смотреть детские и юношеские фотографии ей явно неинтересно, тогда зачем спрашивала?

Сегодня после ужина в ресторане он пригласил Юлю к себе домой. Девушка спокойно согласилась, но в ней было столько прохладного равнодушия, что Виктор засомневался, а понимает ли она вообще, что означает ее готовность пойти в гости к малознакомому, в сущности, мужчине, который оказывает ей столь явные знаки сексуального внимания, что их невозможно даже при самой буйной фантазии принять за желание вместе почитать Шекспира или послушать за чашечкой кофе концерт для фортепиано с оркестром. Вот уже полчаса они находятся в его квартире, Юля сидит на диване, забравшись на него с ногами и свернувшись гибким клубочком, не отстраняется, когда Виктор прикасается то к ее плечу, то к руке, то к бедру, не вздрагивает, но и не дает понять, что ждет продолжения. Словно ей абсолютно безразлично, потащит он ее в постель или нет. Охотно поддерживает разговор, но не предпринимает ни малейших попыток оживить его, когда тема внезапно иссякает и повисает глухая пауза. Не задает никаких вопросов. Только вот про фотографии спросила, и то непонятно зачем, ведь очевидно же, что смотреть снимки ей не хочется.

— Ну, как тебе мое жилье? — поинтересовался Виктор.

Юля лениво повернула голову, обвела глазами комнату.

— Уютно, — с легкой улыбкой сказала она. — Но несовременно как-то. Сейчас мало у кого встречается такой вкус, как у тебя. Ты принципиально придерживаешься классики или это эпатаж? Не хочешь быть как все?

Ох ты елки-палки! Знала бы она... Виктору нравились чистые четкие линии стиля «модерн», он мечтал о том, чтобы у него был свой дом, оформленный в вызывающе ярких тонах, весь в металле, стекле и пластике. Если столик — то непременно на одной тонкой ножке и со стеклянной столешницей, ни в коем случае не округлой формы. Кресла и диваны с прямоугольными спинками, обитые черной и белой кожей. В ванной комнате — черная с белым плитка. Стены — синие или фиолетовые. Черный потолок. Ядовито-красная кухня. Оригинальные напольные светильники. И все по дизайну и материалам должно быть легким, воздушным и обязательно с острыми углами. Таким видел свой дом Юрка Симонов, и именно поэтому квартира Виктора Слуцевича оказалась прямой противоположностью. Темные приглушенные тона, тяжелая классическая мебель из натурального дерева, тяжелые мягкие кресла и диван, плотные шторы, почти не пропускающие дневной свет. Он ненавидел свое жилище и в то же время чувствовал, что привыкает к нему, и даже что-то внутри его самого начинает меняться, становится более приглушенным, менее вызывающим. Одновременно с раздражением обстановка в квартире странным образом вызывала в нем чувство покоя и надежности. Сюда не хотелось приглашать гостей, устраивать шумные сборища с выпивкой и девочками. Здесь ему хотелось часами сидеть неподвижно, уставившись в телевизор или в книгу. И это тоже было новым в его жизни. Энергичный, мобильный, ни секунды не сидящий на месте Юрка Симонов медленно умирал в нем. А кто рождался вместо него? Неизвестно. Он инстинктивно противился рождению и формированию этого нового существа внутри себя, поэтому за полгода так и не сделал того, что велел ему тот умник — специалист-психолог. Не завел новых друзей, не обзавелся постоянной женщиной. «Новую жизнь нужно создавать, конструировать сознательно и целенаправленно, — поучал тот. — Жизнь — это не только биологический процесс, состоящий из сна, принятия пищи, отправления естественных потребностей и секса. Жизнь — это твой круг общения, совместные посиделки, участие в делах твоих друзей, отношения с женщиной. Это все то, что рождает общие интересы, общие разговоры и впоследствии — общие воспоминания. Ты должен жить так, чтобы самое позднее через год иметь возможность по любому поводу рассказать случай из своей жизни. Из новой, заметь себе, жизни, а не из той, прежней. Ты должен за год набить свою записную книжку новыми телефонами, а свою жизнь — переживаниями, событиями и фактами, которые полноценно заменят переживания, события и факты предыдущих тридцати лет».

В первый раз, когда Виктор это услышал, слова психолога показались ему уж больно мудреными. Он в них почти ничего не понял. И только спустя несколько месяцев начал понемногу постигать их смысл. Вот Юлька спросила про фотографии, а ему и показать-то нечего, хотя было бы вполне уместно достать альбом или пачку снимков и пуститься в объяснения: это мы с друзьями на рыбалке, а это мы на даче, шашлыки делаем, а вот это мы ездили на море отдыхать, а это... ну, это так, одна знакомая, бывшая, можно сказать, ничего серьезного. У него, как у любого нормального человека, должно быть прошлое, а он за полгода прошлым так и не обзавелся. Полгода псу под хвост, полгода он цепляется за свою личность, всячески сопротивляясь ее разрушению и пытаясь сохранить все, что можно. А нужно ли? Вот взять да и закрутить романчик с этой чистенькой молоденькой студенточкой, ребенка ей заделать, жениться. А что, чем плохо? Еще и фамилию сменить, некоторые мужики так делают. Никогда у него не было таких девочек — Виктор про себя называл их «приличными», — с ними ему было скучно и тягостно, он не знал, о чем с ними разговаривать и чем их развлекать, потому что, кроме выпивки и постели, ничего не мог им предложить. Не в консерваторию же с ними ходить, в самом-то деле!

Хотя Юля не очень-то похожа на них, во всяком случае, в излишней разговорчивости ее заподозрить трудно. Он молчит — и она тоже молчит, смотрит то на него, то по сторонам своими темными глазищами, сидит неподвижно, как статуэтка. Странная она все-таки...

— Ты останешься до утра? — без обиняков спросил Виктор.

— Не знаю, мне нужно позвонить.

— Кому?

— Домой, родителям.

— И что, они могут не разрешить?

— Могут.

Да уж, многословием эта девочка не страдает, это точно.

— А от чего зависит их разрешение? — поинтересовался он. — Если у подружки — то можно, а если у друга — то нельзя?

— Нет, все зависит от здоровья маминой тетушки. Она уже старенькая, и если она плохо себя чувствует, я приезжаю к ней ночевать, чтобы в случае чего сделать укол или вызвать «неотложку».

— Значит, в отношениях с мужчинами родители тебя не ограничивают? — удивился Виктор. — Они у тебя такие передовые, продвинутые?

— Они нормальные. И прекрасно понимают, что если я захочу с кем-то переспать, то легко сделаю это и днем, так что требование ночевать дома ничего не решает и не меняет. Ты хочешь, чтобы я позвонила?

— А ты сама? Ты сама хочешь остаться?

На лице Юли проступило такое выражение, словно она собирается сказать: «Мне все равно». Виктор на сто процентов уверен был, что услышит именно эти слова, и несказанно удивился, когда она произнесла:

— Пока хочу. Но если потом передумаю, я полагаю, ничто не помешает мне встать и уйти. Правда?

— Да, конечно, — растерянно пробормотал он.

Черт возьми, они совсем другие, эти девочки поколения девяностых. Когда ему самому было столько, сколько сейчас Юле, его ровесницы так себя не вели. Вернее, вели-то они себя точно так же, оставались на ночь даже не во второй, а в первый же день знакомства, шли в гости к незнакомым мужикам и ничего не боялись, или же наоборот, отчаянно боялись и ни за что не соглашались идти в чужой дом. Но чтобы вот так хладнокровно пойти к мужчине, о котором ничего не знаешь, и при этом допускать, что он может оказаться насильником или полным придурком, садистом или еще каким-нибудь уродом, и при этом еще рассчитывать на то, что она сможет уйти, если ей что-то не понравится... Девочка двадцать первого века. А может, просто московская девочка? Говорят, столичные девицы отличаются от провинциальных. Интересно, чем? Может, именно этим? Знают обо всех темных и грязных сторонах жизни, но со столичным высокомерием полагают, что сумеют справиться с ситуацией, ведь они такие умные, такие продвинутые.

Юлина родственница оказалась в полном здравии, и девушка предупредила родителей, что ночевать не придет. Положив трубку, она снова замолкла, неподвижно сидя на диване и обхватив руками прижатые к груди колени. Ну вот, теперь надо что-то делать, что-то сказать или хотя бы кофе предложить... Или, может, сразу в спальню ее вести? Виктор заметался. Девочка ему очень нравится, она принадлежит как раз к тому типу женщин, от которых он обычно мгновенно терял самообладание — невысокая, тоненькая, темноволосая, смуглая. И волосы. Главное — длинные волосы, густые, прямые, шелковистые и блестящие. От таких волос он просто балдел. Ему захотелось немедленно схватить Юлю в охапку, на руках отнести в спальню, бросить на кровать, сорвать с себя рубашку и прижаться всей грудью к этим прохладным и свежим, как родниковая вода, волосам. Но почему-то казалось, что такой порыв будет неуместным и даже каким-то... плебейским, что ли. В нем бурлил бешеный темперамент молодого здорового самца, он хотел эту девочку немедленно, здесь и сейчас, но она выглядела такой холодной и рассудочной, что Виктор терялся.

— Ты пьешь кофе до того или после? — наконец нашел он, как начать приступ.

— Я после десяти вечера кофе вообще не пью, — последовал медленный ответ. — Только некрепкий чай. И после того я предпочитаю спать, а не пить. Ты еще что-то хочешь узнать о моих привычках?

— Конечно, — воодушевился Виктор. — Еще я хотел бы узнать, как ты предпочитаешь начинать, прямо здесь или в спальне. Или, может быть, в ванной?

— Зависит от обстановки. Сначала мне нужно взглянуть на спальню и ванную, а потом я решу.

Ну и дела! Как будто она пришла сюда не любовью заниматься, а ремонт делать. И будто бы она здесь — старший мастер, который будет решать, что и в какой последовательности должно происходить.

— Слушай, ты всегда такая?.. — Виктор замялся в поисках подходящего эпитета.

Юля, уже поднявшаяся с дивана, вскинула на него недоумевающие глаза.

— Какая?

— Деловитая. Ты словно на работу пришла, а не отдыхать.

Легкая улыбка снова тронула ее четко очерченные губы, но так и не разлилась по лицу сиянием радости или хотя бы смеха.

— Нужно ко всему относиться серьезно, как к работе. Даже к отдыху. Тогда все будет как надо.

— А как надо? — глупо спросил Виктор, включая свет в спальне.

— Примерно вот так.

Юля неожиданно прижалась к нему всем телом, ее маленькие горячие ладони буквально обожгли его ягодицы через тонкую ткань летних брюк. Все дальнейшее происходило сумбурно и безалаберно, то на полу, то на кровати. Девушка оказалось очень темпераментной и молчаливой, она не требовала, чтобы Виктор говорил какие-то необязательные слова, и сама не произнесла ни звука, даже не стонала. Только протяжно и громко закричала в самом конце. Потом лениво чмокнула его в плечо, повернулась на бок и крепко уснула.

Виктор еще долго ворочался без сна, то и дело борясь с желанием разбудить Юлю и снова приласкать ее, но отчего-то не посмел. К тому времени, когда дремота начала сковывать мягкой паутинкой его возбужденный мозг, у него возникло странное ощущение, будто его использовали. Да-да, использовали, именно так, как он сам использовал многих девушек. Эта смуглокожая студенточка ничего не хотела знать о нем, не задала ни одного вопроса, а про фотографии спросила просто из вежливости, чтобы сделать ему приятное, он же видел, с каким облегчением она перевела дыхание, когда выяснилось, что фотографий у него нет. Он как личность ей совершенно не интересен. Он был нужен только как мужчина, с которым можно провести вечер, когда больше нечем заняться. И которого можно употребить в качестве сексуального автомата.

Проспав три или четыре часа, Виктор проснулся. Юля мирно спала рядом, она лежала в той же позе, в которой уснула. Июньское небо уже совсем светлое, хотя еще только половина пятого утра. Снова нахлынула смешанная с недоумением обида: его использовали как бездушную бессловесную вещь. Но уже в следующее мгновение пришла другая мысль. Девушка, которая не задает вопросов. Девушка, с которой не нужно разговаривать о разных умных вещах и строить из себя начитанного и образованного. Девушка, которая не интересуется его работой, его друзьями, его прошлым. Девушка, готовая на близость и при этом не стремящаяся представить его своим родителям в качестве жениха. Девушка, при одном взгляде на которую у него сладко замирает все внутри и мысли приобретают совершенно определенное направление. Может быть, это как раз то, что ему сейчас нужно? Хотя бы для начала. Пусть эта Юля станет первым кирпичиком сначала в его новой жизни, а потом в его новом «прошлом».

В том, что темноволосая Юля рано или поздно станет его «прошлым», Виктор ни минуты не сомневался.

Глава 5

— И все-таки, ребята, вы поступили неприлично, — в десятый, наверное, раз обиженно произнесла Настя. — Ну как это так? Я не понимаю. Ведь вопрос с Сережиным переводом на Петровку решался как минимум месяц. Целый месяц! И за все это время ни Коротков, паршивец, ни ты, Сережа, ни словом не обмолвились. Я вам кто?

— Ты мне лучший друг, Настюха, — сыто проурчал Коротков, отработанно-вороватым жестом утаскивая со стоящей в центре стола тарелки предпоследнюю креветку в кляре. — Я хотел тебе сделать сюрприз от всего моего заскорузлого сыщицкого сердца. Права не имеешь на меня дуться.

— А я вообще шестерка в этом деле, — подал голос Сергей Зарубин. — Мне велели молчать, чтоб не сглазить и начальство не рассердить, — я и молчал. Ты, Пална, бочку на нас не кати, мы хорошие. Белые и пушистые, как ангорские кролики.

Все трое оказались зверски голодными, поэтому еда, принесенная из китайского ресторана, закончилась куда быстрее, чем темы для тостов.

— Ну, давайте еще по одной за благополучное раскрытие убийства в Сокольниках, — предложил Юра, разливая водку по маленьким стопочкам себе и Зарубину, а хозяйке наливая мартини.

— Закусывать нечем, — заметила Настя, — все уничтожили подчистую. Одна несчастная креветка на всех осталась.

— А мы так, — Сергей бодро поднял рюмку, — по-простецки, без закуси. Тебе, Пална, закуска вообще не нужна, ты сладкое пьешь, а мы с Юркой поделимся последним кусочком. Ну, поехали.

Чокнулись, выпили. Настя быстро убрала посуду в мойку, протерла стол и выразительно посмотрела на коллег.

— Все, мальчики, праздник закончился, начинаются мерзкие будни. Сережа, принеси, будь добр, из комнаты мой блокнот, большой такой, в коричневой папке. На диване лежит.

Зарубин скрылся в комнате и отчего-то не возвращался на кухню подозрительно долго.

— Эй, — крикнул Коротков, — ты там заснул, что ли?

— Не, я не заснул, я думал, — объявил Зарубин, возникнув на пороге с коричневой папкой под мышкой. — Думал и анализировал.

— Скажите, пожалуйста, — ехидно протянул Юра. — Анализатор нашелся. Ну и чего ты там наанализировал после пяти рюмок?

— Да так, разного всякого, — уклончиво ответил Сережа. — Вот, например, свитер какой-то на стуле висит, для Палны слишком большой, а для ее профессора слишком дешевый. Размер пятьдесят четыре, рост четыре, производство фирмы «Бабкин самовяз», стоит рублей семьсот максимум, если в магазине покупать, а если на вещевом рынке — то и за пятьсот отдадут. Чей бы это, а?

Настя прыснула и отвернулась, делая вид, что сосредоточенно моет посуду.

— Еще чего видел? — строго вопросил Юра.

— Долго перечислять. В общей картине получается присутствие постороннего мужчины, который здесь ночует, пока профессор в заграницах науку освещает. Ты что, Пална, решила пятый десяток расцветом личной жизни встретить?

— Это не она, Серега, это я решил личной жизнью заняться, — признался Коротков. — От жены ушел, а жить пока негде. Вот Аська приютила на время. Только ты на работе не трепись, ладно? Все-таки начальник и подчиненная... Не так поймут, языками чесать будут.

— У-у-у, как все далеко зашло, — покачал головой Зарубин, усаживаясь за стол. — Ладно, не буду о грустном. Давайте, граждане новые сотрудники, вводите меня в курс. Где убили, кого убили, зачем убили. Хотелось бы еще услышать, кто убил.

— Оптимист, — рассмеялась Настя.

Она заняла свое место за столом, раскрыла блокнот с записями, положила рядом карту-схему парка «Сокольники».

— Вот здесь вход со стороны метро, — она ткнула карандашом в точку на схеме. — Вот здесь, между Первым и Вторым лучевыми просеками, — пруд и лесополоса. Возле пруда расположилась съемочная группа. Там очень выгодное место для съемок, можно и лес изобразить, и опушку, и берег озера, и проселочную дорогу, и аллею городского парка. По свидетельству очевидцев, водитель Теймураз Инджия примерно в одиннадцать часов двадцать минут заявил, что поведет Яну Нильскую перекусить и выпить кофе в ресторан «Фиалка», поскольку там у него есть знакомые. Кроме того, основная масса точек питания закрывается в десять вечера, только «Фиалка» и еще несколько кафе работают до полуночи. От места съемки до «Фиалки» можно дойти вот так, — Настя провела карандашом поверх кем-то уже прочерченной красной линии, — или вот так, по синей линии, или вообще вот так, по черной. Путь, отмеченный черным карандашом, самый длинный, но зато проходит в большей своей части по освещенной территории. Остальные два пути заметно короче, но идут по неосвещенным местам. Съемки планировалось вести до семи утра, в графике на этот день стояли сцены на рассвете, поэтому водителя хватились только тогда, когда около часа ночи закончил сниматься актер, которого нужно было отвезти домой. Вот тут и сообразили, что Тимура и Яны что-то долго нет. Послали гонца в «Фиалку», но там заявили, что Тимур к ним вечером не приходил. Днем — да, был, вместе с девушкой, по описанию похожей на Яну Нильскую. А вечером не приходил. Ошибиться якобы не могут, потому что Тимура хорошо знают, он, что называется, из местных, живет неподалеку и в ресторане бывает регулярно. Пока судили-рядили, обнаружили в зарослях, буквально в ста пятидесяти метрах от места съемки, некую суету, подошли поближе — а там милиция, никого не подпускают, тело осматривают. Оказалось — Инджия. Кто-то из владельцев собак наткнулся на труп и побежал в милицию, там семьдесят девятое отделение, как ты знаешь, прямо на территории парка, от места обнаружения трупа минут десять ходьбы. Парня застрелили, два выстрела, один в грудь, другой в живот. Как это теперь модно — с глушителем, поэтому никто ничего не слышал. Еще какое-то время ахали и охали, пока не вспомнили про Яну. А Яны и след простыл. Сперва думали — потерялась, заблудилась, парк огромный, с лесопосадками. Водителя грохнули у нее на глазах, она испугалась и помчалась со страху куда глаза глядят, не разбирая дороги, а когда опомнилась, то не могла сообразить, как выйти обратно. Искали до утра, весь парк по пять раз прошерстили, из громкоговорителя ее звали, прожекторами освещали.

— И ничего? — спросил Зарубин, внимательно вглядывавшийся в схему, лежащую перед ним.

— Ничего. Исчезла и до сих пор не появилась. И никто насчет выкупа не звонил.

— Сообщница? — выдал неожиданную версию Сергей. — Привела Тимура в условленное место, где его должны были убить, и теперь скрывается.

— Да она с Тимуром-то знакома была всего ничего, две недели каких-то, — возмутился Коротков. — С какой стати ей участвовать в его убийстве?

— Погоди, Юрик, — Настя задумчиво почесала карандашом подбородок, — в этом что-то есть. Наемные убийцы, между прочим, со своими жертвами вообще не знакомы, однако это не мешает им убивать их.

— Так то за деньги!

— А тут что? Любовь, что ли? — возразила она. — Те же самые деньги вполне могут быть. Или шантаж. Ты приведешь Тимура, куда мы скажем, или мы убьем тебя, твоего мужа или твоих детей. Интересно, кто был инициатором похода в «Фиалку», Яна или Тимур? Юр, что скажешь? Ты же выезжал на место, с людьми разговаривал.

— Да мне и в голову не пришло это уточнять, — развел

руками Коротков. — Якобы Тимур подошел к администратору и сказал, что они с Яной идут в «Фиалку» перекусить. Это было в двенадцатом часу, администратор посмотрел в график и напомнил водителю, что примерно в час ему нужно будет везти домой какого-то актера. Тимур ответил, что помнит, даже достал из кармана точно такой же график и показал, что у него там галочкой помечено время, когда ему ехать. Вот и все. А уж как он до этого с Яной разбирался — теперь никто не знает. Короче, Серега, поиски Яны Нильской — это твой кусок, до утра можешь подумать, как ты собираешься это отрабатывать, а уж с утречка пораньше чайку попьешь — и вперед с песнями.

— Знаешь, Сережа, — проговорила Настя, листая блокнот, — если вдруг окажется, что ты прав и Яна скрылась с места преступления, потому что была соучастницей, то она сама найдется. Придет к мужу или прямо к нам и расскажет какую-нибудь невероятную историю, в которую мы должны будем, по ее задумке, поверить. Ладно, с этим вопросом все. Теперь давай я тебе расскажу про нашего водителя, у него биография богатая, и поводов убить себя он успел надавать целую кучу.

Поглядывая в исписанные листки, она начала методично излагать Зарубину все то, что удалось узнать за четверо суток о жизни погибшего Теймураза Инджия. Долги... Наркотики, но это пока не точно, хотя если то, что рассказали сыщикам, — правда, то повод для убийства более чем серьезный... Женщины, с мужьями, любовниками или одинокие, но ревнивые... Карточные игры, во время которых порой случались конфликты, связанные с тем, что Тимура подозревали в мошенничестве... Итого — около двадцати человек, имевших реальные основания пожелать молодому человеку смерти. У четверых из них нет никакого алиби, а из этих четверых по крайней мере двое весьма недвусмысленно высказывались в адрес Тимура (за его спиной, разумеется), обещая легкомысленному юноше массу приятных впечатлений от встречи с архангелом Гавриилом. Оба задержаны на семьдесят два часа, один — в понедельник, второй — сегодня утром. Оба допрошены следователем Гмырей, и, естественно, ни один из них в убийстве или хотя бы причастности к нему не признался. Оперативники разыскали около десятка владельцев собак, имеющих обыкновение выгуливать своих питомцев в районе пруда в интервале от 11 вечера до полуночи, и всех опросили на предмет всего того, что они видели во время променада 9 июня. По меньшей мере двое из них видели в интересующее нас время молодого парня, бегущего от роликодрома, рядом с которым обнаружен труп Инджия, в сторону Поперечного проезда, еще двое видели бегуна, удалявшегося через лесополосу в сторону Второго лучевого просека, но, судя по описанию одежды, это были разные люди. «Собачников» пригласили к следователю и предложили опознать задержанных, но неудачно. Ни один из свидетелей не смог с уверенностью утверждать, что видел кого-то из них поздно вечером 9 июня в парке «Сокольники», во-первых, было около 12 ночи, то есть темно, а во-вторых, молодые люди все-таки бежали, а не стояли неподвижно, давая возможность всем желающим обозреть и запечатлеть свою внешность. Кроме «собачников», были опрошены несколько влюбленных парочек, гулявших неподалеку от пруда, а также бомжи, регулярно собирающие бутылки, остающиеся после отдыхающих. Бомжи — хорошие источники информации, их никто всерьез не воспринимает, а потому никто и не боится, и они зачастую видят и слышат то, что для их глаз и ушей совершенно не предназначено. Но беда в том, что к тому времени уже недели две стояла холодная дождливая погода, и число любителей попить пивка или водочки на природе было совсем мизерным, а потому бомжи в указанный период июня приходили на свои «сборы» через день, а то и реже. Влюбленные же парочки вообще не склонны смотреть по сторонам, они больше друг другом заняты. Правда, удалось все-таки выяснить, что в начале двенадцатого, то есть как раз тогда, когда Тимур и Яна собрались в «Фиалку», на углу Первого лучевого просека и Митьковского проезда стояла белая «Волга», но изучать ее номерные знаки никому и в голову не пришло. Там вообще машины частенько стоят, потому что рядом находится таможенная контора со складом временного хранения товаров. Если предположить, что именно в этой машине сидел преступник, который застрелил Тимура и увез Яну, то он должен был после совершения преступления быстренько уезжать в сторону Богородского шоссе.

Сергей Зарубин делал вид, что внимательно слушает, но Настя, случайно перехватив его взгляд, устремившийся куда-то в сторону окна, поняла, что думает он о чем-то своем.

— Алё, крошка Доррит, — сердито сказала она, — я тут для кого воздух сотрясаю? Мы с Коротковым всю эту информацию уже наизусть выучили, нам повторять не нужно.

— Почему это Доррит? — обиделся Зарубин. — Чего ты по-заграничному обзываешься?

— Потому что крошка, — насмешливо ответила Настя, намекая на маленький рост сыщика. — Классику читать надо.

— Когда мне книжки-то читать? — возмущенно откликнулся Сергей. — И так работаю без продыху.

— Сейчас, конечно, некогда, — миролюбиво согласилась Настя. — Это надо было в детстве делать, пока в школе учился. Так мы работаем или ты будешь мечтать о кренделях небесных?

— Буду мечтать, — мстительно ответил Сергей. — Знаешь о чем? Вот рисуется мне такая картина: ты, Пална, умничаешь, нацепив очки на нос и тыкая карандашиком в свои схемы, Юрик строит из себя крутого шефа и с надменным видом наблюдает за твоими потугами, а тут вдруг раздается телефонный звоночек, и нам сообщают, что Яна Нильская сама нашлась, цела и невредима, сидит рядом со своим мужем и мирно попивает кофеек. Вы с Коротковым смотрите на меня, как на мага и волшебника, разинув от изумления рты. У тебя, Пална, может, даже очки с носа свалятся, если мне сильно повезет. А я, молодой и красивый, хотя и маленького роста, немедленно мчусь на адрес, беру вернувшуюся дамочку в оборот и к утру приношу вам на блюдечке всю картину убийства водителя, в которой Яне Нильской отводится немаловажная роль подводчицы. И завтра, в первый мой рабочий день в «убойном» отделе, ваш начальник публично поздравит меня с победой и скажет... Ну, примерно так: вот, мол, как работать надо, учитесь, пришел новый человек, с ходу глянул свежим глазом, придумал оригинальную версию и тут же ее результативно отработал. И выпишет мне премию в размере оклада. Нет, лучше двух.

— Лучше, конечно, трех, — философски заметил Коротков. — Аська права, ты большой оптимист, Серега. Спору нет, версию ты придумал оригинальную, нам с Аськой она и в голову не пришла. А все остальное в твоей картинке — полная утопия. Так не будет. Никогда.

Настя собралась было добавить, что, пожалуй, кое-что из обрисованного Зарубиным все-таки может сбыться, например, очки запросто могут свалиться с ее носа, потому что оправу она подобрала неудачно, и они действительно все время норовят соскользнуть... Но не успела, потому что зазвонил телефон.

— Вот! — встрепенулся Зарубин. — Я же говорил: зазвонит телефончик...

— Успокойся, — Настя бросила взгляд на часы, — это Чистяков. Как раз его время, он каждый день в одиннадцать звонит.

Но это оказался вовсе не Чистяков, а Настина мама Надежда Ростиславовна, которая после дежурных вопросов о самочувствии и питании поинтересовалась, посетила ли ее дочь парикмахерскую.

— Ты сильно обросла, Настюша, сходи постригись.

— Не хочу, мне так нравится, — упрямилась Настя.

— Доченька, у тебя была такая чудная головка, когда ты в первый раз сделала стрижку! Ну почему ты не хочешь снова постричься? Ходишь лохматая, как я не знаю что!

— Мама, женщина на пятом десятке имеет право сама решать, какую прическу ей носить.

Этот разговор повторялся с пугающей регулярностью вот уже несколько месяцев. Мать настаивала на возвращении на голову дочери стильной короткой стрижки, Насте же быстро надоел ее новый облик, и она снова решила отращивать волосы, а пока закалывала невразумительной длины пряди во что-то непонятное на затылке. Выдержав очередной «причесочный» натиск, она с облегчением положила трубку, но не успела и двух слов сказать, как снова раздалось треньканье.

Коротков метнул на Зарубина взгляд, полный яда, и возвестил:

— А это уж точно профессор!

Это действительно был Чистяков.

— Чем занимаешься?

— Провожу время в обществе молодых мужчин, — пошутила Настя. — Один из них уйдет домой, а второй останется. Или, может, обоих оставить?

— Валяй, — согласился муж. — Только не запутайся в них, а то я тебя знаю, ты же до единицы считаешь без ошибок, а когда два и больше — начинаешь путаться.

— Я калькулятор возьму, — засмеялась она.

Настя разговаривала с Лешей и краем уха слышала перешептывание Зарубина с Юрой Коротковым.

— Слышь, Юрок, а у тебя правда с Палной... ну, в смысле... ничего такого?

— Во-первых, правда, а во-вторых, твое какое дело?

— Да я подумал, поздно уже, а мне на другой конец Москвы пилить... Может, она меня тоже оставит? А завтра вместе на работу бы... А, Юрок? Но если у вас что-то такое, так я мешать не буду, ты только скажи.

— Балда ты, Серега, и бить тебя некому.

— Почему это некому? — вступила Настя, закончив общаться с Чистяковым. — Ты, Коротков, теперь Сережин начальник, имеешь полное моральное право дать ему в нос. Или в лоб. Свободное спальное место есть только на кухне, вот на этом диванчике. Устраивает?

Зарубин радостно оглядел диванчик, сопоставляя его длину со своим ростом.

— Вот оно, преимущество быть маленьким, — гордо объявил он, вполне удовлетворенный результатами осмотра. — Никто из вас здесь спать не может, а я — запросто. Почем берешь за ночлег, Настя Пална?

— Завтраком расплатишься. Встанешь в семь часов и приготовишь еду на троих.

— Ни фига себе! — протянул Сергей. — У тебя же холодильник пустой, из чего готовить-то? Мы все умяли.

— А ты в магазин слетай, — ехидно посоветовал Коротков. — Нынче не советское время, круглосуточные магазины всюду есть.

Настя полезла в сумку за кошельком, достала деньги.

— Правда, Сережа, сбегай быстренько, купи чего-нибудь на завтрак. Вот, возьми деньги. А я пока тебе постелю. Магазин у метро.

— У метро?! — вытаращил глаза Зарубин. — Это мне в такую даль переться? Ну вы садисты!

— Ладно, не ной, — поморщился Юра, — возьми мою таратайку.

Наконец минут через сорок продукты лежали на полке в холодильнике, а сотрудники второго отдела МУРа — на своих диванах.

Спала Настя в эту ночь странно. Крепкий глубокий сон то и дело прерывался, и она чувствовала, как четко и быстро начинал работать мозг. Сережка не так уж не прав, высказав предположение, что Яна Нильская могла оказаться сообщницей убийцы. Или убийц. Все они — и следователь, и оперативники — попали в плен информации о том, что жена сценариста приехала в Москву впервые и у нее нет здесь никаких знакомых, кроме тех, с кем она общалась во время съемок. Но ведь это известно только со слов Руслана Нильского, мужа Яны. Он мог лгать. А мог добросовестно заблуждаться. Надо проверять...

После очередного перерыва на здоровый, почти без сновидений, сон Настя продолжила мысленное составление плана проверки: запросить Кемерово, пусть местные сыщики поговорят с родными и близкими Яны насчет ее московских знакомых. Или, может, самим поехать? Сережу, например, отправить. Нет, не пустят, денег нет на такие командировки.

И уже на рассвете вдруг подумалось: глупо как-то все выглядит. Допустим, Яна Нильская участвовала в убийстве водителя Инджия. Допустим, теперь она скрывается. Зачем? И что собирается делать дальше? Нельзя скрываться до бесконечности, рано или поздно придется возвращаться, и что тогда говорить, как объяснять свое отсутствие? Если, конечно, она вообще собирается возвращаться. А если нет? То есть как это — нет? Ладно, допустим, у нее серьезный конфликт с мужем, многие свидетели говорят о том, что они сильно поскандалили в вечер убийства, Яна бешено ревновала Руслана к актрисе Ирине Савенич. Но ведь, кроме мужа, есть еще две дочери, совсем крошечные. И родители. Нельзя же вот так, за здорово живешь, ни с того ни с сего бросить всех и скрыться. А жить на что? На деньги любовника? Значит, есть какой-то любовник, о котором никто не знает. Нет, глупо, глупо, не получается...

А за полчаса до звонка будильника Настю разбудил по телефону следователь Гмыря.

— Нильская нашлась.

— Жива? — внезапно севшим голосом спросила Настя.

— И здорова. Сама пришла. Только что ребята с адреса отзвонились. Езжай быстренько туда, а к десяти часам вези ее ко мне. Если что срочное — я на телефоне.

* * *

Хрупкая Яна совсем потерялась в недрах широкого мягкого кресла, в которое она забралась с ногами, прижав колени к груди. Бледная и заметно похудевшая, она почти не разговаривала ни с Русланом, ни с Ириной, которые наперебой предлагали ей принять душ, поесть, поспать или хотя бы просто выпить горячего чая. Только отрицательно качала головой и иногда через силу выдавливала из себя:

— Не хочу... Не надо...

— Где ты была? — тревожно спрашивал Руслан.

— Не знаю. В какой-то квартире.

— Что с тобой делали?

— Ничего.

— Тебя били? Пытали? Тебе угрожали? Что они от тебя хотели?

— Не знаю... Ничего...

Наконец Ира потянула Руслана за рукав и силой вытащила на кухню.

— Оставь ее в покое, — тихо заговорила она. — Ты что, не видишь? Она в шоке. Не хочет говорить об этом. Жива — и слава богу. Сейчас из милиции приедут, им она все расскажет. Пусть пока отдохнет, в себя придет. Не трогай ее.

— Но я должен знать! — волновался Руслан. — Где она была? Кто ее увез, куда и зачем? И потом, почему ты думаешь, что милиционерам она все расскажет, если она мне не хочет говорить?

— Потому что для тебя она жена, а для них — свидетель убийства. Яна не может не понимать, что с милицией она разговаривать обязана. За отказ от дачи показаний, между прочим, статья предусмотрена. Я точно знаю, мне бывший муж рассказывал.

Во втором браке Ирина Савенич побывала замужем за следователем и теперь считала себя крупным экспертом в области уголовного процесса.

— Ладно, я подожду, не буду пока ее дергать.

Руслан тяжело опустился на табуретку, но уже через несколько секунд снова вскочил и помчался в комнату, где сидела Яна.

— Девочка моя, — приговаривал он, склоняясь над ней и пытаясь обнять, — маленькая моя, все прошло, все закончилось, ты со мной, мы вместе. Все хорошо, все в порядке. Хочешь душ принять? Пойдем, я тебе помогу, помою тебя, как тогда, помнишь?

Но Яна еще глубже забивалась в кресло и каменела под его руками. Ирина, стоя на пороге комнаты, наблюдала эту сцену со смешанным чувством радости и жалости. Хорошо, что маленькая Янка вернулась, хорошо, что ее не убили и не покалечили. Но отчего-то жалко Руслана. Он так страдал все эти дни, так переживал, мучился, собирался с мужеством, чтобы встретить любое известие, даже самое страшное. И вот теперь Яна рядом с ним, но какая-то чужая, незнакомая, закрытая. Он старается изо всех сил отогреть ее своей заботой, лаской, любовью, а она только еще больше сжимается в комок, все глубже забивается, как улитка, в свою раковину.

На лестнице послышались голоса, и Ирина открыла дверь прежде, чем звякнул звонок. Перед ней стояли трое — двое мужчин и женщина. На женщину Ира обратила внимание в самую последнюю очередь, зато мужчин оценила сразу. Один совсем невысокий, примерно как Руслан, некрасивый, но ужасно милый, с хитрыми глазами и лукавым выражением простоватого лица. Второй — его Ира уже видела в воскресенье, когда примчалась в Сокольники после звонка Вороновой, — настоящий опер, какими их в кино показывают, широченные плечи, хмурый взгляд, глубокие носогубные складки. Классическая парочка из американских детективов: один тяжеловесный, неповоротливый и суровый, без чувства юмора, а второй — юркий, шустрый и веселый, любитель шуток и розыгрышей.

Составив мнение о стоящих на пороге мужчинах, Ирина переключилась на женщину. Высокая, почти одного с Ирой роста, но во всем остальном — полная ей противоположность. Светлые волосы, небрежно сколотые на затылке, светлые прозрачные глаза, бледное тонкое лицо. И сама она вся тонкая, стройная, размера сорок шестого, не больше. Вот бы Ирине такой размер! Но она, как ни силится, из своего пятьдесят второго никак выбраться не может вот уже лет пять. Чего только не пробовала: и диеты самые разные, и таблетки, якобы сжигающие жир, и тренажеры. Ничего не помогает. Три-четыре килограмма уйдут и тут же вернутся буквально через месяц.

— Здравствуйте, Ирина Николаевна, вы меня помните? — хмурый опер одарил ее неожиданно ласковым и теплым взглядом. — Моя фамилия Коротков, зовут меня Юрий, а это мои коллеги, Анастасия и Сергей. Нам нужно побеседовать с Яной Геннадьевной.

— Конечно, — Ира посторонилась, пропуская их в квартиру, — проходите. Только я не знаю, как вы с Яной разговаривать будете, она на вопросы не отвечает и вообще все время молчит.

— Может быть, ей нужен врач? — заботливо спросила женщина, которую представили как Анастасию. Ира внезапно сообразила, что это, наверное, и есть та Анастасия, которая приходила к Наталье. Наташка говорила, что она тетка умная и приятная во всех отношениях.

— Если только психиатр, — усмехнулась Ирина и тут же заметила острый взгляд, брошенный на нее украдкой сыщиком с хитрыми глазами.

— Ирина Николаевна, сколько в квартире комнат? — быстро спросил Коротков.

— Одна.

— И кухня?

— Ну да, как у всех.

— Значит, нам с вами придется разговаривать на лестнице. — Теперь Коротков уже не казался ей хмурым, морщины на лбу разгладились, глаза стали еще более теплыми. — Анастасия поговорит с Яной, Сергей — с ее мужем, а я, если вы не возражаете, — с вами.

Она не возражала. Утро было холодным, к середине июня так и не потеплело, Ира взяла на кухне сигареты и зажигалку, сунула их в карман куртки, которую накинула на плечи, и вышла на площадку. Коротков ждал ее на балкончике, расположенном между лестницей и лифтовым холлом.

— Ну, рассказывайте, Ирина Николаевна.

— О чем?

— О том, например, почему, по вашему мнению, Яне Геннадьевне нужен психиатр.

Заметил все-таки! Хмурый-хмурый, а не дурак. Вообще-то сегодня этот Коротков нравится ей куда больше, чем в воскресенье. Правда, тогда почти весь день лил дождь, и у человека, вынужденного в таких условиях работать в выходной день, вряд ли могло быть хорошее настроение. А сегодня он ничего, очень даже ничего...

— Вас как зовут? — неожиданно спросила Ира.

— Юрий Викторович.

— Значит, так, Юрий Викторович, давайте мы с вами договоримся. Вы будете Юрой, я — Ирой, а Янка — просто Яной. Иначе у нас с вами вместо разговора получится протокольное мероприятие. Если же вы настаиваете на церемониях, тогда вызывайте меня к себе в кабинет.

— Это вы мне условия ставите? — чуть вздернул широкие брови Коротков.

— Да нет же, — Ира улыбнулась, — вы поймите, Юра, я актриса, и мне повезло учиться у хороших педагогов и сниматься у хороших режиссеров. Тональность сцены задается массой мелочей, в том числе местом, одеждой персонажей, а также тем, как они друг друга называют. Если в смокинге и вечернем платье, на приеме и на «вы» — это одна песня, а если голые, в постели и на «ты» — совсем другая. Понимаете? Я органически не могу стоять на грязном балконе, курить, кутаться в старую спортивную куртку и при этом называть Янку Яной Геннадьевной. Ну не могу я!

— Значит, вы плохая актриса, — без улыбки заметил Коротков. — Хорошая актриса может все, она может представить себя герцогиней, будучи одетой в лохмотья. Но я готов перейти с вами на простую форму обращения. Итак, Ирочка, расскажите-ка мне все по порядку с того момента, как сегодня появилась Яна. Только очень подробно и с деталями, как вы рассказывали бы подружке. Знаете, как подружкам рассказывают? А он говорит... а я... а она... а я в это время... Вот так примерно.

— Я так не смогу, — Ира невольно рассмеялась.

— Почему же?

— Меня Наталья долго переучивала.

— Наталья?

— Ну да, Воронова. Знаете, Юра, она замечательная рассказчица, рассказывает так, словно по написанному читает. Это у нее с детства такой талант. А я была нормальным ребенком с ужасно замусоренной речью, в общем, как все. И разговаривала с подружками именно так, как вы только что показали. Так вот, Наталья много лет отучала меня от такого стиля. И отучила.

— Понятно, — кивнул Коротков. — Вернемся к Яне.

— Ну что Яна... Появилась около шести утра, я спала, Руслан дежурил у телефона. Мы очень боялись оба уснуть и пропустить звонок от нее или от похитителей, поэтому спали эти дни по очереди. Вошла в квартиру...

— Минутку, — перебил ее Коротков, — Яна позвонила в дверь или открыла своим ключом?

— Вообще-то я не знаю, — растерялась Ира, — я спала, не слышала. Меня Руслан разбудил, сказал, что Яна вернулась. Хотя, я так думаю, что, если бы она позвонила в дверь, я проснулась бы от звонка. Наверное, она не звонила. А это имеет значение?

— Может быть. Пока не знаю. Если у нее были ключи, но

она ими не воспользовалась, а позвонила, то возникает вопрос: почему? Может быть, она ключи потеряла, а может быть, у нее их отобрали, тогда это меняет окраску происшедшего. Продолжайте, пожалуйста.

— Я проснулась, кинулась к Яне. Она едва стояла на ногах, бледная, измученная, похудевшая. Но руки-ноги целы, и синяков я тоже не заметила, хотя она не раздевалась. Только куртку скинула и кроссовки и сразу в кресло забралась. Мыться не пошла, от еды отказалась. На вопросы не отвечает, ничего не рассказывает. Из того, что удалось из нее вытянуть, понятно только, что ее держали в какой-то квартире, не били, не истязали, ничего не требовали, не угрожали и не запугивали. А сегодня на рассвете отпустили. Мне показалось, что у нее нервное расстройство.

— Поэтому вы сказали о психиатре?

— Ну да. Вообще-то, если вы хотите честно...

— Нечестно мне не надо, я не журналист, а сыщик. Мне нужно преступление раскрыть.

Ира помолчала немного, собираясь с духом. Может, не надо говорить этому менту все, что она думает по поводу Янки и Руслана? В конце концов, любовь — тонкая материя, и формы она принимает самые разнообразные, никто не может с уверенностью судить со стороны, есть она или нет. Сама Ира никогда не повела бы себя с любимым мужем так, как Янка. Но означает ли это, что Яна не любит Руслана? Кто знает...

— Я жду, Ира, — напомнил о себе Коротков. — Вам что-то показалось странным в поведении Яны? Может быть, необычным? Нелогичным?

— Я не знаю, — призналась она. — Я не могу дать этому оценку. Просто сужу по себе. Если бы со мной случилось такое, и если бы у меня был любимый муж или просто любимый человек, я первым делом стала бы ему все рассказывать в подробностях, потому что сама не понимала бы, что произошло и почему, и мне важно было бы услышать его мнение. Вообще я так устроена, что мне обязательно надо поделиться, понимаете? Не было бы мужа — я бы к Наташе побежала, я всю жизнь к ней со своими проблемами бегаю. Да что вы, Юра, меня заткнуть невозможно было бы! Я рассказывала бы снова и снова, припоминала самые мелкие детали и требовала бы, чтобы со мной их обсуждали и делали выводы: что же это все означает? Но то я, а то — Яна. Она, наверное, по-другому устроена. У нее нет острой потребности немедленно поделиться с мужем. Хотя я этого не понимаю. Вот хоть убейте меня! Не понимаю, как можно не хотеть поделиться с мужем, если ты его любишь.

— Есть два варианта, — заметил Коротков, закуривая еще одну сигарету, — либо она его не любит, либо не хочет расстраивать своими рассказами. Например, если ее изнасиловали.

Изнасиловали! Эта мысль в голову Ире почему-то не пришла. Хотя должна была бы... Но Янка на жертву сексуального насилия как-то не похожа. Мыться не пошла, а ведь должна была бы, по идее, сделать именно это. Хотя в той квартире, где ее держали, наверное, была ванная. Внезапно Ире пришло в голову, что волосы у Янки чистые, явно вымытые совсем недавно. Даже если она помыла голову в субботу утром, перед съемками, то к четвергу ни один живой волос не сохранил бы такую свежесть, только парик. И на оголодавшую пленницу Яна не тянет. Конечно, она похудела, но от четырехдневной голодовки не только вес уменьшается, но и цвет лица меняется не в лучшую сторону, глаза проваливаются. Ира это точно знает, сколько раз сама пыталась голодать в рамках борьбы с лишним весом. Яна бледная, а от голода должна была бы посереть и пожелтеть. И уж конечно, она не отказывалась бы от еды. Значит, ее там кормили. Ванную предоставили. Одним словом, создали ей все условия. А потом отпустили. Нет, сама Ира уж точно с ума бы сошла от недоумения и желания понять, что все это означает.

— Любопытно, — заметил Коротков, выслушав рассказ о ее наблюдениях. — А Руслан как реагирует на происходящее?

— Мечется, — коротко констатировала Ира. — Суетится вокруг Яны, не знает, чем ей угодить. Жалко его, он так напереживался за эти дни, а она сидит как неродная. Хоть бы его пожалела! Он к ней с лаской, с какими-то добрыми словами, а она даже не считает нужным что-то ответить, как-то откликнуться.

— Возможно, ей и в самом деле нужен врач, — задумчиво проговорил Коротков. — У Яны, наверное, нервное потрясение.

Хорошо бы. Потому что если причина ее поведения в другом, то Ире ничего не останется делать, как только считать Яну Нильскую дурой и стервой. Чего, конечно, не хотелось бы, ведь Ира искренне и по-доброму относится к Руслану и от всей души хочет, чтобы у него в семейной жизни все было в порядке.

— К десяти часам мы отвезем Яну к следователю, а там видно будет, может быть, ее положат в больницу, — продолжал Коротков. — Кстати, еще один момент мы с вами упустили. Яна пришла пешком или приехала на машине?

— Я уже говорила, я спала, когда она появилась. Может быть, она Руслану что-то говорила об этом, но я не слышала.

— Хорошо, будем надеяться, что нашим сотрудникам удастся узнать что-нибудь интересное у самой Яны и ее мужа. Спасибо вам, Ира, вы нам очень помогли.

— Да чем же?! — изумилась она совершенно искренне. — Ничего толкового не рассказала, только одни эмоции и догадки, а они, как меня учил муж, дешевле копейки стоят.

Коротков впервые за все время посмотрел на нее с явным интересом:

— Разве вы замужем? Помнится, вы говорили...

— Да, я в разводе, уже давно. Я имела в виду бывшего мужа. Кстати, вы, может быть, даже знаете его. Игорь Викторович Мащенко, следователь. Не слыхали?

— Мащенко? — Лицо Короткова расплылось в улыбке. — Конечно, знаю его. Очень хороший был следователь, жаль, что в главк ушел. Так вы, значит, были за ним замужем... Надо же, как интересно бывает. Только Игорь не совсем точно выразился. Эмоции и догадки для следователя действительно полная туфта, на них обвиниловку не состряпаешь. А вот для оперов это самое то, что нужно. Эмоции — главный ключ, при помощи которого мы лезем именно в те двери, в которые нужно, и пропускаем те, за которыми пустота. Образ понятен?

— Хороший образ, — снова рассмеялась Ирина, — неужели вы сами его придумали?

— Увы, врать не стану, авторство не мое.

— А чье?

— Подполковника Каменской, которая как раз сейчас беседует с вашей Яной. Ира...

— Да?

— Мне очень неловко, но следователь нас всех поднял с постели в половине седьмого и велел срочно ехать сюда...

— Я поняла. Вы голодны, позавтракать не успели. Сейчас что-нибудь соображу.

Она рванулась было к квартире, но сообразила, что на кухню заходить, наверное, не следует, там маленький хитроглазый Сергей разговаривает с Русланом. Ира растерянно остановилась и вопросительно глянула на Короткова:

— На кухню нельзя, да?

— Можно, только аккуратно и быстро. Я вам помогу.

Они вдвоем вошли в квартиру. Дверь кухни была плотно прикрыта, как, впрочем, и дверь, ведущая из прихожей в единственную комнату. Коротков осторожно приоткрыл дверь и просунул голову в кухню, потом обернулся и поманил Иру пальцем.

— Можно, — сообщил он шепотом.

Она проскользнула мимо него, стараясь быть как можно более незаметной. Руслан и маленький оперативник сидели за столом друг напротив друга, Руслан диктовал какие-то имена и адреса, Сергей быстро записывал. На Иру они не обратили никакого внимания. Вынув из холодильника кусок сыра и упаковку нарезанной копченой колбасы, она достала из шкафчика полиэтиленовый пакет с хлебом, взяла со стола нож и на всякий случай прихватила два красных блестящих яблока.

— Царская еда, — восторженно пробормотал Коротков, когда они снова оказались на балконе. — А резать на чем будем?

— Ах ты черт!

Ира от досады прикусила губу. В самом деле, на чем же резать? Нож-то она взяла, а вот о дощечке забыла.

— У вас газетка есть?

— Конечно, в прихожей целая стопка валяется.

— Тащите сюда. Сейчас расстелим газетку и все аккуратненько порежем в духе советских алкашей и постсоветских бомжей, — весело предложил Коротков. — Вас это не смутит?

— Меня?

Ей стало смешно от такого предположения. Знал бы этот симпатичный милиционер, какая юность за плечами у красавицы-актрисы Ирины Савенич!

Глядя, как Коротков ловко режет сыр и хлеб и делает бутерброды, Ира ощутила зверский голод. Она всегда хотела есть, когда нервничала, но сейчас ничего особенного не происходило, и нервничать ей вроде бы не с чего...

— Угощайтесь, хозяйка, — Коротков протянул ей бутерброд, — первый кусок — даме.

— Спасибо.

Она с наслаждением впилась зубами в хлеб с сыром, покрытый тонким слоем копченого мяса. Как будто неделю голодала, ей-богу! Прямо неудобно.

— Знаете, Юра, вы ужасно милый человек. Тогда, в воскресенье, вы мне показались жутким букой. Такой серьезный, хмурый, на всех кричит, всех погоняет, всех подозревает.

— А сегодня что?

— А сегодня вы совсем другой. Мне с вами удивительно легко, я вас совершенно не боюсь.

— Ну вот, приехали! — Коротков скорчил смешную физиономию. — А в воскресенье, значит, боялись?

— Ага, еще как! Нет, правда, Юра, вы такой страшный были, прямо слов нет.

— Сказать — почему? — спросил он неожиданно серьезным голосом.

— Скажите, — попросила Ира.

— Понимаете, Ирочка... Я от жены ушел. А уходить-то было некуда, жить негде, вот и спал на работе, в своем кабинете, на стульчиках. Все тело болит, спина не разгибается, душ принимать в спортзал бегал. А тут еще выезд на труп на ночь глядя да по дождичку с ветром. Какое у меня, по-вашему, должно было быть настроение?

— Плохое, — убежденно откликнулась она. — А сегодня хорошее?

— Сами видите.

— К жене, значит, вернулись? Или жилье нашли?

— Ни то, ни другое. И к жене не вернулся, и жилья не нашел. Зато нашел временное пристанище у одной временно свободной женщины, поэтому имею возможность нормально выспаться и нормально поесть.

Она не ожидала, что ей вдруг станет неприятно. Да что это с ней? Подумаешь, какой-то совершенно посторонний человек нашел пристанище у временно свободной женщины, так за него порадоваться надо. А ей отчего-то стало грустно, словно ее обманули.

— Поздравляю, — скучно пробормотала Ира.

— Пока не с чем. Эта женщина — моя знакомая, подруга, можно сказать, но не любовница. И я отчетливо понимаю, что стесняю ее. Квартира однокомнатная, так что сами можете догадаться, каково ей с чужим мужиком. Через несколько дней у меня будет возможность переехать, а пока вот приходится злоупотреблять ее гостеприимством. Так я, собственно, о чем хотел спросить...

— О чем?

Ей стало смешно и легко. Ира не привыкла пристально вглядываться в собственные эмоции, просто шла у них на поводу, а потом горько сетовала на то, что ноги у нее бегут впереди головы и она сначала делает, а потом думает. Так уж была устроена Ирина Савенич.

— Яна вернулась, вам теперь не нужно безотлучно находиться рядом с Русланом. Вы, наверное, вернетесь к себе домой. Ведь так?

— Конечно. Что мне здесь делать? Я им больше не нужна.

— А вас дома кто-нибудь ждет?

Ну конечно, разговор шел именно к этому. Ира не стала кривить душой перед самой собой, ей это было приятно. Она хотела такого поворота и ждала его. Этот сыщик ей нравился. Очень нравился.

— Нет, я живу одна.

— Вы не хотите пригласить меня в гости? Ужином накормить, чаем напоить. И рассказать что-нибудь еще про Руслана и Яну.

— Приходите. Я буду рада вас видеть.

— Когда?
— Надо посмотреть график съемок. Я наизусть не помню...
— Но сегодня вы снимаетесь?
— Да, с двух часов и примерно до шести.
— Значит, вечером...
— Конечно, Юра. Адрес у вас есть?
— Ирочка, у сыщика, как правило, нет денег. А адрес свидетеля у него есть всегда.

Глава 6

Притулившись в уголке возле окна, Настя слушала, как Борис Витальевич Гмыря допрашивает Яну Нильскую. Со слов Яны, картина вырисовывалась следующая. 9 июня около восемнадцати часов Теймураз Инджия пригласил Яну в ресторан «Фиалка», где угостил ее шашлыком из осетрины. Пока пили кофе, Тимур выяснил у хозяина ресторана, что с двадцати часов здесь начнет «гулять банкет», поэтому «Фиалка» будет работать, пока не закончится празднование, иными словами — часов до двух ночи. Посторонних поздно вечером в ресторан, конечно, не пустят, но его, Тимура, всегда рады видеть как постоянного посетителя. Тимур же ответил, что он никого напрягать не станет, а если и придет со своей дамой, то пройдет только в бар выпить кофе и съесть пару бутербродов. На том и порешили.

В начале двенадцатого Тимур предупредил администратора, что идет с Яной пить кофе. Они направились по аллее в сторону Митьковского проезда. Когда поравнялись с роликодромом, из кустов на противоположной стороне аллеи кто-то окликнул их:
— Тимур! Яна!

Они подошли ближе, раздались два выстрела, Тимур упал, кто-то схватил растерявшуюся Яну, зажал ей рот рукой и куда-то потащил. Мужчина был крупным и сильным, и как Яна ни вырывалась, сделать ничего не могла. Ее запихнули в машину, в белую «Волгу», и увезли. В машине ей не только заклеили скотчем рот, но и сразу же завязали глаза, хотя эта мера была на самом деле излишней: Яна Москвы не знает и понять, куда ее везут, а тем более в темноте, все равно не смогла бы. Ехали минут двадцать, как ей показалось. Может быть, больше, может, меньше. Она была так испугана, что не сообразила засечь время в пути.

Ее привезли в какой-то дом и завели в квартиру. Какой дом? Панельный или кирпичный? Одноподъездный или многоподъездный? Сколько в доме этажей? Она не знает, не видела, когда вводили в дом, глаза были завязаны, и когда выводили — тоже. Точнее, ее не вводили, а вносили на руках. Поднимались на лифте. Какой этаж, хотя бы примерно? Она не знает, пожалуй, точно не второй и даже не третий, скорее всего пятый-седьмой, но она не уверена. Какая квартира? Обычная, три комнаты, кухня, ванная, туалет. Что видно из окна? Яна не знает, окна заклеены бумагой. Ее сразу предупредили, что в квартире с ней неотлучно будет находиться охранник, который за малейшее нарушение будет ее наказывать. К нарушениям относились попытки кричать, звать на помощь, убежать, отклеить бумагу и посмотреть в окно. Если нарушений не будет, ее через несколько дней отпустят, и все будет хорошо. И никто не сделает ей ничего плохого.

Ей действительно не сделали ничего плохого, кормили три раза в день. Сперва Яна пыталась отказываться от еды, но потом поняла, что это ничего не изменит, уговаривать ее никто не собирается и отпускать раньше времени тоже. Охранник ни в какие разговоры с ней не вступал и решительно пресекал любые попытки задавать вопросы. Точнее, охранников было двое, они сторожили ее посменно, потому что ночью не отдыхали, а сидели в той же комнате, где Яна спала, и следили за ней. Лиц и причесок она не видела, оба находились в квартире в масках, таких же, какие носит спецназ. Рост, фигура? Обыкновенные, один чуть повыше и постройнее, другой — пониже, и плечи у него пошире. Голоса? Тоже обыкновенные. Они так мало слов произнесли за эти дни, что Яна вряд ли сумеет их узнать. А уж про особенности речи и говорить нечего, мужчины старались обходиться в основном междометиями или короткими «да», «нет», «можно», «нельзя», «не знаю», «запрещено», «накажу».

Сегодня в четыре утра ее разбудили, снова завязали глаза,

заклеили рот, вынесли на руках из дома и посадили в машину. Куда-то везли, долго, минут сорок, наверное. Потом вынесли из машины, опять поднимали на лифте. Сняли скотч. Когда Яна сорвала с глаз повязку, она обнаружила себя на лестничной площадке, рядом никого не было, только гудел в шахте спускающийся вниз лифт да рядом на полу валялась ее сумочка. Выглянула в окно, но ничего интересного не увидела, видно, окна лестницы выходили не на ту сторону, где у подъезда стояла машина. Когда спустилась вниз и вышла на улицу, там уже никого не было. Пять утра, все спят, тишина и пустота кругом. Место сможет показать? Да, конечно, вернее, она попробует, но не уверена... На название улицы не посмотрела, ни к чему было, все равно она московских улиц не знает, а карты под руками, естественно, не было. Пошла наугад, минут через тридцать набрела на станцию метро, пришлось подождать какое-то время, пока откроют — станция работала с половины шестого. Какая станция? «Орехово». На метро доехала до нужной станции и снова пошла пешком к дому, где они с мужем сейчас живут.

История более чем странная. Да что там странная — невероятная! Зачем похищать человека только для того, чтобы несколько дней кормить его, поить и охранять, а потом отпустить? Бред какой-то... Если бы ее похитили на всякий случай, как свидетельницу убийства Тимура, то обязательно спрашивали бы, что конкретно она видела, может ли узнать убийцу, запугивали бы и грозили всеми карами небесными, если она проговорится. Но и это глупо, проще выяснить, что она видела и чего не видела, а потом убить. Зачем же выпускать на свободу мину замедленного действия?

Еще один момент показался Насте любопытным. Их окликнули по именам, Инджия назвали Тимуром, а Яну — Яной. С Тимуром-то все понятно, тот, кто хотел его убить, знал, как зовут жертву. А вот откуда убийца знал, что молодую женщину, идущую рядом с Тимуром, зовут Яной? Заранее готовился и собирал информацию? Но если уж он такой предусмотрительный, то не проще ли было подловить момент, когда Тимур будет один, а не с дамой? Лишние свидетели преступникам ни к чему. А если он не готовился, если имел установку совершить убийство именно 9 июня, то откуда он знает Яну? Варианты ответов: у Яны все-таки появились в Москве знакомые, о которых она никому ничего не рассказывает, и это аккуратненько ложится в версию Сережи Зарубина о том, что ее уговорили или заставили быть подводчицей — соучастницей в убийстве. Но тогда непонятно, зачем ее похищать? Вполне достаточно было бы с ее стороны дать неверное описание убийцы и указать неверное направление, в котором он скрылся. Проще пареной репы. Второй вариант: убийство совершил человек, приближенный к съемочной группе, прекрасно знающий и Тимура, и Яну, а также проинформированный о том, что парочка направляется в сторону ресторана «Фиалка». Правда, из работающих в тот день на съемочной площадке никто никуда не исчез, кроме Тимура и Яны, к приезду работников милиции все оказались на месте, но это ни о чем не говорит. Этот человек мог убить Тимура, запихнуть хрупкую легкую Яну в машину, где его ждали сообщники, помахать им на прощание ручкой и вернуться к месту съемки. Стало быть, появляется еще одна версия, согласно которой Тимур дал повод для убийства кому-то из членов съемочной группы. Кому-то еще, кроме Руслана Нильского. Потому что Нильский как возможный подозреваемый отрабатывался в первую очередь, и было точно установлено, что с момента ухода Яны с Тимуром в «Фиалку» Руслан ни на шаг не отходил от Вороновой, они все время были вместе и у всех на глазах. Хотя... Нильский, ревнуя жену к молодому красивому парню, мог нанять исполнителей и принять меры к обеспечению своего алиби. Тогда понятно, откуда убийца знает Яну. Ему или показали ее, или детально описали. И тогда совершенно понятно, почему у Яны никто ничего не требовал и ей не сделали ничего плохого. Попугали и отпустили, чтоб неповадно было с чужими мужиками романы разводить и ревнивого мужа нервировать. Тогда все сходится... Но откуда Нильский мог взять этого исполнителя, да еще и не одного, а с сообщниками? Это практически невозможно для человека, не являющегося местным жителем и не имеющего выходов на криминальную братву. А кто сказал, что таких выходов у Нильского нет? Его московские связи никто не отрабатывал. А ведь Руслан Андреевич начиная с 1991 года неоднократно бывал в Москве и в командировках, и с частными поездками, собирал материалы для своих статей. Кстати, какова была тематика его материалов? И в каких сферах он искал нужную информацию? Нет, как ни крути, но придется вплотную заняться журналистским прошлым новоявленного писателя Руслана Нильского. И по той версии, которую она вчера излагала Афоне, и по той, которая родилась у Насти только что.

— Яна Геннадьевна, — вывел Настю из задумчивости голос следователя Гмыри, — нам нужно провести процедуру опознания. Если вы устали или плохо себя чувствуете, мы отложим на завтра...

— Нет, все нормально, — прошелестел едва слышный голосок Яны, — я готова. Вы можете начинать.

— Ну, не все так быстро делается, — рассмеялся Борис Витальевич, — опознание — процедура сложная. Надо доставить задержанных из изолятора, подобрать других участников, пригласить понятых. На это потребуется время. Ваш муж где сейчас?

— В коридоре, меня ждет.

— Вот и отлично. Вы пока погуляйте, сходите куда-нибудь, пообедайте. А к трем часам возвращайтесь сюда, надеюсь, у нас все будет готово.

Когда Нильская вышла из кабинета, Гмыря повернулся к Насте:

— Ну, что скажешь?

— Ничего нового, Борис Витальевич. Она повторила все то же самое, что говорила мне сегодня утром. Дурацкая история какая-то... Ни смысла, ни логики.

— Так уж? — прищурился следователь. — Недавно ты совсем другое пела.

— Я хотела сказать, что слишком много версий получается, — поправилась Настя. — Тот факт, что похитители с Яной хорошо обращались, не угрожали и ничего не требовали, а также не угрожали и ничего не требовали от ее мужа, скорее всего, свидетельствует о том, что все это ее мужем и организовано. Но тогда придется думать, что Руслан Андреевич Нильский или полный идиот, или дьявольски умен и хитер. Потому что ход совершенно нестандартный и не укладывается в привычную схему. Если он инсценировал похищение собственной жены, чтобы замаскировать свое участие в убийстве Инджия, а заодно и ее приструнить, то должен был по крайней мере рассказывать нам о том, что ему угрожали или чего-то требовали. А он ничего такого не рассказывал. Или он банально глуп и об этом просто не подумал, или с точностью до наоборот.

— Похоже, — согласился следователь. — Еще есть идеи?

— Это не идея, а скорее полет фантазии... Ирина Савенич в беседе с Коротковым сказала, что, когда Яна сегодня утром вернулась, Руслан порхал над ней, аки орлица над орленком, а она зажималась и отодвигалась. Савенич расценила это как моральную черствость Нильской и высказала предположение, что Яна не так уж сильно любит своего мужа, раз не захотела немедленно поделиться с ним подробностями случившегося. А у меня тут возникло другое ощущение. Может быть, произошло что-то такое, из чего Яна догадалась, что Руслан Андреевич причастен к преступлению. Поэтому и отстраняется от него, и откровенничать не хочет. Она мечется и не понимает, может она доверять собственному мужу или нет. Как версия?

— Славненькая, — усмехнулся Борис Витальевич. — Разбрасываешься, Анастасия. Тебе велено было заниматься фигурой Андрея Константиновича Ганелина и возможностью его причастности к преступлению с целью срыва съемок сериала. А тебя куда занесло? Твой новый шеф тебя по головке-то не погладит.

— Да ладно, — она небрежно махнула рукой, — прорвемся. Можно ведь модифицировать ситуацию в нужном направлении. Яна Нильская — любовница Ганелина, она вступила с ним в сговор, поэтому ей похитители не причинили никакого вреда. В таком случае все ее показания яйца выеденного не стоят, они все лживые от первого и до последнего слова. Или же она не в сговоре, но Ганелин, как идеолог и организатор преступления, дал команду Яну не трогать, подержать несколько дней и выпустить, а все это похищение выдумано для отвода наших с вами глаз. Яна опять-таки из чего-то сделала вывод, что Ганелин причастен, и теперь мучается, потому что Ганелин — муж режиссера, от него зависит, во-первых, финансирование проекта, а во-вторых, хорошее отношение Вороновой к Руслану и их плодотворное сотрудничество. Яна не может сообразить, как ей себя вести, чтобы не навредить мужу, потому и зажалась. Не исключено, между прочим, что ее показания начисто лишены полезной информации именно поэтому. Она пока не может решить, о чем нужно говорить, а о чем — не нужно, поэтому предпочитает не говорить вообще ничего. Не видела, не слышала, глаза завязаны, охранники в масках, окна заклеены.

— Дельно, — согласился Гмыря. — Значит, так, дорогуша моя. Зарубину передай, пусть начинает отрабатывать все связи Яны Геннадьевны Нильской по месту жительства и возможные выходы на Москву. Я запрос официальный направлю в Кемерово, а мелкий твой пусть садится на телефон и дергает кемеровчан за нервные окончания.

— Лучше бы лично, Борис Витальевич, — просительно заныла Настя. — Сами знаете, как оно по телефону-то...

— Знаю, знаю. Но не из своего же кармана мне ему командировку оплачивать. Поговорю сегодня с твоим Афанасьевым, может, уломаю. Как вы там его называете?

— Кого? — Настя сделала невинные глаза.

— Ну кого-кого, начальника нового. Афоня, кажется?

— Да что вы, Борис Витальевич, мы к нему с полным уважением и со всем нашим пиететом...

— Ладно, не свисти, свистушка! Мне разведка все донесла. Он как вообще?

— Ничего, нормальный. Меня только не любит, но это можно понять. Вы ему скажите, что Сережу Зарубина необходимо послать в Кемерово, чтобы установить факт давнего знакомства Нильской с Андреем Ганелиным, которого вы подозреваете в организации убийства. Тогда он клюнет.

— Вот, значит, как дело обстоит, — понимающе протянул Гмыря. — Ваш Афоня — очередной охотник за лаврами, хочет раскрыть преступление, которое обернется громким скандалом. Муж-бизнесмен мешает своей знаменитой жене снять кино. Славненько, славненько. Что, Анастасия, плохо без Колобка-то? — спросил он неожиданно серьезно.

— Плохо, — призналась она, но тут же добавила: — Ничего, прорвемся. Колобок был эксклюзивным продуктом, мало кому в жизни везет с таким начальником работать. Подавляющее большинство людей работает с такими руководителями, как Афанасьев, и живут же, работают, никто не умирает. И мы выживем. А мне что делать прикажете?

— Ясно что. Занимайся Нильским вплотную. Я тебя у начальника отмажу, садись за компьютер, залезай в Интернет и поднимай все публикации Нильского, какие найдешь. Выясни, в каких московских изданиях у него есть знакомые, опроси их, пусть расскажут, как он собирал в Москве материалы, чем интересовался, с кем контактировал. То, что Яне Геннадьевне не причинили ни малейшего вреда, кроме морального, говорит о том, что преступление организовано человеком, которому она не безразлична. Или мужем, или любовником. Муж известен, любовник — нет. Ганелин — всего лишь предполагаемая фигура, любовником Нильской может оказаться кто угодно. Просто если ее любовник не Ганелин, а кто-то другой, то совершенно непонятно, зачем ему вообще все это нужно. У Ганелина хотя бы мотив есть.

— У другого человека тоже может быть мотив, — возразила Настя. — Мы же установили, что Теймураз Инджия был далеко не ангелочком. Конечно, это уж слишком красивое совпадение: враг Инджия одновременно является любовником Яны Нильской. Хотя в жизни и не такое бывает. Я бы еще согласилась с тем, что враг Тимура специально закрутил роман с Яной, чтобы облегчить себе совершение убийства.

— Или не роман, а просто деловые отношения, — вставил Гмыря. — Ты мне помощь в убийстве, я тебе деньги. Короче, дорогуша моя, Нильская прожила в Москве три недели, эти три недели надо восстановить по минутам, чтобы понять, могла ли она где-то как-то завязать новые знакомства, скрытые от глаз ее мужа и всей съемочной группы.

— Могла, — твердо ответила Настя. — Я точно знаю.

— Это где же и каким же образом? — заинтересованно спросил следователь.

— А помните, нам рассказывали, что Яна постоянно уезжала со съемок вместе с Тимуром? То с поручением его посылали, то он актеров привозил-увозил, а то и просто так, если водитель не был нужен. Во время таких отлучек Тимур запросто мог встречаться со своими приятелями и знакомить с ними Яну. А потом, будучи парнем компанейским и в общем-то добрым, возил Яну на свидания с кем-то из них, тогда как официально они ехали обедать или по делам. Чего проще-то? Допустим, Тимура посылают на «Мосфильм» за костюмом или за париком, который забыли взять на натуру. Он сажает Яну в машину, быстренько звонит приятелю, по пути забрасывает ее в нужное место, на обратном пути забирает. При московских расстояниях и традиционных пробках нежное свидание в пределах часа точно обеспечено, а то и больше. То же самое может происходить, если снимают в павильоне на студии. Знаете, есть такие актеры капризные, которые сами машину не водят, но требуют, чтобы их непременно возили. Особенно если актер не московский, а приглашенный из другого города. Своей машины здесь нет, а такси — дорого. Вот тут и нужен водитель, чтобы привезти его и потом обратно отвезти. У Вороновой в картине снимаются четыре актера из Питера, двое из Минска и один из Нижнего Новгорода. На съемочной же площадке Тимур и Яна по совместной договоренности делали вид, что вполне невинно флиртуют друг с другом, дабы Руслану Нильскому и в голову не пришло, что у его женушки завелся кто-то еще.

— Славненько, — в третий раз протянул Борис Витальевич. — Значит, после очной ставки я мадам Нильскую потрясу насчет ее совместных передвижений с водителем. Куда ездили, когда и с какой целью. И если она хоть один раз не сможет мне описать место, куда посылали Тимура, считай — она попалась. Значит, она по каким-то причинам до этого места не доехала. Созвонись с директором картины, пусть представит справку по использованию автомашины, на которой ездил Инджия. Когда, куда и зачем он его посылал.

— Борис Витальевич, у нас не советская власть, — осторожно заметила Настя. — Вряд ли в частной продюсерской компании принято выписывать путевые листы.

— Это точно, — со вздохом согласился Гмыря. — Хоть и ругаем мы советскую власть, а раскрывать преступления в определенном смысле тогда было легче. Чихнуть нельзя было, чтоб тут же об этом справочка с печатью не появилась. Ну да ладно, дорогуша моя. Пока я буду утрясать с твоим шефом вопрос о командировании капитана Зарубина в Кемерово, пусть-ка он поработает на эту версию. Надо выяснить, каких актеров и когда возил Инджия, найти их и опросить на предмет Яны. Была ли она в машине все время или ее высаживали и подсаживали по дороге. О чем они говорили с Тимуром. И какие между ними могли быть отношения. Актеры — люди наблюдательные, не в пример многим другим. Все поняла?

— Все.

— Тогда беги исполнять. Что ты на меня так смотришь? Спросить о чем-то хочешь?

Настя уже подошла было к двери, решив не задавать вопрос, который у нее возник, но который она не считала важным и существенным. Но в последний момент все-таки передумала и спросила:

— Борис Витальевич, а почему вы меня сегодня все время «дорогушей» называете? Раньше я от вас такого слова не слышала.

— Ах, вот ты о чем! — расхохотался Гмыря. — Это я дома подцепил. К жене родственница приехала погостить, так у нее эта «дорогуша» прямо с языка не сходит. Неделю целую слушаю, слушаю, а теперь, видишь, вот и сам говорить начал. А что, ты обиделась?

— Да нет, удивилась.

— Ну валяй, удивляйся дальше. Может, я еще чем-нибудь поражу твое воображение.

В сторону метро Настя направилась почти бегом, пока следователь не выполнил свое обещание и не поразил ее воображение еще каким-нибудь заданием. Однако не успела она войти в свой кабинет и включить компьютер, как Гмыря позвонил.

— У нас ЧП, — коротко сообщил он. — Только что явились супруги Нильские. Им подбросили какое-то странное письмо.

— Как это подбросили? — удивилась Настя. — Куда? Они же обедать ходили.

— После обеда Нильский обнаружил письмо в кармане куртки. Куртку сдавал в гардероб в ресторане.

— И что в письме? — тревожно спросила она.

Вот наконец что-то начало проясняться. Письма с угрозами или требованиями. Только почему-то не после похищения Яны, а после ее возвращения. Какая-то несостыковка по срокам у исполнителей? Или похищение Яны было предварительной «страшилкой», демонстрацией силы, чтобы сделать Нильского более покладистым? В любом случае сейчас станет понятным, чего же от него хотят.

— В письме-то? — переспросил Гмыря. — Одна фраза. «Если бы все люди думали одинаково, никто не играл бы на скачках».

Настя ушам своим не поверила.

— И все? — недоверчиво проговорила она, все-таки надеясь, что следователь прочтет еще что-нибудь.

— Все, Анастасия. Набрано на компьютере, распечатано на принтере. Я отдаю это экспертам, а ты — ноги в руки и бегом в ресторан «Джаник», где Нильские обедали.

— А как же Интернет? Вы же мне задание дали...

— Сам дал — сам и взял обратно. Давай, выполняй.

* * *

К вечеру ноги у Насти гудели, а язык, казалось, распух. Давно уже ей не приходилось так много передвигаться и говорить.

Ресторан «Джаник» ее огорчил. То есть кухня там была замечательной, официанты обслуживали быстро и вежливо, а дизайн радовал глаз умелым сочетанием дерева и текстиля. Однако первой неудачей для Насти оказалось отсутствие гардероба как такового. «Джаник» был недорогим демократическим ресторанчиком быстрого обслуживания, и верхнюю одежду здесь не сдавали на хранение исполненному достоинства дядьке в униформе с галунами, а вешали на крючки, прибитые на стены по обеим сторонам от входа, или же на спинки стульев. Поскольку с утра дождь несколько раз затевался с выступлениями, а в районе двух-трех часов пополудни хлынул в полную мощь, одежда у супругов Нильских, как и у других посетителей, задумавших в это время пообедать, оказалась изрядно вымокшей, и ее, естественно, повесили именно на крючки, а не на стулья, обитые симпатичной светло-сиреневой материей. «Джаник» расположен очень удачно, вокруг огромное количество учреждений, сотрудники которых любят здесь обедать, и в будние дни с часу до примерно половины четвертого ресторан всегда полон. В такой обстановке нет ничего легче, чем, снимая с крючка собственную одежду или, наоборот, вешая ее на крючок, незаметно сунуть в чужой карман конверт. Да, пожалуй, именно вешая, а не снимая. Человек следил за Нильскими, видел, что они вошли в «Джаник», через некоторое время вошел следом, разделся. Еще на улице он хорошо видел, какой плащ на Яне и какая куртка на Руслане. Может быть, он был совсем рядом и вошел практически следом за ними, поэтому точно знал, где именно висит их одежда, и вешал в том же самом месте свою куртку или что там на нем было надето. И в этот момент сунул в чужой карман письмо.

Крючков мало, посетителей много, соответственно, много курток, ветровок и пиджаков, нацепленных один поверх другого. Тот человек должен был зайти действительно сразу вслед за Нильскими, иначе он рисковал. Другие посетители могли повесить свою одежду поверх одежды Яны и Руслана, и тогда он, во-первых, не нашел бы с первого взгляда нужный карман, а во-вторых, если бы и нашел этот карман, ему пришлось бы сильно замешкаться, пристраивая конверт, а это могло бы вызвать подозрения: чего он там копается, уж не карманник ли, по чужой одежде шарит?

Но главная неудача состояла в том, что бригады официантов работали в «Джанике» в две смены, с десяти утра до четырех часов дня и с четырех до десяти вечера. К тому моменту, когда Настя появилась в ресторане, первая смена уже ушла. И теперь ей предстояло, выяснив адреса и телефоны всех официантов и менеджеров, работавших в первую смену, встретиться с ними. Может быть, ей повезет, и кто-нибудь вспомнит человека, входившего в ресторан сразу следом за Нильскими и чуть замешкавшегося рядом с вешалками. А может быть, и не повезет...

Результат к концу дня оказался более чем плачевным. Ноги болят, язык не шевелится, а полезной информации — ноль.

— Ну что вы, — в один голос заявили ей все опрошенные сотрудники ресторана, — с часу до трех — самое горячее время, мы с трудом поспеваем с подносами бегать и заказы принимать, по сторонам не смотрим.

— Как же так? — удивилась Настя. — У вас одежда посетителей практически без пригляда висит. Неужели ни одной кражи не было?

— У нас секьюрити есть. Вы с ним поговорите, может, он что-то видел.

— Секьюрити? — неподдельно изумилась Настя. — Я была сегодня в «Джанике» и никакого секьюрити не видела.

— Значит, отлучился. Сегодня Гарик работает, он вообще постоянно отлучается. Он у нас на особом положении.

Дальнейшие расспросы прояснили ситуацию. Секьюрити, а проще говоря — охранники, работают по своему графику, то есть не по полдня, как официанты и менеджеры, а по двенадцать часов, зато раз в три дня. Из трех штатных охранников двое — нормальные, а третий, по имени Гарик, был устроен на эту работу по указанию местной братвы, контролирующей ресторан. Гарик вел себя кое-как, мог по собственному усмотрению в любой момент отлучиться с рабочего места на неопределенный срок, никому при этом не докладываясь. Несколько раз старший менеджер по персоналу делал ему строгие замечания, после чего случался внеплановый приезд братвы, что владельцев ресторана отнюдь не радовало. В конце концов на Гарика махнули рукой, пусть делает, что хочет.

К великому Настиному сожалению, именно Гарик сегодня и охранял мир и покой в симпатичном недорогом «Джанике». Пришлось возвращаться в ресторан, хотя надежды на успех у Насти уже никакой не было.

Предчувствие ее не обмануло, Гарик оказался совершенно отмороженным. Не особенно умный от природы, он, по всей вероятности, успел или глотнуть, или нюхнуть, или уколоться, во всяком случае, ответы его на Настины вопросы вряд ли можно было считать адекватными. И конечно же, именно в интересующий Настю период времени с половины второго до двух часов дня, когда Нильские пришли в ресторан, его на месте не было.

«Если уж не везет, то с самого утра и во всем», — уныло думала она, возвращаясь домой около десяти вечера. Последнюю каплю невезенья в этот день влил в общую чашу Коротков, когда оказалось, что он не может подхватить ее на машине и отвезти домой, потому что находится в гостях у Ирины Савенич. Об этом Юра сообщил ей по телефону, когда Настя, распрощавшись с надеждой узнать что-нибудь толковое у охранника Гарика, позвонила ему на мобильный.

— Ты хоть ночевать-то придешь? — насмешливо спросила Настя. — Мне тебя ждать или ложиться спать?

— Не знаю, — уклончиво ответил Коротков. — Пока ничего не могу сказать. Ситуация неясная.

— Слушай, не морочь мне голову! — рассердилась Настя, уставшая от бесцельной траты сил и поэтому злая и раздраженная. — Если ты явишься ко мне в два часа ночи и начнешь трезвонить в дверь, мне придется просыпаться, вставать и открывать тебе. А я этого не люблю. Лучше уж я совсем ложиться не буду до твоего прихода, поработаю. Но я должна знать точно, ждать тебя или нет.

— Ты сейчас где? — спросил Юра вместо ответа.

— В центре, возле ресторана «Джаник». Собираюсь домой ехать.

— Я тебе позвоню домой через час, хорошо?

— Ладно, — недовольно пробурчала Настя. — Казанова несчастный.

— Не груби старшим, — хмыкнул Коротков.

Возле «Щелковской» Настю застиг настоящий тропический ливень, от которого не спасал даже зонтик. И хотя автобуса долго ждать не пришлось, она успела основательно вымокнуть. «Если бы все люди думали одинаково, никто не играл бы на скачках», — мысленно повторяла она, снимая с себя мокрую одежду и заворачиваясь в уютный теплый халат. В холодильнике оказалось полно еды, купленной накануне Сережей Зарубиным и так и не съеденной сегодня утром. Господи, какой длинный день! Ведь звонок Гмыри и сообщение о том, что Яна Нильская нашлась, — все это произошло сегодня, в половине седьмого. А кажется, будто неделю назад. Какое странное письмо получил Руслан Нильский... Всего одна фраза, известный афоризм Марка Твена. Что за ней стоит? Об этом может знать или хотя бы догадываться только сам Руслан. Но судя по тому, что сказал ей по телефону следователь, Руслан никак сие загадочное послание не прокомментировал. Что же, он действительно не догадывается, какой тайный смысл скрыт за этими словами, или догадывается, но не считает нужным делиться своими догадками со следствием?

А если именно он, Руслан Нильский, организовал убийство водителя и похищение своей жены, то и письмо он мог написать себе сам и в нужный момент просто вытащить из кармана. Он играет в какую-то хитроумную игру, он стремится к какой-то завуалированной цели и водит всех за нос. В какую игру он играет и какую цель видит перед собой?

Салатики — это славненько! О черт, это совершенно не ее слово, это Гмырино. Неужели Настя тоже не имеет иммунитета и подвержена словесной «заразе»? Но Зарубин молодец, постарался вчера на славу, деньги в магазине потратил толково. Откроем сейчас вот этот симпатичненький салатик под названием «Мимоза», отрежем черного хлебушка, на хлебушек положим колбаски телячьей, такой нежно-розовой, что даже откусывать жалко... «Никто не играл бы на скачках». Ну конечно, если бы все думали одинаково, то все и ставили бы на одну и ту же лошадь, и в тотализаторе не было бы никакого смысла. А какой смысл в этой записке?

Когда Настя закончила ужинать и включила компьютер, у нее сложилось отчетливое убеждение, что в этом странном деле об убийстве Теймураза Инджия и похищении Яны Нильской все всё знают, но никто ничего не говорит. Хорошо бы понять, почему.

Коротков, как и обещал, отзвонился в одиннадцать и

вибрирующим от туманных надежд голосом выторговал компромисс: если он не появится и не позвонит до часу ночи, то Настя может считать себя свободной от обязанностей подруги-хозяйки. Настя, со своей стороны, предупредила его, чтобы звонил ей на мобильник, потому что она собирается подключаться к Интернету и телефонная линия будет занята.

Она знала, где и как искать региональную прессу, и уже примерно через час могла составить первое представление о журналистской деятельности Руслана Нильского. Пока неизвестно, как в Москве, а уж то, что в Кемерове он имел возможность контактировать с криминалом, — это точно. И с милицией, кстати, тоже. Процентов семьдесят-восемьдесят его публикаций были посвящены проблемам преступности, в том числе организованной. Сами материалы Насте понравились, они были грамотными и отлично написанными, журналист отличался аккуратностью формулировок и завидным умением складывать из разрозненных фактов единую картинку, не забывая при этом добавлять: «напрашивается вывод», «складывается впечатление», «можно предположить». С одной стороны, факты сложены воедино и поданы так, что и предполагать-то ничего не нужно, все кажется совершенно очевидным и понятным. Но с другой стороны, эти маленькие вводные словосочетания избавляют Нильского от риска судебного преследования со стороны тех, о ком он пишет. Он же ничего не утверждает, только факты описывает, а выводы делайте сами...

Настя почти до середины дочитала одну из последних статей Нильского, датированную апрелем прошлого года, о некоем кандидате в мэры, отсидевшем за умышленное убийство, когда лежащий рядом мобильник задребезжал музыкальной фразой из Баха.

— Не спишь? — послышался напряженный голос Короткова.

— Как договорились, — откликнулась она, не отрывая глаз от экрана компьютера. — Контрольное время — час ноль-ноль.

— Я сейчас приеду.

Увлеченная статьей, Настя не обратила внимания на тревожные нотки в его голосе.

— Ага, давай, — рассеянно бросила она. — Ты голодный?

— Нет. Ты пока собери мозги в кучку, у нас тут кое-что произошло.

* * *

Все последние дни Наталья Воронова приезжала со съемок совершенно вымотанная. Держать съемочную группу в узде становилось все труднее, люди, ошарашенные и расстроенные убийством водителя Тимура, сразу стали поговаривать о том, что это дурной знак и не надо бы снимать картину, если работа началась с трагедии. Кроме того, на площадке ежедневно по нескольку раз появлялись работники милиции и задавали множество вопросов участникам съемок, уводя их при этом куда-то в сторонку и отрывая от работы. График летел к черту, Наталья ничего не успевала, актеры, вызванные к определенному часу, вынуждены были подолгу ждать, пока начнут снимать сцены с их участием, скандалили, раздражались и закатывали истерики, потому что у них тоже был свой график и им после съемок нужно было мчаться по своим делам — на озвучание, на другие съемки, на поезд, на репетицию, на деловую встречу, в театр, в детский сад за ребенком.

— Наталья Александровна, надо что-то делать, — возмущенно говорил ей каждые полчаса директор картины Мусатов. — В таком режиме невозможно работать. Сначала эти оперативники выспрашивали у нас про Тимура. Потом про отношения Руслана Андреевича с женой и Ирой Савенич. Теперь у них новая фенька: подавай им сведения о том, куда и зачем ездил Тимур. Из актеров душу вынимают, мол, вспомните, не подсаживал ли водитель по дороге жену Руслана. Какое это вообще имеет отношение к убийству? Они что раскрывают, убийство или левый извоз? И неизвестно еще, что они завтра придумают. У вас же есть связи, вам надо выйти на руководство этих милиционеров, пусть дадут команду, чтобы нас в рабочее время не дергали.

— Сеня, — устало отвечала Наталья, — вы плохо знаете киноклассику. Помните «Служебный роман» Рязанова?

«У них такой же рабочий день, как у нас с вами, с девяти до шести». Вы хотите, чтобы милиционеры работали ночью и не давали спать всей группе? Считайте, что это форс-мажорные обстоятельства. Мы их преодолеть не можем. Нам придется с этим смириться.

— Но у нас все сбивается! Вы посмотрите, что происходит. Вчера утром приехал Митько из Нижнего Новгорода, мы вчера и сегодня должны были отснять сцены с его участием, у него обратный билет на сегодняшний вечерний поезд, гостиница оплачена до двенадцати дня. Эпизоды с Митько не закончены. Что прикажете делать? Оставлять его еще на один день, менять билет, уговаривать его самого, падать в ножки, оплачивать гостиницу еще на одни сутки, а актеру — еще один съемочный день? Это деньги, Наталья Александровна, а мы с вами их не печатаем. Хорошо, допустим, мы продолжаем его снимать еще и завтра. Но завтра у нас натура с дождем, техника заказана, и если мы от нее откажемся, придется платить неустойку. Это снова деньги. И вообще завтра по графику мы в павильоне не работаем, когда же Митько снимать? Одна накладка тянет за собой другую — и так без конца, как снежный ком.

— И что вы предлагаете? Сеня, вы видите какой-то выход? Я, например, не вижу. Да, я согласна, люди нервничают, работа идет плохо, мы несем дополнительные финансовые расходы. Но я не вижу, как это можно изменить или поправить. Есть только один способ восстановить порядок на площадке...

— Убрать отсюда ментов, — быстро встрял Мусатов. — И я точно знаю, у вас есть связи, которые помогли бы это сделать.

— Нет, Сенечка, это не выход. Точнее, это выход, конечно, но неправильный. Порядок восстановится только тогда, когда преступник будет найден. И мы с вами должны сделать все, что от нас зависит, чтобы этот момент приблизить. В воскресенье у всей группы выходной. Я предлагаю нам всем собраться в одном месте, всем до единого, попросить всех актеров, которые сейчас в Москве, тоже приехать. И договориться с милиционерами, чтобы они встретились с нами и в спокойной обстановке выяснили все, что им нужно. Не урывками, в пятиминутных беседах, после которых через два часа всплывают все новые и новые вопросы, а так, как нужно. Нам придется пожертвовать одним выходным днем, но это для пользы дела. Чем скорее найдут преступников, тем скорее мы сможем вернуться к нормальному ритму работы. Ничего другого я предложить не могу. А вы?

Сегодня Руслан впервые после 9 июня появился на площадке. Пока не вернулась Яна, он не выходил из дому, боясь пропустить сообщение от ее похитителей. Жена его вернулась рано утром, до четырех часов ее допрашивал следователь, и после этого Руслан явился на «Мосфильм», хотя до запланированного конца рабочего дня оставалось всего три часа. Яна тоже была с ним, сидела тихонько в уголке и ни с кем не разговаривала. Наталья обратила внимание, что даже на Иру Савенич Яна перестала реагировать. Прежде, бывало, стоило только Руслану заговорить с актрисой, как Яна буквально в лице менялась и старалась находиться в такие минуты поближе к мужу, чтобы слышать каждое слово. А теперь сидела неподвижно и даже по сторонам не смотрела.

— Ты хорошо себя чувствуешь? — заботливо спросила Наталья, подходя к ней с пластиковым стаканчиком кофе в руках.

— Нормально, — сквозь зубы ответила Яна.

— Может быть, тебя домой отвезти? — предложила Воронова. — Тебе нужно отдыхать, набираться сил...

— Не нужно. Я здесь останусь. Спасибо.

Наталья молча пожала плечами и отошла, но с Русланом решила поговорить серьезно. Девочка столько перенесла, ей, наверное, нужен медицинский надзор и лечение, а не тупое пребывание на съемочной площадке, которое ее теперь нисколько не занимает и не развлекает.

— Яна не хочет оставаться дома одна, — твердо заявил Руслан, когда Воронова поделилась с ним своими соображениями. — Она боится. Лучше пусть здесь сидит. И потом, она может понадобиться следователю, здесь он ее всегда найдет. А дома даже телефона нет.

— Она выглядит такой измученной, — сочувственно заметила Наталья. — Не дело это, Руслан. Надо что-то придумать.

— Все в порядке, Наталья Александровна, не волнуйтесь за нас.

— Может быть, отправить ее на дачу к моим друзьям? Там свежий воздух, тишина, покой. И там она не будет одна, так что бояться ей нечего.

— Она никуда не поедет, я уже говорил с ней об этом. Спасибо вам за заботу, Наталья Александровна, но...

— Ладно, как знаешь, — Наталья расстроенно махнула рукой. — Но хотя бы по метро Яну не таскай, мне кажется, она совсем обессилела, того и гляди, в обморок упадет. Сегодня вас Ира домой отвезет, а завтра решим, либо Мусатов пришлет за вами машину, либо я сама за вами заеду. Договорились?

Все валилось из рук, все шло не так, как надо, но она сцепила зубы и упорно двигалась вперед. Нельзя останавливаться, нельзя думать о том, как тебе трудно, нельзя себя жалеть. Всю жизнь она жила именно так, сцепив зубы и через «не могу» делая то, что должна. Она должна сделать этот сериал, она не может бросить его, потому что есть контракт с продюсерской компанией, и сотрудники этой компании рассчитывают теперь на гарантированную зарплату в течение нескольких месяцев. Потому что подписаны контракты с актерами, половина из которых — звезды, и если Наталья прекратит съемки, они никогда больше не пойдут к ней ни на одну картину, потому что режиссер Воронова окажется ненадежной. А если и согласятся потом сниматься у нее, то потребуют сверхвысокие гонорары и оговорят в контракте огромную неустойку за отказ от съемок. И Наталье для своих будущих фильмов придется искать куда большие деньги, чем другим режиссерам. И вообще, Наталья Воронова не может бросить начатое дело, потому что никогда так не поступала. Это было противно ее характеру. Ей никогда за все сорок шесть прожитых лет не было легко, но она же справлялась. И сейчас справится.

Съемка закончилась в половине восьмого, Ира Савенич уже отснялась, но не уезжала, добросовестно ждала, пока освободится Руслан, чтобы на своей машине отвезти его с Яной домой.

— Всем спасибо! — наконец пронеслись над площадкой долгожданные слова, после чего начала отключаться техника и все засобирались уходить.

Наталья села на стул, вытянула ноги, устало прикрыла глаза. Подошла Ирина, присела перед ней на корточки.

— Натулечка, сильно устала?

— Ничего, в пределах нормы, — вяло улыбнулась Воронова.

— А у меня сегодня свидание с новым кавалером, — весело сообщила Ира.

— Кто такой? Я его знаю?

— Конечно, знаешь, только, может быть, забыла. Он из милиции, с Петровки, ну тот, который в Сокольники приезжал, широкоплечий такой, хмурый. Коротков. Помнишь его?

— Помню, — кивнула Наталья, не открывая глаз. — С каких это пор тебе начали нравиться хмурые мужики? Ты же всегда таких веселеньких любила.

— Вот и неправда, веселеньких я любила, пока была молодая и глупая.

— Ага, а сейчас ты старая и умная, можно подумать, — скептически заметила Наталья. — Ирка, опомнись, тебе тридцать один год всего. И насчет твоего ума я бы тоже поспорила.

Она всегда подшучивала над Ириной, так повелось много лет назад, когда они еще жили в одной коммунальной квартире и Наталья фактически воспитывала рано осиротевшую соседку. Ира никогда не обижалась, она была безоглядно предана Вороновой и готова была простить ей все, что угодно.

— Короче, Натуля, я что-то не пойму, — в голосе Иры зазвучали нотки недоумения, — ты не одобряешь, что ли? Ты ментов не любишь, да?

— Ирка, отстань. Ну с чего мне их не любить? Люди как люди.

— Нет, ты скажи, — не унималась актриса. — Если ты против, то я, конечно, не буду... Только я не понимаю, почему...

Воронова наконец открыла глаза, выпрямила спину, привычно погладила Ирину по густым вьющимся волосам.

— Не выдумывай, ради бога, Ириша. Встречайся с кем хочешь, я тебе в этом деле не указ. В конце концов, ты дважды была замужем и сама прекрасно разберешься, кто тебе нужен, а кто — нет. Он женат?

— Кто, Коротков?

— Тот, с кем ты на свидание собралась.

— Почти. То есть наполовину... В общем, он несколько дней назад ушел от жены.

— Вернется, — убежденно произнесла Наталья.

— Ну и пусть, — Ира упрямо поджала губы. — Но на свидание-то можно сходить? Пока он не вернулся.

— Сходи, сходи. Только грим пойди смой, на тебя вблизи смотреть страшно.

— Неохота возиться, я дома умоюсь. Ну все, пока, мы поехали!

Ира чмокнула Наталью в щеку и умчалась в сопровождении Руслана и Яны Нильских.

Дома Наталья занялась ужином для мужа и сына, которые должны были появиться около девяти. Отбивая мясо, она то и дело поглядывала на пол, по которому невесомыми комочками летал тополиный пух. С каждым годом этой гадости становится в Москве все больше и больше, пух летает в воздухе, как снег, забивается в ноздри и в рот, проникает в дома и нахально носится по комнатам, образуя постоянно перемещающиеся кучки, которые, устав в конце концов от суеты, находят себе прибежище в углах и на книжных полках. Вчера только Наталья пропылесосила всю огромную пятикомнатную квартиру, а сегодня жилье выглядит так, словно в нем год не убирались. Ковровые покрытия сочного синего и бордового цветов снова стали белесыми и пыльными на вид. Прямо хоть окна не открывай! Но это невозможно, Наталья любит спать с открытыми окнами, и сыновей с детства к этому приучила, никакой кондиционер не может заменить ей глотка сладкой рассветной прохлады. Вот и приходится делать уборку почти каждый день, после выматывающих съемок и приготовления ужина для себя и двоих отнюдь не страдающих отсутствием аппетита мужчин.

Первым явился сын Алеша. Вот и хорошо, подумала Наталья, Алешка не испытывает тяги к компании, не станет ждать Андрея, быстренько поест, и ему можно будет сунуть в руки пылесос. Пусть ужин отрабатывает.

— Мам, а пахнет-то вкусно! — заявил он, появляясь в просторной кухне-столовой. — Чего сегодня дают?

— Отбивные с гречкой и салат, — ответила Наталья с улыбкой, целуя сына.

— А картошечки жареной? — жалобно протянул Алеша.

— Сегодня обойдешься. Картошка кончилась два дня назад, и, пока ты ее не принесешь из магазина, она в доме не появится. Кроме того, тебе картошку с мясом есть нельзя, а то скоро в дверь не пройдешь.

— Понял, не дурак, — покладисто кивнул юноша. — Завтра куплю.

Он в считанные минуты справился с обильным ужином, залакировав его огромной чашкой чаю с куском вафельного торта.

— Алешка, ну как в тебя столько влезает? — засмеялась Наталья, не перестававшая удивляться способности сына поглощать пищу в немыслимых количествах.

— Я много лет тренировался, — отшутился тот.

Дождавшись, когда сын встанет из-за стола, Наталья собрала грязную посуду, поставила ее в мойку.

— Сынок, я думаю, будет правильно, если ты включишь пылесос, — сказала она, принимаясь за мытье посуды.

— Ну мам, у меня завтра экзамен, — заныл Алеша. — Мне еще поучить надо.

— Поучишь, — спокойно ответила она. — До утра времени много. Полчаса ничего не решают.

— Ты зловредина, — пробурчал сын, понимая, что от пылесоса ему не отвертеться.

— Возможно, — произнесла Наталья, не оборачиваясь. — Но пылесосить все-таки придется.

— Ну мам!

— Не нравится — переезжай в собственную квартиру, она

стоит пустая, тебя ждет. Вот съемки закончатся, Руслан с Яной уедут — и пожалуйста, можешь переселяться. Тебе скоро двадцать лет исполнится, ты уже вполне можешь жить один, твой брат в двадцать лет был совершенно самостоятельным. Но ты же боишься от мамкиных пирогов и котлет оторваться! За то, что я тебя каждый день кормлю, можешь раз в неделю что-нибудь сделать по дому, не переломишься.

Она говорила ласково, и суровые по сути слова звучали совсем необидно и ничуть не напоминали семейную сцену. Алеша понуро потащился в сторону кладовки, где стоял пылесос. Дальше вечер покатился по привычной колее. В разгар уборки пришел муж, Наталья снова накрыла на стол, на этот раз на двоих. Как бы она ни была голодна, но совместная трапеза с мужем — это для нее святое. Андрей был для нее не только мужем, но и на протяжении полутора десятков лет близким другом, с которым можно все обсудить и посоветоваться по любому вопросу. Он совсем не похож на Наталью, у него другой характер, другой менталитет, он прожил совсем другую жизнь, и, наверное, именно поэтому он обладает способностью видеть проблему совсем не так, как ее видит Наталья, и предлагать совсем другие решения.

— Как твой бизнес? — спросила она, как спрашивала его каждый день.

— Процветает, — коротко ответил Ганелин.

Наталья спрашивала больше по привычке, потому что знала: Андрей не станет обсуждать с ней дела фирмы. Да и ей, по совести сказать, вникать в финансовые и организационные тонкости бизнеса было совсем не интересно. Она ничего в них не понимала, даже в свое время, еще учась в институте, чуть было не схлопотала «неуд» по политэкономии. Тогда спасла испещренная отличными оценками зачетка, ей предложили пересдать экзамен на другой день и с закрытыми глазами поставили «хорошо», хотя Наташа сознавала, что не знает предмет даже на троечку.

— А что у тебя на площадке? — поинтересовался в свою очередь муж.

Наталья принялась подробно и с удовольствием рассказывать ему о том, как прошел съемочный день, и о том, что снова приезжал оперативник с Петровки и задавал какие-то новые, очень странные вопросы про Яну.

— Ты знаешь, Андрюша, у нас из-за всех этих печальных событий получается перерасход средств, — осторожно сказала она. — Мы выбились из графика, и вполне вероятно, придется потом платить за дополнительное время аренды павильона. Рабочий день удлиняется, приходится людям доплачивать, и все такое. Наш директор производства просто с ума сходит, он же каждую копейку считает, а они теперь утекают как сквозь пальцы. Мне даже страшно тебя спрашивать...

— Наташенька, ты сначала потрать то, что есть, а там посмотрим.

— Но может так случиться, что мы потратим твои деньги, а картину не доделаем. И что тогда? Ты уверен, что сможешь найти дополнительные средства, чтобы мы закончили сериал?

— Честно? — Андрей очень серьезно посмотрел на жену. — Нет, не уверен. Я человек, испорченный Булгаковым, и никогда не загадываю на несколько месяцев вперед. А то вдруг Аннушка уже разлила масло, а мы тут с тобой планы строим.

— Так что же мне делать, Андрюша? — растерянно спросила Наталья.— Я выпросила у тебя деньги, мы все подсчитали, и я была уверена, что смогу на них снять сериал. А теперь у меня есть основания опасаться, что этих денег не хватит. Я могу пойти на удешевление проекта, сделать его на несколько серий короче. Руслан все время здесь, мы и так работаем «с колес», мы переделаем сценарий таким образом, чтобы гарантированно уложиться в те сроки, на которые у нас арендован и оплачен павильон, и в ту сумму, которую ты нам выделил. Но я должна понимать, нужно мне это делать или нет. Я должна знать уже сейчас, могу ли я рассчитывать на то, что ты дашь нам еще денег сверх оговоренных, или не могу.

Андрей обнял ее за плечи, привлек к себе, поцеловал в висок.

— Ну что я тебе могу сказать, Наташенька? Бизнес есть

бизнес, он никогда не идет ровно и гладко, всегда бывают периоды взлета и жуткие провалы. Сейчас, вот именно в эти недели, у нас провал. Сколько времени он продлится? Не знаю. Иногда провальные периоды заканчиваются через два-три месяца, иногда тянутся год и дольше. Достаточно, чтобы контейнеры с грузом застряли на таможне, и мы в простое. Товар оплачен, деньги за него переведены за рубеж, а мы не можем его продать и вернуть затраты, не говоря уже о получении прибыли. Деньги вовремя не получены — не проплачиваются следующие контракты. Кроме того, если мы не продаем товар и не получаем деньги, нам нечего положить в банк, и мы теряем банковский процент. На таможне сейчас творится черт знает что, мы закупили в Германии и Австрии медицинское оборудование и уже два месяца не можем выцарапать его у таможенников. Деньги вложены огромные, а сколько мы на этом потеряем — сегодня пока трудно сказать. Я понимаю, я тебя не успокоил, но ничего более внятного я пока сказать не могу, ты уж извини.

Сердце у Натальи упало. Ну вот, у Андрея проблемы на фирме, а тут она со своим сериалом... Ничего не случилось бы, если бы она начала снимать его через год, когда телеканал выделит деньги. Так нет же, как шлея под хвост попала: буду снимать немедленно! Андрей — добрая душа, пошел ей навстречу, хотя ведь нет никаких гарантий, что телеканал потом даст свою часть денег. Да, они дали согласие, но устное, никаких бумаг не подписывали. А что может быть менее надежным, чем слово чиновника? Только слово мошенника. Андрей тогда говорил, что не нужно об этом думать, что если телеканал от своих намерений откажется, то в следующем году он найдет еще деньги, чтобы довести сериал до товарного вида. А теперь оказывается, все так зыбко, так ненадежно.

Что ж, решено. Завтра прямо с утра она попросит Сеню Мусатова пересмотреть план производства картины и точно подсчитать, на сколько съемочных дней они будут отставать от графика, если предположить, что милиция продолжит активную работу еще хотя бы неделю. Дольше — вряд ли, активный поиск преступника обычно идет не больше двух недель, потом все затихает и пускается на волю случая, потому что нужно заниматься новыми преступлениями, которые совершаются каждый день. За один съемочный день, если все идет удачно, все пришли вовремя, актеры не напились и техника не отказала, получается материал, который впоследствии преобразуется в три-четыре минуты полезного экранного времени. В очень удачный день — пять минут, но это если работать без срывов четырнадцать часов подряд. Можно, конечно, и по тридцать полезных минут делать, но тогда качество окажется просто чудовищным. Придется ставить одну камеру, снимать один план и писать живой звук. Получаются какие-то говорящие головы, а не кино. В семидесятые годы, когда Наталья училась во ВГИКе, так иногда снимали, но только это называлось «телеспектакль», а не «многосерийный фильм». Она сядет вместе с Мусатовым и посмотрит, на сколько съемочных дней им придется сократить работу. Никакой дополнительной аренды павильона не будет, лучше они с Русланом переделают сценарий. Самые дорогие съемки — в метро и в центре Москвы, от них тоже придется отказаться, но ничего, они с Русланом что-нибудь придумают.

Наталья уже засыпала, прижавшись к плечу мужа, когда прямо над ухом разразился оглушительной трелью телефон.

— Натуля? — послышался в трубке взволнованный голос Иры Савенич. — Разбудила?

— Что случилось? — перепугалась Наталья.

Она знала, что Ира никогда не позвонит ей в столь позднее время просто так, чтобы поделиться любовными эмоциями или впечатлениями от прочитанной книги.

— Мне только что позвонил Руслан. Им с Яной кто-то подбросил в квартиру дохлых крыс. Они не хотят оставаться там на ночь. Можно, я их к тебе привезу? Мне их больше некуда девать... Ты же знаешь, у меня только один диван, даже раскладушки нет.

Сон как рукой сняло. Наталья резко села на постели.

— Конечно, вези их сюда.

Через час в большой квартире в переулке Каменной Слободы, рядом с Арбатом, никто не спал. Алеша, как и положено студенту, готовился к завтрашнему экзамену, а все остальные, включая Андрея Ганелина, сидели в гостиной и тревожными голосами обсуждали случившееся.

Руслан с Яной, измученные тяжелым днем, рано легли спать. Около полуночи их разбудил звонок в дверь. С трудом продравшись сквозь сон, Руслан натянул джинсы, влез в тапочки и пошел открывать. За дверью никого не было, зато на полу, на лестничной площадке, стояла коробка, перевязанная нарядной розовой ленточкой. Обычная коробка из тонкого картона, в таких пирожные продают. Руслан принес ее в квартиру.

— Кто пришел? — спросила проснувшаяся Яна.

— Никто, коробку принесли. Наверное, кто-то из съемочной группы решил поздравить тебя с благополучным возвращением, пришел с пирожными, а мы не открываем. Киношники — люди богемные, привыкли тусоваться до рассвета, а потом спать до полудня, для них прийти в гости в двенадцать ночи — самое обычное дело. Ну что, вскроем подарок?

— Как хочешь, — равнодушно ответила Яна.

Но ее безразличие мгновенно растаяло, едва Руслан открыл коробку. В ней лежали два крысиных трупика, искромсанные, окровавленные, с отрезанными головами. Головы, впрочем, оказались в той же коробке. Яна визжала так громко, что Руслан испугался, как бы соседи не сбежались.

— Я не могу больше! — билась в истерике молодая женщина. — Я не останусь в этой квартире! Я не смогу здесь спать! Пойдем отсюда! Пойдем куда угодно, переночуем на улице!

Руслан помог ей одеться и вывел из дома. На их удачу, к остановке рядом с домом подошел автобус, на котором они за десять минут доехали до ближайшего метро, где купили телефонную карту и позвонили Ирине.

— Ну что ж, в сообразительности им не откажешь, — прокомментировал услышанное Ганелин. — Рискованно просто так, наугад звонить в дверь, квартира крошечная, все рядом, на расстоянии двух шагов, а вдруг дверь открыли бы сразу? Тот, кто принес коробку, на три метра не успел был отойти, и вы бы его увидели. А так они выждали, пока в окнах погаснет свет и пройдет достаточно времени, чтобы вы глубоко уснули, и позвонили в дверь без всякого риска. Умно. И с медицинской точки зрения они поступили грамотно.

— С медицинской? — удивился Руслан. — Что вы имеете в виду?

— Пока человек бодрствует, он постоянно находится в тонусе. Как бы это объяснить... Пока сознание активно работает, оно невольно готово к любым изменениям окружающей действительности. Это необходимый механизм адаптации человека к существованию. Когда же мы спим, мы расслаблены, сознание забывает о том, что окружающий мир таит в себе всевозможные опасности. И если нас внезапно разбудить и показать что-нибудь страшное, то впечатление от этого будет куда сильнее, чем если бы вы увидели это страшное днем.

Яна сидела молча, не принимая участия в обсуждении. Она казалась совершенно подавленной. Наталья вновь испытала приступ острой жалости к этой хрупкой молодой женщине, оказавшейся в самом эпицентре устрашающих и необъяснимых событий.

— Руслан, я предлагаю вам с Яной пожить у нас, — сказала она твердо. — По крайней мере пока все не разъяснится и не утрясется.

— Да, конечно, — тут же подхватил Андрей, — перебирайтесь к нам, если вам так неприятно находиться в той квартире. Места у нас много, вы нас совершенно не стесните. Да и со всех точек зрения это намного удобнее. Мы живем в самом центре, рядом с метро, телефон есть, Руслан сможет постоянно общаться с Натальей Александровной, это пойдет на пользу работе. Будете вместе уезжать на съемки, вместе возвращаться.

— Гениально! — радостно затараторила Ира. — Это снимет массу проблем. Правда же, Русланчик?

Руслан поднял на Наталью глаза одновременно грустные и благодарные.

— Спасибо вам, Наталья Александровна. И вам, Андрей Константинович. Вы так много для нас с Яной делаете. Мы не хотели бы вас обременять, но так, наверное, действительно будет лучше. Как ты, Яна?

Яна долго молчала, прежде чем ответить. Потом с видимым усилием разлепила губы.

— Я хочу домой, — проговорила она медленно.

— Ну вот, здрасьте! — возмутилась Ирина. — Только что кричала, что ни минуты не останешься в той квартире, что не сможешь там спать. Меня выдернула, я по твоей милости Наталью разбудила, всех на ноги подняла, а ты теперь... У тебя что, крыша съехала? Хочешь, чтобы я тебя всю ночь туда-сюда через всю Москву возила? Я, между прочим, собиралась здесь остаться до утра, мне вставать рано, в девять я уже должна быть на площадке.

Наталья резко толкнула под столом ногу Ирины.

— Погоди, Ириша, не кипятись. Яна столько пережила за последние дни, будь к ней снисходительна. Яночка, детка, ты действительно хочешь вернуться в ту квартиру? Подумай как следует, прислушайся к себе. Если да, мы вызовем такси и отправим вас с Русланом обратно.

Руслан озадаченно смотрел на жену. На его лице была написана неподдельная тревога.

— Яна, ты серьезно? Ты что, хочешь вернуться? Почему? Давай останемся здесь хотя бы на одну ночь, раз уж приехали. Ира права, всем завтра рано вставать, и мне, и тебе тоже, если ты хочешь ехать на съемки. И потом, с точки зрения криминалистики будет правильно, если мы оставим в квартире все как есть. Коробка с крысами стоит прямо возле дивана, на котором мы спим. Ты же не хочешь провести ночь рядом с... этим, правда? Выбрасывать коробку нельзя, это вещественное доказательство, и убирать ее тоже не стоит, чем меньше мы будем к ней прикасаться, тем лучше, ее следователь завтра направит на экспертизу.

Яна угрюмо молчала, уставившись неподвижными глазами на лежащий перед ней пульт от телевизора.

— Яночка, — снова вступила Наталья, — твой муж говорит дело. Завтра утром мы позвоним следователю, завезем ему ключи от квартиры, и пусть они сами забирают коробку. Когда вы вечером вернетесь со съемок, никаких крыс в квартире уже не будет, ты их больше не увидишь.

— Я хочу домой, — упрямо повторила Яна и вдруг сорвалась на крик: — Я хочу домой, в Кемерово! Руслан, отвези меня домой! Давай вернемся, пожалуйста!

Из ее глаз полились слезы, губы затряслись, лицо исказила уродливая гримаса. Яна вцепилась обеими руками в мужа и принялась трясти его.

— Я не могу больше оставаться в Москве! Я хочу домой, к детям, к маме! Давай вернемся, я здесь с ума сойду!

Перепуганный этой вспышкой, Руслан крепко обхватил жену, прижал к себе.

— Ну перестань, маленькая моя, ну перестань, конечно, мы вернемся, если ты хочешь. Только успокойся, пожалуйста. Мы сегодня здесь переночуем, а завтра я возьму билеты на ближайший рейс, и мы улетим.

Общими усилиями Яну привели в относительно спокойное состояние, напичкали ее валокордином, феназепамом и настойкой пустырника и уложили в спальне для гостей. Наталья даже забыла на некоторое время о своих планах коренной переработки сценария, для которой ей необходим был Руслан. И только когда Яна заснула, она вспомнила об этом.

— Руслан, ты нужен мне здесь, — нерешительно начала она. — Нам придется проделать очень серьезную работу со сценарием.

— Наталья Александровна, Яна — моя жена и мать моих дочерей. Если она хочет, чтобы мы уехали, мы уедем.

В голосе Нильского Наталья не уловила ни малейших признаков колебания. Он принял решение и не собирается от него отступать. Н-да, ситуация...

— Но ты автор романа и соавтор сценария, — не отступала Наталья. — И мы находимся в разгаре съемок. Ты подписал контракт. Ты понимаешь, что произойдет, если ты бросишь все и уедешь?

— А что произойдет?

— Мне будет очень трудно. Это первое. Ты не получишь свой гонорар в полном объеме, это второе. Я могу изуродовать твою историю до полной неузнаваемости, потому что никто не знает текста романа, а главное — его подтекста лучше тебя самого. Это третье. Может быть, ты отвезешь Яну в Кемерово и вернешься? А еще лучше — уговори ее остаться здесь.

— Это невозможно, Наталья Александровна, она не останется.

— Я прошу тебя, Руслан, не принимай поспешных решений, сегодня Яна взвинчена и плохо себя контролирует, сегодня ее все пугает и раздражает, но ты должен понимать: еще прошлой ночью она была в руках похитителей, ее отпустили только сегодня на рассвете. Потом ее несколько часов допрашивал следователь. Тебе подсунули странное письмо. А под конец — дохлые крысы. Она пережила, может быть, самые тяжелые сутки в своей жизни, а ты пытаешься серьезно относиться к ее поведению и к тому, что она говорит. Давай подождем до завтра, хорошо?

— Хорошо, — вздохнул Руслан, — давайте подождем. Я хотел извиниться за Яну. Эта истерика... Мне очень неловко перед вами и Андреем Константиновичем.

— Глупости, — прервала его Наталья. — Все объяснимо и поэтому в порядке вещей. Дай мне слово, что ты приложишь все усилия к тому, чтобы успокоить Яну и уговорить ее остаться. Ты создашь мне серьезные трудности, если уедешь.

Было уже почти два часа ночи, когда Руслан ушел спать. Ганелин и Ирина по-прежнему сидели в гостиной.

— Наташенька, я могу чем-то помочь? — заботливо спросил Андрей, когда Наталья присоединилась к ним после разговора с Русланом.

— Да нет, Андрюша, ну чем ты можешь помочь? Теперь все дело за Русланом, он должен сделать все, чтобы Яна не настаивала на отъезде. Если она заупрямится, Руслан уедет вместе с ней, он не считает себя вправе оставлять ее одну в Кемерове после всего, что случилось. Она нуждается в поддержке, в заботе, в любви. Я его понимаю, если бы я оказалась на месте Яны, я бы тоже нуждалась в том, чтобы мой любимый муж был рядом.

— Ладно, я подумаю над твоими словами, — загадочно ответил Ганелин. — Так что, девочки, все идем спать, или вам еще надо почирикать?

Наталья собралась было подняться и идти в спальню вместе с мужем, но Ира неожиданно заявила:

— Андрей Константинович, мы чирикнем еще буквально пару слов, ладно? Про свое, про девичье.

— Натуля, ты прямо как квочка, — накинулась на нее Ира, как только за Ганелиным закрылась дверь. — Давно большой семьей не жила? Соскучилась по коммунальной квартире? На кой черт ты предложила им остаться у тебя? Я, конечно, сделала вид, что одобряю твое решение, но это только в целях поддержания твоей репутации. На самом деле я считаю, что это полный идиотизм. Тебе теперь придется еще и для них готовить, и мыть за ними посуду, и стирать их постельное белье. И, кстати, содержать их. Ты же не станешь брать с них деньги за питание, правда? Не станешь, — ответила Ира сама себе, — я твой характер знаю. Будешь носиться с ними как с писаной торбой, в глаза заглядывать и в задницу дуть. Яночка, деточка, не хочешь ли персиков? У тебя головка не болит? Какое у тебя настроение, моя маленькая красавица? Ты, Натуля, привыкла всех вокруг себя опекать и обо всех заботиться, всех на своем горбу тащить. Пора завязывать с этими привычками, время сейчас не то.

— Да успокойся ты, — улыбнулась Наталья, — чего ты верещишь, как блаженная? Я привыкла готовить на большую семью, мне нетрудно, где трое — там и пятеро, разница невелика. И прокормить Руслана и Яну я вполне смогу без ущерба для своего бюджета, это не такие уж большие расходы. Ты мне лучше честно скажи, что тебя так разозлило? Из-за чего ты взъелась на меня? Из-за Яны? Только не ври, я, может, не все понимаю, но зато все вижу и чувствую. Чем она тебя так раздражает?

— Да ты что... что за глупости, — забормотала Ира, не очень, впрочем, уверенно. — Почему ты решила, что Янка меня раздражает? Ничего подобного.

— Я же просила не врать, — повторила Наталья уже строго.

— Дура она! — внезапно выпалила Ирина. — Дура, причем клиническая. Истеричка. Только о себе думает. А о том, каково Руслану пришлось все эти дни, пока ее не было? Как он места себе не находил, как мучился, страдал, переживал? Как не спал, чтобы известие от нее не пропустить? Как хоронить ее готовился? Она этого и знать не хочет, ей на это наплевать, и на Руслана ей тоже наплевать, она только о себе думает, о том, какая она несчастная. А почему она несчастная-то? Ее что, били, истязали, мучили? Да ничего подобного, обходились с ней как с королевой, трехразовое питание, мягкая постель, ванна-туалет — все к ее услугам. Только Руслан-то этого не знал, и все дни, пока она не вернулась, мысли у него были самые черные, самые страшные. Ты обратила внимание, сколько теперь у него седины? А ведь еще на прошлой неделе ни одного седого волоса не было. Это его надо жалеть, а не Янку, это он сегодня имеет право на истерики и на нервные срывы, а не она. А ты с ней воркуешь, как с любимым ребенком: Яночка-деточка, деточка-конфеточка. Да она стерва и закоренелая эгоистка. Вот! — Ира резко выдохнула воздух из легких. — Я все сказала.

— Точно все? — переспросила Наталья.

— Ну... не точно, но на сегодня всё. Завтра еще добавлю, — пообещала Ира.

— Ладно, тогда расходимся спать. Кстати, как твое свидание с милиционером?

— Как-как... Никак. Я его в гости пригласила, только-только все начало складываться, как эти... с крысами своими... Пришлось все бросить и везти их к тебе. Бедный милиционер уехал несолоно хлебавши.

Наталья ободряюще похлопала ее по плечу.

— Ничего, не расстраивайся, милиционеров в Москве много, а в России — еще больше. Если уж тебе так приспичило сменить следователя на оперативника, то шансов у тебя более чем достаточно. Хотя я бы на твоем месте перекинулась на другую профессиональную среду, просто ради любопытства. А то все милиционеры одни.

— Издеваешься? — надулась Ирина.

— Как всегда, — Наталья ласково поцеловала воспитанницу. — Спокойной ночи, я тебе в кабинете постелила.

Глава 7

К утру Настя Каменская пришла к неутешительному выводу, что чем больше поступает информации, тем меньше ясности в этом на первый взгляд самом обычном деле. Ей хотелось понять главное: кто был истинным объектом преступления, какова была его истинная цель — убийство Тимура Инджия или похищение Яны Нильской. Без понимания этого Настя не могла целенаправленно выстраивать версии и продумывать план работы по их проверке, версий получалось слишком много, и мысли разбредались в разные стороны. Но прошла без малого неделя с момента убийства, а ясность так и не наступила. Казалось бы, подметное письмо и коробка с дохлыми расчлененными крысами должны были навести на мысль, что все дело не в Тимуре, а в Яне, но ведь те же самые факты можно интерпретировать и по-другому: Яна была свидетелем убийства, могла видеть преступника, и теперь ее запугивают, чтобы молчала, ничего не вспоминала и никого не узнавала. Конечно, в такой ситуации проще было бы убить и ее тоже, а не похищать и не запугивать. Почему же не убили? Да мало ли! Может, среди преступников (а теперь, после рассказов Яны, стало очевидно, что их несколько) нашелся кто-то сентиментальный, не решившийся взять на себя грех убийства молодой женщины, матери двоих маленьких детей, ни в чем перед криминальным миром не провинившейся. Тогда снова придется возвращаться к версии о том, что главной целью был все-таки водитель Тимур. Так кто же из двоих, Тимур или Яна? И если Яна, то лично она, сама по себе, или Яна как жена Руслана Нильского? Или оба вместе, потому что преступнику было все равно, кого убивать, лишь бы внести разлад в работу съемочной группы, спровоцировать психологические, организационные и финансовые трудности, которые в конечном итоге должны привести к остановке проекта? Вопросов больше, чем ответов. Точнее, одни сплошные вопросы, а с ответами наблюдается некоторая напряженка.

— Юра, а чья это была идея — отвезти Нильских ночевать к Вороновой? — внезапно спросила Настя за завтраком, не спеша отпивая горячий сладкий кофе. — Савенич при тебе с ними разговаривала по телефону, ты должен был что-то слышать. Как тебе показалось, а?

Коротков наморщил лоб, изображая усиленную работу памяти, при этом не забывая планомерно откусывать от огромного бутерброда с омлетом и зеленью.

— Идея точно исходила не от Ирины, — наконец провозгласил он, — потому что ей вообще никуда ехать вчера вечером не хотелось. Мы так славно сидели с ней, уже расслабляться начали...

— Юрик, это твои личные эмоции, а мне нужны факты, или, на худой конец, слова, которые ты слышал. Кстати, почему ты сыр не ешь? Ты же его любишь.

— Так на столе же его нет, — Коротков развел руками, отчего омлет чуть было не соскользнул с хлеба.

— В холодильнике есть.

— А ты его не вынула, — упрямо проворчал Юра. — Я не могу в чужом доме хозяйничать, мне воспитание не позволяет.

— А спать в чужом доме ты можешь? — ехидно поинтересовалась Настя. — Да еще в присутствии чужой жены. Тоже мне, джентльмен нашелся. Здесь не подают, у нас самообслуживание. Скажи спасибо, что я тебе омлет приготовила, да и то только потому, что осваивала это блюдо, так сказать, в виде тренировки. А уж все остальное — будь любезен, сам. И не отвлекайтесь, папаша, я вам вопрос задала.

— Да, вопрос... Ну что тебе сказать, подруга? Идея, как мне кажется, исходила от Нильских. Я слышал, как Ирина говорила: «Ладно, я позвоню Наташе, если она еще не спит...» А никаких других слов, типа «давайте я вас к Вороновой отвезу, вы там переночуете», она не произносила.

— Все? — Настя с подозрением глянула на Короткова.

— Не совсем, но... Короче, мать, пока мы с Ириной собирались и судорожно выскакивали из дома, она все время ворчала, дескать, наверняка это Янка придумала — ночевать у Вороновой. То есть Ирина была почему-то уверена, что идея принадлежит Яне, а не Руслану.

— Почему? Она никак не поясняла свою мысль?

— Нет, просто ворчала в пространство. С другой стороны, какие могли быть варианты? Куда Нильским податься, как не к Вороновой? У самой Ирины места нет для них, а у Вороновой хата в пять комнат на троих, там роту разместить можно. Так что кому бы идея ни принадлежала, она была единственно правильной.

— Может быть, — задумчиво пробормотала Настя, — может быть... Может быть, ты и прав. А может быть, прав наш Афоня.

— В чем это, интересно, он прав? — недовольно встрепенулся Коротков.

— В том, что у Яны Нильской роман с мужем Вороновой. И коробка с крысами — прекрасный повод для того, чтобы временно переселиться к нему поближе. Милая женская хитрость.

— Ну ты еще скажи, что Яна сама себе эту коробку подбросила! Выдумаешь тоже! — возмутился Юра. — Она спала, когда коробку принесли, дверь открыл Нильский. Или ты думаешь, Яна могла это организовать? Когда? Ее несколько дней держали у себя похитители, потом она все время была на глазах у мужа, у Ирины, у нас с тобой, у Гмыри, у всей съемочной группы. Она вообще никуда за весь вчерашний день не отлучалась и никому не звонила. Я специально интересовался.

— Юрочка, солнце мое незаходящее, ты все это откуда узнал? От Ирины, правильно? Ты же с Нильскими вчера вечером не встречался. А что произошло после того, как они расстались с Ириной, и до того момента, как легли спать? Откуда тебе известно, что Яна никуда не выходила из дому и никому не звонила? Кроме того, у нас с тобой есть похитители. Почему ты не допускаешь возможности, что Нильская могла вступить с ними в сговор? Это вполне вероятно, если учесть, что ее там не били, не истязали и не мучили. И может быть, она даже договорилась с ними еще до того, как ее похитили.

— Ты что? — Коротков вытаращил на Настю глаза. — Ты это серьезно? Ты в самом деле думаешь, что Яна Нильская могла заранее устроить убийство водителя и свое похищение?

— А что такого? — Настя пожала плечами и неторопливо достала из пачки сигарету. — Почему тебя это предположение повергает в такой ужас? Я же не предлагаю тебе версию о том, что прилетели зеленые человечки на летающей тарелке, убили водителя и похитили Яну. Зеленых человечков не бывает, насколько мне известно, во всяком случае, я их своими глазами не видела. А все остальное вполне может быть.

— Но зачем?! Аська, можешь меня убить, но я не понимаю, зачем Яне участвовать в убийстве Тимура и в собственном похищении. Где мотив? В чем интерес?

— А я откуда знаю? Но если мы с тобой чего-то не знаем, это ни в коем случае не означает, что этого нет. Просто мы с тобой в этом направлении мало думали и плохо искали. Сережа Зарубин, между прочим, нарыл по меньшей мере два случая, когда Тимур вез актера на съемку и по дороге подсаживал в машину Яну. Иными словами, по пути от съемочной площадки до гостиницы, где живет актер, он ее высаживал, а потом брал обратно. По Сережиным расчетам, у нее было не меньше полутора часов свободного неконтролируемого времени. А учитывая, что оба раза это случилось во второй половине дня, когда на дорогах жуткие пробки, то время можно увеличить до двух часов. Юраша, допивай кофе быстрее, нам ехать пора. Мне в десять утра Афоне докладываться по публикациям Нильского.

Настя начала нервничать, ей казалось, что они непременно опоздают на службу и ей придется выслушивать от нового начальника нелицеприятные замечания в свой адрес, Коротков же был начальственно спокоен и всю дорогу уговаривал ее не психовать. Уговоры на нее не действовали, и Настя в глубине души понимала причину своей нервозности. Сегодня ей предстоит в первый раз после того разговора встретиться с Афанасьевым лицом к лицу. Слова, сказанные ею начальнику в среду, казались в момент их произнесения уместными и правильными, но теперь, по прошествии полутора суток, Настя сильно сомневалась в том, что поступила разумно. А точнее — все больше и больше убеждалась в том, что непростительно сорвалась и наделала глупостей. Ведь ей с этим человеком работать, и работать, по всей вероятности, не один день и даже не один месяц. Зачем же она так? Да, в молодости он не брезговал спекуляцией, доставая по каким-то своим каналам различный дефицит и сбывая его сокурсникам с бешеным наваром в свою пользу. А в те годы, в конце семидесятых — начале восьмидесятых, за это предусмотрена была уголовная ответственность. Ну и что? Противно, конечно, мог бы на своих-то собратьях — нищих студентах — не стараться нажиться на полную катушку, проявил бы милосердие. Но сегодня к спекулянтам из прошлого отношение совсем другое, сегодня считается, что тогдашние спекулянты выполняли полезную функцию, позволяя населению адаптироваться и выжить в условиях тотального дефицита. Вот и выходит, что презираемый когда-то Афоня был на самом деле полезным существом, благодаря которому сама Настя курила легкие сигареты с пониженным содержанием смол (что менее вредно для здоровья) и пила такой кофе, от которого не оставалось кислого привкуса во рту и не болел желудок. Да она, по большому-то счету, благодарить его должна, а не выпендриваться и не пытаться колоть глаза прошлым. А то, что в бытность свою студентом университета Афоня не блистал ни интеллектом, ни усидчивостью, ни дисциплинированностью, не дает ей никакого права считать его профессионально несостоятельным, ибо, как правильно заметил Коротков, за двадцать лет много чего меняется, и отсутствие должного образования с лихвой компенсируется многолетним опытом и навыками. Так-то оно так, конечно, но разве это дает ему право не любить подполковника Каменскую только за то, что она — женщина? Разве это дает ему право обвинять ее в нерадивости, в том, что она, вместо того чтобы работать, просиживает часами в парикмахерской? И кто сказал, что она должна терпеть это молча, сцепить зубы и глотать то дерьмо, которым Афоня ее регулярно потчует?

* * *

Она находилась в кабинете начальника уже минут двадцать, и ничего пока не произошло. Настя по-прежнему называла его Вячеславом Михайловичем, Афанасьев же, как и прежде, обращался к ней на «ты» и по фамилии. Правда, выражения он, похоже, старался выбирать, во всяком случае, сегодня Настя оценивала его высказывания как вполне корректные хотя бы по форме.

Что касается публикаций Руслана Нильского, то их содержание вполне могло дать повод некоторым личностям остаться недовольными. Благодаря тщательной продуманности формулировок журналиста невозможно было обвинить в диффамации в судебном порядке, однако чувства — материя тонкая, законодательными актами не регулируемая, и если в душе кипит ненависть и желание отомстить, то этой самой душе невозможно объяснить, что ничего наказуемого в правовом порядке человек не совершил. Душа — она такая капризная, и когда обижается, то меньше всего думает о юридической квалификации, а больше всего — о собственных ощущениях. Больно ей, неприятно и сатисфакции страсть как хочется.

«Страсть как хотеть сатисфакции», по Настиным предварительным прикидкам, могли несколько человек, среди которых оказались крупный коммерсант, известный сегодня на всю страну, не менее крупный политик, четыре года назад перебравшийся с Кузбасса в столицу и активно работающий в стане депутатов Государственной думы, а также одна весьма одиозная личность, благотворитель и филантроп. Всех троих Руслан Нильский в свое время ухитрился обвинить в тесных связях с криминалитетом, из-за чего указанные господа поимели различного масштаба неприятности в диапазоне от срыва многомиллионной сделки до провала на выборах в местные органы власти.

— Немедленно составь запрос в РУБОП, пусть посмотрят, с кем из уголовной среды эти деятели связаны, — деловито скомандовал начальник.

Настя молча вытащила из папки текст запроса, в котором не хватало только подписи Афанасьева, и положила перед ним на стол. Она уже решила, как должна поступить, но все еще сомневалась в своей правоте, поэтому чувствовала себя неуютно. И понимала, что снова поступает неправильно, показывая Афанасьеву заранее подготовленный запрос. Да, запрашивать управление по борьбе с организованной преступностью, безусловно, надо, это понял бы в данной ситуации даже сыщик-первогодок, но одно дело — правильные профессиональные решения, и совсем другое — поведение с руководством. Руководство должно иметь возможность ощущать свою значимость, и ни в коем случае нельзя ему показывать, что ты знаешь хоть что-нибудь не хуже начальника, иначе зачем же нужен начальник, если подчиненные и без него все знают? Есть неписаные правила построения отношений с начальниками, некоторым эти правила объясняют более опытные коллеги, некоторые осваивают их в ходе набивания шишек на собственном лбу. Одно из этих правил гласит: начальнику при любой возможности нужно давать понять, какой умный ОН, и как можно реже показывать, какой умный ТЫ САМ. Применительно к сегодняшнему дню это означало, что Насте следовало бы, услышав указание Афанасьева, тут же записать его на бумажку и с преданным выражением лица произнести: «Будет сделано». После чего взять со своего стола давным-давно подготовленный документ, выкурить сигарету, дабы потянуть время и имитировать бурную деятельность по выполнению задания, и отнести бумажку на подпись шефу. И шеф останется доволен сразу по двум позициям. Первая: он опытный зубр, который сразу сообразил, что и как надо делать. Вторая: его подчиненные быстро и радостно выполняют данные им указания, то есть уважают его профессиональное мнение.

А Настя что сделала? Подготовила запрос, принесла его с собой и показала начальнику. Иными словами, дала понять, что здесь и без него все знают, как искать преступников, а сам полковник нужен только для проформы, чтобы подписи на бумажках ставить, потому как без его подписи, к сожалению, запрос исполняться не будет. Ну и какими словами ее назвать после этого? Гордеев был не таким, он как ребенок радовался, если кто-то из взращенных и выпестованных им сыщиков начинал угадывать его решения, но это и понятно, ведь он руководил отделом больше пятнадцати лет, и практически все сотрудники отдела были в той или иной степени его учениками, а успех ученика, как известно, есть лучшая похвала учителю. Для нового же начальника они не ученики, а подчиненные, в среде которых ему нужно завоевывать авторитет, а это совсем, совсем другая песня...

— Что это? — недовольно спросил Афанасьев, глядя на лежащий перед ним документ.

— Запрос в РУБОП, — коротко ответила Настя.

Вячеслав Михайлович долго читал несколько составленных по хорошо известному шаблону строк, словно видел такой запрос впервые. Потом, не говоря ни слова, подписал и буквально швырнул Насте.

— Что еще по делу?

— Вчера поздно вечером Нильским подбросили дохлых крыс в коробке из-под пирожных, — невозмутимо сообщила она, думая не столько о деле, сколько о том, что собиралась сказать начальнику. — Следователю сообщили сегодня утром, он собирался подъехать на адрес вместе с экспертами. Нильские не захотели оставаться в квартире и ночевали у Вороновой.

— А что по мужу Вороновой? Что удалось узнать?

— Пока ничего нового. У нас нет информации о том, что господин Ганелин в какой-либо степени заинтересован в прекращении съемок.

— А вы ее искали, информацию эту? — повысил голос Афанасьев. — Что вы делали все это время? Газетки почитывали? Тебе понадобилось три дня, чтобы принести мне вот эти, — он ткнул пальцем в запрос, — несчастные три фамилии! Любой другой сотрудник сделал бы это за два часа. Что происходит, Каменская? Ты собираешься нормально работать или ты вообще этого не умеешь?

Какие три дня? О чем он говорит? Поручение покопаться в публикациях Нильского и выявить возможных недоброжелателей начальник дал ей в среду вечером. А в четверг с половины седьмого утра она занималась исключительно вернувшейся Яной Нильской, сначала сама опрашивала ее, потом везла к следователю, сидела несколько часов на допросе, потом до позднего вечера бегала по адресам в поисках свидетеля, который мог бы хоть что-то рассказать о таинственном письме, подсунутом в куртку Руслана Нильского. Сейчас утро пятницы, и она сумела-таки выкроить время, чтобы найти через Интернет кузбасскую прессу и даже прочесть значительную часть материалов, написанных когда-то Русланом. Причем сделала это ночью, у себя дома, на своем компьютере. Какой сотрудник смог бы сделать то же самое за два часа? Да он полдня потратил бы на то, чтобы найти компьютер с выходом в сеть, а потом еще полдня метался бы в поисках человека, который скажет, как и где искать региональную прессу. Что она сделала не так? Чем заслужила эти упреки?

Ну что ж, так тому и быть, она скажет все, что собиралась сказать. Вероятно, это будет неправильным, но она все равно скажет. Настя глубоко вздохнула, собираясь с мужеством:

— Вячеслав Михайлович, я хочу извиниться перед вами за то, что сказала позавчера. Меня обидела ваша критика, она показалась мне незаслуженной, и я не сдержалась. Я признаю свою вину и прошу прощения за то, что допустила неправильный тон в разговоре с руководителем. Однако я хорошо помню все подробности нашей с вами совместной учебы в университете. Вы можете быть спокойны, я не собираюсь использовать факт нашего с вами давнего знакомства, я не буду ничего у вас просить и не буду рассчитывать на поблажки или какое-то особое отношение. Я даже не буду называть вас Афоней и на «ты». Но именно в силу того, что я знаю вас как троечника, пользующегося чужими шпаргалками, и наглого спекулянта, я не буду терпеть критику с вашей стороны, если сочту, что она несправедлива. Не воспримите мои слова как шантаж, но я работаю в отделе полтора десятка лет и являюсь для молодых сотрудников определенным авторитетом. А вы таковым пока что не являетесь. И если я начну при всех аргументированно и обоснованно опровергать вашу критику, это не пойдет вам на пользу. Я вас не пугаю, а просто стараюсь быть честной и заранее предупреждаю, чтобы вы были к этому готовы.

— Чего ты хочешь от меня, Каменская? — устало спросил полковник.

— Ничего, — Настя чуть заметно пожала плечами.

— Ты хочешь стать начальником отделения? Сейчас нет вакансий, ты сама это знаешь. У тебя начальник отделения — Доценко, и уходить он никуда не собирается.

— Да не хочу я, с чего вы взяли?

— Тогда что? Ну чего ты хочешь? Чего ты добиваешься этими вот своими... речами? Чтобы я перестал тебя критиковать за плохую работу? Чтобы всем делал замечания и устраивал выволочки, а тебя не трогал, да? Ты этого добиваешься?

Боже мой, он ничего не понимает... Он продолжает считать, что Настя пытается использовать факт их знакомства в каких-то личных целях. Ну как ему объяснить, что нельзя так вести себя с людьми, с любыми людьми, а не конкретно с ней, с Каменской? Похоже, слов он не понимает. Отдел Гордеева всегда давал хорошие результаты, потому что Колобок сумел создать атмосферу взаимной помощи и взаимного доверия, при которой все думали только о том, как лучше для дела, а не о том, чем бы еще потешить собственное самолюбие. В том, чтобы тешить самолюбие, ни у кого не было потребности, потому что Гордеев никого попусту не критиковал, а если и делал это, то так, что никто не обижался. Он не уставал повторять, что нельзя обижать людей, потому что обиженный человек обязательно захочет отыграть обиду, а поскольку на начальнике ее отыгрывать нельзя, жертвами становятся все остальные, в том числе и коллеги, и кроме вреда работе, это ничего не приносит. Гордееву не нужно было доказывать подчиненным, что он — настоящий профессионал, по той простой причине, что сей факт и без того был всем прекрасно известен и признан. Афоню здесь никто не знает, и ему надо самоутверждаться, это понятно, но ведь в процессе этого самоутверждения он окончательно развалит работу отдела. Весь молодняк сбежит, у них еще гонор в мягком месте играет, они считают себя жутко образованными и умными на том единственном основании, что владеют компьютером и умеют играть на бирже, в отличие от начальника, который ничего такого не умеет, а позволяет себе на них кричать. И они такое обращение терпеть не станут, а поскольку карьеру в милиции они делать не собираются, то им все равно, где раскрывать преступления, на престижной и почетной Петровке или где-нибудь на территории, на окраине Москвы. Два-три раза нарвутся на Афонино незаслуженное хамство, да и положат на стол рапорт с просьбой о переводе. И что он будет делать тогда?

— Вячеслав Михайлович, — грустно сказала Настя, — я ничего не добиваюсь для себя. Мне ничего не нужно, понимаете? Мне даже не нужно, чтобы вы со мной по-особому обращались. Мне сорок один год, я подполковник милиции, а не нежная курсистка, и ваши критические замечания, даже самые несправедливые, даже высказанные с употреблением непарламентских выражений, меня не убьют. Я их как-нибудь переживу. Но в отделе много молодых сотрудников, вчерашних выпускников наших вузов, и они с вами работать не захотят. Не забывайте, сейчас не прежние времена, когда, надев погоны, мы обязаны были отпахать двадцать пять лет, и деваться нам было некуда. Сейчас каждый из нас может в любой момент уйти. И они уйдут. Я-то останусь, никуда не денусь, потому что не боюсь вас. А они уйдут. И как мы с вами тогда будем работать?

— Слушай, — в голосе Афанасьева явственно зазвучала заинтересованность, — а ты что, в самом деле начальства не боишься?

— Не боюсь, — пряча улыбку, подтвердила Настя.

— А почему? У тебя есть волосатая лапа? Где? В министерстве? Или повыше? — продолжал допытываться полковник.

— Нет у меня никакой лапы. Просто я уже вышла из того возраста, когда можно бояться начальников. Теперь я могу их только уважать или не уважать.

— Да ладно, — пренебрежительно махнул рукой Афанасьев, — что ты мне тут поешь? Думаешь, я не понимаю? Это ты только со мной такая храбрая, потому что мы вместе учились. А был бы на моем месте другой руководитель, которого ты раньше не знала, что бы ты делала? Сидела бы тихонько и молчала в тряпочку. И терпела бы, как все терпят.

— Нет, — она отрицательно покачала головой, — вот тут вы не правы. Терпеть я бы в любом случае не стала.

— Да? Ну и что бы ты сделала? Меня ты обозвала троечником и спекулянтом. А ему ты что предъявила бы?

— Совсем не обязательно предъявлять обвинения, чтобы заставить человека сделать то, что нужно. Вам это в голову не приходило? Есть масса других способов. Я допускаю, что вам эта идея просто недоступна, вы же привыкли источников на компре вербовать и ничего другого не умеете.

— Интересно, а ты на чем их вербуешь? Кстати, я еще твою агентурную работу не проверял. Подозреваю, что у тебя с этим далеко не все в порядке. Сколько у тебя источников на связи?

— Двенадцать.

— Это по бумажкам. А живых, настоящих?

— Двенадцать, — упрямо повторила Настя. — Вы хотите посмотреть дела? Я принесу.

— Не сейчас, мне некогда этим заниматься. Иди, отсылай запрос и работай по мужу Вороновой. К вечеру чтоб была информация.

— А если ее нет?

— Она есть, — с нажимом произнес полковник. — Я точно знаю, что она должна быть. Если ты ее не найдешь, значит — работать не умеешь. Все, Каменская, свободна.

Каждый опер знает, что бумажная писанина — это слабое место любого розыскника. А среди всей бумажной писанины самое слабое — это оформление работы с негласными источниками информации. Поэтому когда опер выбивается в начальники, он точно знает, с чего нужно начинать, если хочешь прищучить подчиненного и поставить его на место. Что ж, Афоня — не исключение. Когда-то Гордеев уже уходил в министерство, на его место назначили нового начальника, так он тоже с проверки секретных материалов начал. Знаем, проходили. Вернувшись к себе в кабинет, Настя даже не потрудилась достать из сейфа агентурные дела, чтобы проверить, все ли в них в порядке. Она была уверена, что проверять Афоня ничего не станет. По крайней мере, у нее. Да, он ничего не понял. Но он испугался. В этом Настя не сомневалась.

* * *

Пару дней назад он заметил слежку. Сначала решил, что померещилось, но потом несколько раз проверился и убедился: нет, не показалось, действительно следят. Значит, суки, вычислили его. На чем? Скорее всего, на данных аэропорта, больше не на чем. Ну что ж, он предусмотрел такой вариант. Пусть помучаются, он им голову еще поморочит. Есть только одна вещь, при помощи которой они могут с точностью определить, является ли Виктор Слуцевич тем самым Юркой Симоновым или не является. Только одна. И люди, стоящие над ним, сейчас делают все возможное, чтобы добраться до этой вещи и уничтожить ее.

Стало быть, пришло время снова пустить в ход чужие имена. Вот уже несколько дней, с тех пор, как познакомился с Юлей, Виктор называл себя только так, как записано в его паспорте. Временная передышка окончена, необходимо активизировать контакты, чтобы было чем пыль в глаза пускать.

Первым делом он отправился в казино. Давно он не играл, целых десять месяцев, с тех самых пор, как уехал, чтобы сделать пластическую операцию. Четыре месяца жил, что называется, «в подполье», пока готовились новые документы и заживали рубцы, потом полгода в Москве с новым именем, новой работой и новой жизнью. И ни разу за все это время он не переступил порог игорного заведения, хотя раньше дневал там и ночевал, проигрывался до последнего рубля или выходил победителем. Бороться со страстью было трудно, но жить хотелось больше, чем играть. Виктор понимал, что если его начнут искать, то первым делом займутся именно казино.

Прежде чем сесть за игру, Виктор придирчиво оглядел всех крупье, стоящих за карточными столами. Рулетку отмел сразу, ведь Юрка Симонов был известен пристрастием именно к рулетке. Значит, будем играть в «блэк джек». Надо только правильно выбрать крупье. Это непременно должен быть новичок или кто-то, поставленный на работу по приказу «крыши», то есть человек либо еще плохо знающий правила поведения за столом, либо чувствующий себя в полной безопасности и не считающий поэтому нужным данные правила выполнять. В хорошем казино такого крупье вряд ли сыщешь, посему и отправился Виктор в место недорогое, затрапезное, не пользующееся хорошей репутацией, в частности, и из-за непрофессионализма персонала. Будь он Юркой Симоновым, он бы, конечно, отправился в «Голден Пэлас» или в «Кристалл». Но он не Симонов, а совсем другой человек, оттого и класс казино совсем не тот.

Наконец Виктор нашел то, что искал. За одним из столов сменился крупье, невысокий крепкого сложения паренек, и на его место встала девица с таким выражением лица, что сомнений не оставалось: уж эта-то молчать не будет. Виктор подошел, сел на свободное место рядом с двумя другими игроками, поставил красную фишку. Посмотрел на первую сданную карту — восьмерка.

— Еще, — сказал он.

Второй оказалась дама. Хорошая карта, восемнадцать очков. Рассчитывать на то, что третьей окажется двойка или, что еще лучше, тройка, не приходится. Шансов маловато.

— Хватит.

У крупье оказалось семнадцать, у двоих других игроков — перебор. Виктор сгреб выигранные фишки, сделал новую ставку.

— Не огорчайтесь, девушка, — он лукаво подмигнул крупье, — вам, наверное, в любви везет. Кстати, меня зовут Эдик. А вас?

Начало было пошлым, затрепанным и затертым от многовекового употребления, а вопрос об имени — и вовсе не обязательным, ибо на форменной блузке у девушки красовался значок с эмблемой казино и ее именем: «Стелла». Виктор ни секунды не сомневался, что зовут ее на самом деле по-другому, попроще. В дешевых казино царили те же нравы, что и на панели, где Стеллы, Илоны и Моники по паспорту звались Раями, Зинами и Танями.

— Стелла, — вежливо ответила крупье, сдавая карты.

— Ну, с таким именем тебе просто обязательно должно повезти в любви, крошка, — фамильярно заявил Виктор, поднимая карту. Туз. Отлично, есть возможность для маневра, тузы хороши тем, что их в зависимости от остальных карт можно считать либо за одиннадцать, либо за единичку, так что к тузу не страшно и две карты прикупить.

— Еще.

Двойка.

— Еще.

Тройка.

Да что ж такое, ни два ни полтора, шесть — мало, шестнадцать — уже опасно. Если шестнадцать, то его устроят четверка или пятерка, но три маленькие подряд в одни руки редко приходят. Если шесть, то нужно брать.

— Еще.

На этот раз пришел валет. Снова шестнадцать. Ну что, взять пятую карту или остановиться? Виктор решил взять. Это оказалась пятерка. Он выиграл.

— Не грусти, крошка, — сказал он, — я твое заведение до дна не обчищу, немножко поиграю и уйду. Я вообще-то не игрок, у меня другая сфера интересов, но меня, понимаешь ли, баба сегодня утром бросила. Окончательно. Вещи собрала и — фьюить — умотала с новым хахалем в Грецию отдыхать. А мужики мне говорят, мол, раз у тебя в любви такой облом приключился, так пойди поиграй, может, в карты повезет. Вот видишь? Везет пока. Я уже года три в казино не играл... Ну да, точно, три с половиной, там, у кума-то, сама понимаешь, казино нет. Там между собой играют.

Сидящие рядом игроки покосились на него, и Виктор понял, что обратил на себя их внимание, что, собственно, ему и требовалось. Он поиграл еще минут сорок, с переменным успехом, то и дело сетуя на неправильность поговорки о везении в карты несчастливым любовникам и постоянно втягивая Стеллу в разговор, выпил рюмку коньяку, получил в кассе выигрыш в размере двадцати трех долларов и ушел. Краем глаза он заметил, что тот парень, который за ним следил с самого утра, остался в казино. Это хорошо. Значит, все идет, как задумывалось. Сейчас он будет искать подходы к крупье и тем двум игрокам, что сидели с Виктором за одним столом, знакомиться с ними и выяснять, о чем треп был. Они, по идее, должны будут слить ему всю ту туфту, которую он целый час на них вываливал.

Завтра у Юльки очередной экзамен, она сидит дома и усиленно готовится, так что вечер у Виктора свободный. Можно приступать к следующему этапу, пока рядом надсмотрщика нет. А то завтра он снова появится, к этому моменту надо быть во всеоружии.

Да здравствует цивилизация, проникшая в российскую сферу обслуживания! Теперь не только крупье в казино, но и официанты в кафе и ресторанах, и продавцы и менеджеры в магазинах носят на лацканах значки со своими именами. Это намного упрощает задачу. К восьми вечера, за час до закрытия, он появился в ГУМе. Быстро прошел по первому этажу сначала третьей, потом второй, потом первой линий, но ничего подходящего не увидел. Поднялся на второй этаж и почти сразу наткнулся на то, что искал. В течение десяти минут он обсуждал с молоденькой продавщицей достоинства и недостатки двух разных портфелей черного и коричневого цветов, наконец сделал выбор, оплатил покупку, очаровательно улыбнулся, представился коллегой из сферы обслуживания, назвал свое имя — Эдик, сказал, что работает официантом в закрытом ресторане ведомственной гостиницы, и попросил позволения поцеловать ручку. В результате всех этих нехитрых манипуляций продавщица с удовольствием согласилась позволить ему проводить себя домой, а потом, уже возле дома где-то в Теплом Стане, пообещала завтра пообедать с ним.

Завтра он подсунет им эту симпатичную продавщицу, и пока они будут ею заниматься, Виктор подготовит следующий акт спектакля. Ах, что это будет за спектакль! Есть режиссер, есть актеры, есть даже продюсеры, вот только зрителей нет. Вернее, зрители-то есть, да только они и не подозревают, что являются зрителями. Актерами себя мнят. Или дирижерами.

* * *

Сергей Зарубин стоял на улице, ел мороженое и задумчиво оглядывал стоящие вокруг здания. Именно здесь, если верить актрисе из Минска, в машину съемочной группы подсела Яна Нильская. Дотошный Сергей несколько раз переспрашивал ее, точно ли она уверена, что Яну подобрали именно здесь, и актриса заявила, что ничего перепутать она не могла, потому что в этом месте находится ее любимый обувной магазин «Саламандра», в котором она обязательно покупает себе обувь каждый раз, когда бывает в Москве. Хорошее место, много всяких других магазинов, «Калинка-Стокман», например, бутики разные, рестораны, бары, ирландский паб. Но главное достоинство этого места состоит в том, что отсюда до дома Натальи Вороновой рукой подать. Три минуты медленным шагом. Неужели у Яны Нильской действительно сложились какие-то неафишируемые отношения с мужем Вороновой? Похоже, очень похоже...

Сергей доел мороженое, перешел на противоположную сторону и нырнул в метро. Второе место, указанное уже другим актером, находилось на проспекте Мира, между станцией метро и рестораном «Кавказская пленница». Здесь Зарубин снова купил мороженое, которое мог вообще есть сутками напролет, и не спеша огляделся, намечая последовательность обхода объектов. Магазины, рестораны и кафе, бары, парикмахерские, Дом моды Славы Зайцева. Что здесь делала Яна? Либо встречалась с любовником у кого-то на квартире, либо сидела с ним в ресторане или баре, либо ходила по магазинам и что-то выбирала или даже покупала. Надо бы выяснить, кстати, появились ли у супругов Нильских, в частности у Яны, какие-нибудь обновки за время пребывания в Москве, и если появились, то где были куплены и какова их цена. Если любовник делал Яне подарки, то куда она могла их деть? Только домой принести. И маловероятно, что при относительной стесненности существования Нильских в Москве она могла позволить себе покупать вещи в бутиках. Иными словами, если она приносила домой дорогую вещь, то должна была бы, по идее, солгать и уменьшить ее стоимость раз в десять, если не в двадцать.

Ну, квартиру-то для интимных свиданий, ежели таковая была, ему все равно не вычислить с ходу, так что Зарубин решил начать с ресторанов. Полтора-два часа — вполне подходящее время для того, чтобы не спеша пообедать в приятной обстановке. Фотография Яны у него есть, так что можно доесть вкусное ореховое мороженое и начинать атаку. Единственное осложнение может возникнуть, если тот, с кем Яна встречалась, является постоянным клиентом заведения. Тогда ничего не скажут, а хуже того — ему тут же стукнут. Но Зарубин хорошо знал, как подобные трудности преодолевать. Как? Да очень просто. Надо знать, кого спрашивать. Хозяин заведения, само собой, лишнего слова из себя не выдавит, сам под «крышей» ходит и от нее кругом зависит. Старшего менеджера — туда же. Старшего официанта — тоже. Секьюрити — в ту же кучу. Серега парень простой, незатейливый, и общаться любит с такими же простыми и незатейливыми мужиками и тетками. И что самое странное — они отчего-то тоже любят с ним общаться. Особенно тетки. И особенно — пьющие. Просто-таки обожают его.

Через пять часов, в течение которых Зарубину пришлось доставать и показывать фотографию Яны Нильской по меньшей мере раз сто, удалось установить, что искомая молодая женщина в интересующее Сергея время сидела в ресторанчике, гордо именующем себя «трактиром», в обществе приличного мужчины лет эдак пятидесяти, крупного, представительного и небедного. Мужчина оставил хорошие чаевые и не поскупился на милостыню местной попрошайке, которая постоянно кормилась возле «трактира», и с удовольствием поведала молодому сыщику все горестные перипетии своей, а заодно и чужой личной жизни.

Описание спутника Яны до такой степени подходило мужу Натальи Вороновой, что Зарубин даже сморщился, как от кислого. И почему эти провинциалки так быстро все успевают проворачивать? Ведь сколько в Москве умных, красивых и во всех отношениях достойных девушек, которые годами не могут устроить свою личную жизнь, не то что замуж выйти, а даже хотя бы временного любовника найти. А эта — на тебе, пожалуйста, едва в столицу прикатила — и уже обзавелась милым другом. Ну вот как им это удается, а?

Глава 8

Ирина дрожала в насквозь промокшей одежде. Сегодня с самого утра снимали сцены с дождем, «поливалка» трудилась на славу, мокрая одежда липла к телу и вызывала непрекращающийся озноб. Таковы издержки работы актеров, снимающихся в кино. Сценарий редко совпадает с календарем, а уж график съемок — тем более. Сама Ира хорошо помнила, как в феврале снимали летнюю сцену, в которой персонажи должны были долго выяснять отношения, стоя на лестнице в подъезде. На улице минус двенадцать, в подъезде — почти столько же, а актеры снимаются в джинсах и маечках с короткими рукавами. Посиневшую и покрытую пупырышками кожу на руках гримеры кое-как закамуфлировали, а вот что делать с паром, вырывающимся изо рта при каждом слове? Режиссер тогда велел обоим участникам эпизода закурить, чтобы пар камуфлировался сигаретным дымом. Голь, как говорится, на выдумки хитра. Сцена длинная, сложная, делали шесть или семь дублей, и к концу съемки от беспрерывного курения у Иры кружилась голова и появились рези в желудке. К вечеру поднялась температура, заложило нос, ночью мучительно разболелось горло, утром заложило грудь. Но кого это волнует? Надо было ехать на съемку — и она поехала, взяв с собой вместе с температурой, соплями и кашлем внушительных размеров косметичку с каплями для носа, блокирующими кашель таблетками и препаратами, призванными снижать температуру. И это был далеко не единственный случай, такое бывает сплошь и рядом. Особенно тяжело, когда снимают сцены с водоемами, а на календаре апрель или ноябрь. Большая удача, если нужно войти в воду по щиколотку или, на худой конец, по колено. А если купаться? Тут уж точно болезни не миновать, не говоря уж о том, каково сниматься. Масса удовольствия! Если актер хочет сниматься, он больничные не берет и вообще тщательно скрывает любые болячки, чтобы режиссеры не боялись его приглашать в свои картины. А то утвердишь на роль кого-нибудь слабого здоровьем, а он потом весь график съемок поломает постоянными недомоганиями. Актеры всегда работают на износ, это всем известно, и в театре, и особенно в кино.

Сегодня съемка шла тяжело, в сцене, кроме Иры Савенич, участвовали еще два актера, один из которых был пожилым и опытным, а второй — совсем молоденьким студентом Школы-студии МХАТ, которого взяли на роль не столько за талант, сколько за фактуру, уж очень внешность у него была подходящая. Студент ужасно волновался, в кино снимался впервые, да и вообще сценического опыта у него пока маловато, вот и делал все не так. Ира видела, что Наталья понемногу теряет терпение, но держит себя в руках, выхода-то нет, эпизод надо снять. И двум остальным актерам, до нитки вымокшим под водяными струями «поливалки», тоже придется терпеть, дрожа от озноба и изнывая от желания переодеться в сухое и лечь под теплое одеяло.

Подошел Руслан, протянул Ире стаканчик с горячим чаем.

— Спасибо, — благодарно пробормотала она. — А где твоя красавица? Что-то я ее не вижу.

Нельзя сказать, чтобы этот вопрос всерьез занимал Иру, спросила просто из вежливости. Они все ночевали у Вороновой и утром вместе отправились на съемку — Наталья, Ира и Руслан с женой. Сначала Яна, как и накануне, сидела одна в отдалении, на лавочке в скверике, но вот уже некоторое время Ира ее там не видела, лавочка опустела.

— Ее Андрей Константинович увез, — сообщил Руслан.

— Куда увез?

— Ну, не знаю... Куда-то. Приехал на машине, поговорил с Натальей Александровной, потом с Яной, потом со мной. Мол, нечего ей тут одной сидеть и скучать, лучше он ее развлекаться повезет. И повез.

Ни по лицу, ни по интонациям Руслана Ира не смогла уловить, нравится ему такое положение или нет. Обычно живой и энергичный, Руслан после возвращения жены мгновенно потух и словно бы утратил интерес к жизни.

— Руслан, с тобой все в порядке? — заботливо спросила Ирина.

— Да, — рассеянно ответил тот.

— По-моему, ты врешь. Я же вижу, с тобой что-то происходит.

— Ничего со мной не происходит, я в полном порядке. Ты напрасно беспокоишься.

В его голосе не было ни нервозности, ни раздражения, которое непременно появляется, когда ты затрагиваешь тему, которую твой собеседник не хочет обсуждать и тем паче развивать. Ровный спокойный голос, начисто лишенный эмоций. Вот это Ирину и беспокоило больше всего. Это было так не похоже на Руслана... Может, он к Ганелину ревнует? Мысль появилась внезапно, родилась ниоткуда, и в первый момент Ире даже стало неприятно: ну как она может так думать? Ни Янка, ни тем более Андрей Константинович ни малейшего повода к ревности не давали. Андрей любит Наталью, это всем настолько очевидно, что и говорить не о чем. А Янка... Да, кстати, а что Янка? Не сама ли Ира не так давно укрепилась в мысли, что Яна Нильская относится к своему мужу не настолько тепло и нежно, как можно было бы ожидать? Боже мой, неужели она положила глаз на Наташиного мужа и поставила перед собой задачу увлечь его, развести и женить на себе? Превратиться из нищей провинциалки в москвичку, жену состоятельного бизнесмена? Наверное, жаловалась ему утром, ныла, что хочет домой, потому что ей здесь, во-первых, страшно после всего, что произошло, а во-вторых, скучно. И добрая душа Андрей Константинович решил помочь Наташе, постараться вывести Янку из депрессии, развлечь, развеселить, чтобы она оставила свою дурацкую идею о возвращении в Кемерово и не мешала Наташе спокойно снимать картину. Наташе нужен Руслан, а Янка требует, чтобы он уехал вместе с ней. Она, дескать, так боится теперь, что ей нужен защитник. И здесь, и дома, в Кемерове. Конечно, Андрей Константинович делает это ради жены, у Иры нет никаких сомнений, но точно так же хорошо она знает, чем могут закончиться такие вот благие побуждения, которыми, как известно, вымощена дорога в ад. Хочешь завоевать мужчину — позволь ему помочь тебе, с этой простой истиной знакома каждая начинающая кокетка.

— Ладно, не хочешь рассказывать — не надо, — сердито проговорила Ирина. — Я думала, что мы с тобой друзья.

— Извини, Ириша, но мне действительно нечего тебе сказать.

Ей было видно, что Наталья закончила объясняться с молодым актером, значит, сейчас опять придется идти на площадку и мокнуть. О господи, наверняка сегодня вечером Наташа попросит Руслана подумать над тем, нельзя ли выбросить из сценария все остальные эпизоды с этим персонажем. Еще одной такой съемки она не вынесет. Да и Ира, честно признаться, тоже.

— Ира, — послышался голос, — иди, работаем.

Она быстро допила чай и двинулась туда, где стояла камера. Наконец все закончилось. Ира быстро залезла в автобус, переоделась и собралась было сушить феном волосы, но решила прежде поинтересоваться, кто ей звонил. На дисплее мобильника виднелись слова: «неотвеченных звонков — 6». Она просмотрела номера телефонов, с которых ей звонили. Три номера были незнакомыми, один принадлежал старшей сестре Натальи Вороновой — видно, та разыскивала Наташу, не дозвонилась и решила узнать у Иры. Ладно, перебьется, Ира ее терпеть не может и хорошо знает, что эта дамочка разыскивает Наташу только тогда, когда собирается потребовать очередное вспомоществование, финансовое или организационное. Еще два номера оказались номерами приятельниц, им Ира перезвонит, когда приедет домой. Из трех же незнакомых номеров один показался ей все-таки смутно знакомым. Начинался он на 200, что само по себе было большой редкостью, и Ира помнила, что совсем недавно этот номер записывала, обратив внимание как раз на первые цифры. Но зачем записывала?

Она выглянула из окна автобуса и нашла глазами директора картины Семена Мусатова. Вот у кого надо спрашивать, Сеня все знает.

— Сеня! — Ира призывно помахала рукой, предлагая директору подойти поближе. — Сенечка, телефоны на 200 — это какой район Москвы?

— Это не район, — бросил на бегу Мусатов, устремляясь куда-то в неведомую даль, — это Петровка. Милиция, короче.

Ну конечно! Конечно, именно Петровка. Она записывала этот телефон вчера, когда прощалась с Юрием. Радостно улыбнувшись, она тут же перезвонила ему. Да, все в порядке, ночевали у Вороновой. Да, не отвечала, потому что шла съемка, но теперь она свободна и собирается ехать домой. Разумеется, она будет рада видеть его. Конечно, прямо домой. Нет, не стоит, она снималась под дождем, промокла и замерзла и больше всего на свете хочет оказаться дома на теплой и сухой кухне и ужинать, завернувшись в теплый махровый халат. Нет-нет, пусть не беспокоится, ничего не нужно привозить, у нее все есть.

Вот и славно, думала Ирина, подставляя влажные густые кудри под струю горячего воздуха из фена, Коротков — симпатичный мужик, и в его обществе она надеется провести вечер куда более приятный, чем сегодняшний съемочный день.

Вообще-то насчет того, что у нее все есть, это Ира, конечно, сильно преувеличила. Дома не было почти ничего из еды, ведь несколько дней она провела у Руслана, вчера, после возвращения Яны, заехала домой переодеться и помчалась на «Мосфильм», на очередную съемку, а потом наскоро заскочила в ближайший магазин и купила первое, что подвернулось под руку, только чтобы с голоду не умереть. Она не особенно рассчитывала на то, что Коротков осуществит свое намерение приехать, и когда он все-таки появился вчера вечером, съела вместе с ним все, что купила. Так что на текущий момент холодильник в квартире Иры Савенич старательно морозил пустоту, украшенную маленькой баночкой черничного джема, разделяющей свое одиночество с пакетиком майонеза.

По дороге домой она заехала в «Рамстор» и нагрузила продуктами целую тележку. Аппетит у Иры был всегда отменный и имел приятное обыкновение усиливаться ближе к ночи, поэтому в борьбе за талию она чаще проигрывала, нежели выигрывала. Содержимое тележки наглядно свидетельствовало о попытках достигнуть компромисса, однопроцентный кефир и творожки нулевой жирности соседствовали с копченым угрем и куриным рулетом, помидоры, огурцы и зеленый салат — с картофелем, а низкокалорийный ржаной хлеб — с покрытым хрустящей корочкой вкуснейшим белым турецким хлебом и корзиночками с кремом и фруктами. В конце концов, Янка нашлась, позади трудный съемочный день, а в личной жизни, похоже, намечается очередной виток. Чем не повод закатить праздничный ужин? Готовит она отменно, с детства Наташа ее учила, а потом и свекровь «от второго брака» шлифовала кулинарные навыки невестки. Другое дело, что стоять у плиты Ира не больно-то любит и для самой себя особо не старается, исключение составляют лишь периоды, когда она на специальные диеты садится. Но уж если приходят гости, тут она всегда готова блеснуть.

Старалась она не зря, Коротков оценил ее усилия и не переставал нахваливать каждое из стоящих на столе блюд.

— Такое впечатление, что тебя твоя знакомая в голодном теле держит, — насмешливо заметила Ира, наблюдая за тем, как он поглощает тушеную баранину.

— Какая знакомая?

— Та, у который ты временно живешь. Она что, вообще тебя не кормит?

— Кормит, как умеет. Она отличная баба, но хозяйка, увы, аховая. Ничего сложнее бутерброда не осилит. Правда, сейчас пытается взяться за ум, начала учиться готовить.

— И как? Получается? — поинтересовалась она.

— Получается. Она вообще очень способная, только ленивая до ужаса. Но если уж взялась — то все получается. Сегодня утром, например, сделала мне великолепный омлет.

— Да уж, — рассмеялась Ира, — это подвиг! Приготовить омлет — это высший пилотаж, не каждому дано. А еще что она умеет?

— Еще она училась печь пирожки из слоеного теста. Ты знаешь, было вкусно, я почти все съел, даже ей ничего не оставил.

— Бутерброды, омлет и пирожки — достойное меню. И это все? Неужели такие женщины находят себе мужей?

— Представь себе, ей это удалось. Другая бы, конечно, не сумела, а ей удалось. Я ж говорю, она способная, если за что берется — непременно все получится.

— Красивая, наверное? — ревниво спросила Ира.

— Кто? Она? На любителя. Мужу нравится, а все остальные мужики ее мало волнуют. Да что мы все о ней? Расскажи мне лучше, что там у вас было вчера вечером? Что Нильские говорят? Есть у них какие-нибудь предположения?

Ну вот, так она и знала! Этот сыщик приезжает к ней не

из романтических побуждений, а для того, чтобы вынюхивать и расспрашивать про Руслана и Яну. Обидеться, что ли?

— Ты ко мне только ради этого приехал, да?

— Ну что ты, Ирочка, — Коротков ласково посмотрел на нее, — если бы ты не была знакома с Нильскими, я бы все равно к тебе приехал. Но я сыщик, собирать информацию — это моя работа, понимаешь? Моя служебная обязанность. И начальство не спрашивает, хватает у меня времени ее собирать или нет, оно требует результат. Поэтому если бы ты не была знакома с Нильскими, знаешь что было бы?

— Что?

— Я назначил бы тебе свидание и предложил бы поехать со мной туда, где есть люди, которые знают Руслана и Яну. Я бы с ними разговаривал, а ты просто сидела бы и ждала. Я все равно хотел бы быть рядом с тобой, но при этом мне все равно нужно было бы работать. Поэтому я могу только радоваться, что сейчас у меня есть возможность эти две вещи совместить.

Иру это успокоило, аргументы Короткова показались ей убедительными, тем более после нескольких лет совместной жизни со следователем Игорем Мащенко она начала кое-что понимать в милицейских буднях. За чаем с пирожными она добросовестно пересказала Юрию все события и разговоры вчерашнего вечера и сегодняшнего дня.

— Значит, Ганелин увез Яну развлекаться, — почему-то озабоченно подвел итог Коротков. — И насколько успешно? Не знаешь?

— Не знаю, — пожала плечами Ира, — я отснялась и уехала домой в начале седьмого, а Наталья с Русланом еще оставались на площадке, у них сегодня съемка до восьми вечера.

— То есть около одиннадцати утра Ганелин забрал Яну и до начала седьмого они еще не вернулись? — уточнил он.

— Ну да. Но может быть, он привез ее прямо домой к Наталье. Сегодня Нильские опять будут у нее ночевать.

— Интересно, и как долго это может продолжаться? Они что, навсегда к ней переселились?

— Ой, Юра, да кто их разберет! — Ира раздраженным жестом отодвинула в центр стола фарфоровую сахарницу. —

То они, видите ли, находиться в той квартире не могут, то Янке взбрело в голову, что она вообще не хочет оставаться в Москве. Вчера настоящую истерику закатила, вези меня домой — и все! А сегодня вроде поутихла. Может, и в самом деле Андрею Константиновичу удастся ее успокоить, чтобы она Руслана не дергала. Руслан сейчас очень нужен Наташе. Им, скорее всего, придется серьезно сокращать сценарий, а она не хочет это делать без него.

— А почему нужно сценарий сокращать?

— Деньги, Юра. Всегда и во всем — деньги. Ты же знаешь, сериал снимается на деньги Ганелина, а у него возникли какие-то финансовые трудности. Изначально он обещал ей два миллиона долларов, а теперь оказывается, что он не уверен, сможет ли столько дать. Он вчера сказал об этом Наташе, и Наташа решила сокращать расходы на съемки, чтобы уложиться в ту сумму, которую он ей может гарантировать. Юра, ты понимаешь, такой ответственный момент, нужно переделывать сценарий, автор романа Наташе сейчас необходим как воздух, она одна не справится с таким объемом работы, брать других сценаристов — это дополнительные расходы, которые она не может себе позволить. А эта малявка капризная ничего знать не желает и требует, чтобы Руслан увез ее в Кемерово и там с ней оставался. Ну скажи ты мне, как это называется?

— По-моему, это может называться последствиями нервного стресса, который пережила Яна, — осторожно высказал свое мнение Коротков.

— А по-моему, это называется эгоизмом и безответственностью! — резко отпарировала Ира.

Некоторое время они молча пили чай, потом Коротков дотронулся до ее руки.

— Ирочка, я был бы тебе признателен, если бы ты сейчас позвонила Вороновой.

— Зачем?

— Спроси, как Яна, как прошел у нее день, успокоилась ли она.

— А тебе-то это зачем? — удивилась Ирина.

— Пожалуйста, — настойчиво повторил он, — позвони и

спроси. Или ты предпочитаешь поехать к ней вместе со мной и слушать, как те же самые вопросы буду задавать я? Мне нужно это знать. И я хочу быть вместе с тобой. Я тебе уже объяснял.

Ира послушно набрала номер. Трубку, к ее удивлению, взял Руслан.

— Ты что, один там? — изумленно спросила Ира.

— Один.

— А где все?

— Наталья Александровна уехала к сестре. Алеша с девушкой пошел на дискотеку, он сегодня экзамен сдал и расслабляется.

— А Яна где?

— Она с Андреем Константиновичем.

— Что, они до сих пор не вернулись?

Ира ушам своим не верила. С одиннадцати утра. А сейчас уже десять вечера. Ничего себе загулы в развлекательных целях.

— Андрей Константинович звонил, предупредил, чтобы мы не беспокоились, с ними все в порядке.

Да уж, это точно, все в порядке. Кто бы сомневался! Ну Янка, ну крыска зубастенькая, глазками круглыми хлоп-хлоп, невинность из себя строит, а сама... Чужому мужу в глотку вцепиться готова. Андрей Константинович — он же святой, он ничего этого не видит, ухищрений Янкиных не понимает, относится к ней как к ребенку, которого незаслуженно обидели и которого непременно надо развеселить, чтобы не плакал. И не замечает, что его как послушного бычка на веревочке тянут прямиком в пропасть.

Ира так расстроилась, что даже не сумела этого скрыть.

— Да что с тобой? — удивился Коротков. — Ты, кажется, заплакать готова. Из-за чего? Я что-то не так сказал? Не так сделал? Обидел тебя?

— Нет-нет, — она торопливо натянула на лицо выражение умиротворенного спокойствия, — это не из-за тебя. Не нравится мне все это.

— Что конкретно? — его голос сразу стал напряженным и очень «служебным».

— Ну... Янка и все прочее... Юра, ты не думай, я не любительница посплетничать, и потом, я тоже, знаешь ли, не образец нравственности. Но Янкины фокусы меня просто из себя выводят! Только вчера она была такая несчастная, такая убитая, ни с кем не разговаривала, ничего не хотела, кроме одного: вернуться в Кемерово. А сегодня? Целый день проводит в обществе чужого мужа, который вообще-то для нее совершенно посторонний, она его видела-то полтора раза за все время. И не просто целый день проводит, а еще и возвращаться домой не торопится. Значит, с ним она нашла о чем разговаривать? Для родного мужа у нее слов не нашлось, а для чужого, выходит, нашлись слова? Для родного мужа у нее плохое настроение, а для чужого, значит, хорошее появилось?

— Всякое бывает, — спокойно заметил Юрий. — Может, для чужого и слова нашлись, и настроение появилось. Почему тебя это так задевает?

— А потому.

Ирина помолчала несколько секунд, пытаясь взять себя в руки.

— Юра, моя жизнь — это длинная история, и сейчас не время в ней разбираться. Но я тебе могу сказать одно: за Наташу я горло перегрызу любому. Любому, понимаешь? Если ее счастью и спокойствию будет хоть что-то угрожать, я ни перед чем не остановлюсь. Мне очень не нравится то, что происходит между Янкой и Андреем Константиновичем.

— Ирочка, но что такого особенного между ними происходит? Из того, что ты мне рассказывала, ничего такого не видно. Ну, провели день вместе, и что? Или ты мне не все сказала?

— Да все я сказала, все! Только я отлично знаю, во что потом превращаются эти на первый взгляд невинные целые дни, проведенные вместе. Отлично знаю! И знаю, чем это заканчивается для жен.

— Ладно, не горячись, — взгляд Короткова снова стал ласковым и теплым. — Забудь об этом. В конце концов, у нас с тобой свидание, правда?

— Правда, — улыбнулась Ира.

— И ты позволишь мне остаться до утра?

— Позволю.

Она снова улыбнулась, на этот раз своим воспоминаниям. Чуть больше года прошло с того момента, когда она расставалась с человеком, которого любила, рыдала на плече у Натальи и искренне не представляла, как теперь будет жить, потому что никогда не сможет разлюбить его и не сможет прикоснуться ни к кому другому. Чуть больше года. И что же? Она оставляет у себя на ночь мужчину, которого едва знает. И делает это не от отчаяния, не от плохого настроения, не от желания кому-то досадить или что-то доказать, а просто потому, что этот мужчина ей симпатичен, он ей нравится. Она позволяет ему остаться, потому что сама хочет этого. Мудрая Наташка еще тогда, год назад, предсказывала, что так и будет, а влюбленная и отчаявшаяся Ира ей не верила. Опять Наташка права оказалась.

* * *

В субботу, шестнадцатого июня, наконец прекратились дожди, и оба выходных дня простояли теплыми и солнечными. Ирек вздохнул с облегчением. Он ненавидел дождь. Ненавидел в первую очередь потому, что по улице нужно было ходить с зонтом, а он совершенно не терпел, когда руки были чем-то заняты. Комфортнее всего он чувствовал себя, держа руки в карманах куртки. Он, рожденный и выросший отнюдь не в тропиках , отчего-то любил жару и хорошо ее переносил, поэтому даже летом, когда воздух порой раскалялся до тридцати градусов, носил легкие тонкие курточки, короткие, но непременно с карманами.

В Москве ему пришлось трудно. Хозяин по своим каналам сумел проверить по паспортным данным всех пассажиров мужского пола, улетевших в Москву после полудня 31 мая, и на подозрении оказались всего трое, подходящие по внешности и возрасту на роль Юрки Симонова. Старпом, давая задание все разузнать про тех троих пассажиров, велел обратиться за помощью к Гоге Сухумскому, дескать, Гога в Москве сидит, обстановку лучше знает, своих ребят даст, ведь понятно, что одному Иреку за всеми тремя фигурантами не уследить. Однако Шаня, отец Ирека, услышав имя Гоги Сухумского, рассвирепел и строго-настрого запретил сыну контактировать с ним. Крысятником назвал. Ирек в воровских законах не очень-то разбирается, так, основы кое-какие знает, но чтоб глубоко, душой понимать — этого не было. Крысятники — те, кто ворует у своих, это он знал, а вот что за история случилась с Гогой и почему батя так его ненавидит, оставалось для него загадкой. Впрочем, и загадкой-то это назвать трудно, у загадки есть разгадка, а тут? Гадай — не гадай, все одно толку не будет. Тут уж или знать точно, или из головы выбросить и забыть. Ирек предпочел второе. Просто принял к сведению, что батя Гогу ненавидит, и сделал вывод, согласно которому ежели он выполнит указание Старпома и обратится к Гоге за помощью, батя его уроет. Вот так, без лишних слов. Теперь следовало решить, кого нужно бояться больше, батю или Старпома. Батя — он ближе, конечно, да и родная кровь, как-никак, однако же Старпом сидит повыше, глядит подальше и знает побольше. Если батю ослушаться, он, может, и не узнает никогда, а если пойти поперек Старпома, то шансов выжить останется немного. Старпом неподчинения и нелояльности не прощает, это всем известно.

И Ирек пошел по самому простому пути — сдал батю. Обратился к Старпому и поведал, горестно вздыхая, о своей проблеме.

— Хорошо, что ты мне сказал, — одобрительно кивнул Старпом. — Я не знал, что у Шани проблемы с Гогой. Ну что ж... Шаня, конечно, вор не настоящий. Настоящий вор не должен иметь семью, а Шаня от тебя отказаться не сумел. Пытался, я знаю, из семьи ушел. К матери твоей не вернулся. А с тобой расстаться так и не смог. Поэтому ему в коронации отказали. Но он нашему делу предан, он честный вор, поэтому я хочу проявить уважение к его чувствам. Если у него есть претензии к Гоге Сухумскому, я буду с этим считаться. В Москве пойдешь к Захару, я предупрежу его, он поможет.

Ирек вздохнул с облегчением и решил, что все трудности позади, тем более что когда он назвал кличку Захар бате, тот ничего плохого не сказал, только тонко улыбнулся. Однако на деле оказалось не так все гладко. К тому моменту, когда Ирек прибыл в Москву и явился пред светлые очи Захара, тому уже никому не ведомыми путями донесли, что первоначально собирались просить о помощи Гогу Сухумского. Захар почувствовал себя оскорбленным, его отодвинули и поставили вторым номером, сделали запасным вариантом. И кто? Старпом! Шишка на ровном месте! Но оставлять без помощи человека, которого к нему за этой самой помощью прислали, он не осмелился. Воровское братство — крепкое, и информация в нем поставлена — милиция отдыхать может. Завтра же всем станет известно, что вор в законе Захар не протянул руку помощи другому вору. Поэтому Захар не отказал напрямую, нет, даже наоборот, Ирек просил трех человек — дал шесть. Но каких! Совершенно отмороженных. Разговаривают только распальцовкой, строят из себя крутых, раскатывают на джипах, а толку с них — как с козла молока. Фигуранты, скорее всего, не бандиты, то есть ходят в приличные места и общаются с цивильными людьми. Чтобы собирать о них информацию, надо соответствовать. А чему эти отморозки могут соответствовать? Да с ними разговаривать никто не станет. Они же ни вопрос сформулировать, ни ответ понять не смогут.

Ирек промучился с ними пару дней, потом не выдержал и напрямую позвонил Старпому. Тому, видно, уже доложили, что Захар недоволен, поэтому звонок Ирека его не очень-то удивил.

— Отсылай их назад. Не забудь лично прийти и поблагодарить Захара. И не вздумай ему говорить, что недоволен его «быками». Ты сказал ему, для какой задачи тебе нужны помощники?

— Нет, вы же не велели.

— Вот и правильно. Он дал тебе «быков», потому что думал, что тебе с кем-то разобраться нужно. Пусть так и думает. А то, что ни с кем не разобрались, так скажи, мол, надобность отпала, команда поступила «отставить». Будешь у Захара — благодари и кланяйся. Я с ним сам разберусь.

— А как же я? Еще к кому-то идти?

— Послушай... — Старпом сделал паузу. — Тебе ничего не нужно делать, только собрать информацию. Анализировать ее и делать выводы я буду сам. Мы никуда не торопимся, столько времени ждали — еще подождем. Попробуй поработать один. Если будет трудно — подумаем, как тебе помочь. От Гоги и Захара информация уже ушла. Если пойдешь еще к кому-то — будет только хуже. Ты меня понял?

Ирек понял. Шанины амбиции обернулись в итоге тем, что теперь придется работать в одиночку. Кто знает, может, это и к лучшему. Ведь в его задачу не входит круглосуточная слежка за объектами. Ему нужно лишь установить их, походить следом, посмотреть, как они живут, чем занимаются, чем дышат, как ходят и вообще двигаются. Послушать, как они говорят. И о чем говорят. Выяснить, что делали раньше, где жили, с кем дни коротали. Зачем летали недавно в Кемерово. Вот и все. С этим Ирек и один справится, тем более Старпом сам сказал — спешки нет. Важен точный результат. Симонов нужен живым, а не мертвым, поэтому Старпом и не отдал приказ не мудрствуя лукаво убить всех троих и не париться. Убить-то можно, а деньги кто возвращать будет?

Он пошел к Захару, долго благодарил его за отзывчивость, желал, как и положено, всего самого доброго и светлого и ссылался на полученный «сверху» приказ прекратить исполнение задания. Захар снисходительно улыбался и кивал, а под конец милостиво предложил «обращаться, если что».

И Ирек начал работать один. Прошелся по всем трем адресам — хоть в этом была польза от Захара, помог установить по фамилиям и номерам паспортов место прописки владельцев. Из троих фигурантов только один, как оказалось, жил там, где был прописан. Остальные двое жили в других местах, и Ирек решил в первую очередь заняться именно ими. Тот, кого он уже нашел, никуда теперь не денется, адресок известен, а других еще искать надо.

На поиски ушло некоторое время. Наконец появился первый результат. Один объект, Гусарченко Эдуард Олегович, оказался официантом в каком-то ресторане, в каком точно — соседи не знали. Найти бравого официанта Иреку не удалось — как выяснилось, он уже больше месяца в своей квартире не живет, только раз в несколько дней забегает на полчасика, что-то принесет, что-то возьмет, и уезжает, да и до этого приходил далеко не каждый день. Мужик он молодой, красивый, девушки за ним табуном ходят, вот он и ночует у своих зазноб, пока они ему не надоедят. Последнюю его девушку зовут Любой, это точно, а вот где живет — сказать трудно. Хорошенькая такая — прямо картинка! Но и сам Эдик — не последний парень на деревне, волосы темно-русые, глаза серые, плечи широкие.

Ирек понимал, что неплохо бы полистать семейные альбомы Эдика Гусарченко, но взять их негде. В той квартире, которая числится за ним по прописке, живут какие-то посторонние люди, которым Эдик эту квартиру сдает. И где найти его родителей или других каких родственников, они понятия не имеют. Квартиру снимают всего четыре месяца, заплатили сразу за год вперед — таково было требование хозяина. Так что в ближайшее время никаких встреч с Эдиком у них не запланировано. Соседи же ничего внятного об официанте сказать не могли, ибо квартиру он купил недавно, несколько месяцев назад, и почти сразу же начал ее сдавать. Выходит, что ни по старому, ни по новому месту жительства Эдуарда Олеговича не нашлось людей, которые видели бы его в прошлом или позапрошлом году. И это Ireку как-то не понравилось.

Второй объект произвел на Ирека впечатление одновременно сильное и странное. Тридцатипятилетний (если верить паспорту) переводчик Гелий Григорьевич Ремис приехал в Москву недавно, кажется, откуда-то с Волги, не то из Волгограда, не то из Астрахани. Женился на москвичке и переехал. Но с женой прожил недолго, что-то у них там не заладилось, и он ушел. Снимает хату где-то на Севере Москвы, на самой окраине, там подешевле. Ирек помнил указание Старпома: сведения собирать только стороной, ни у объекта, ни у его близких ничего не спрашивать и вообще на пушечный выстрел к ним не подходить. Тот из них, кто окажется Симоновым, все время настороже, спугнуть нельзя. Поэтому Ирек побоялся знакомиться с проживающей по месту прописки Ремиса женщиной, на которой фигурант женился. С превеликим трудом отыскал он Гелия Григорьевича на Вагоноремонтной улице, где тот снимал однокомнатную квартирку. Красивый рослый молодой мужчина отчего-то выглядел несчастным и затравленным, все время оглядывался и вообще производил впечатление мальчугана, которого постоянно обижают более сильные одноклассники. Но самым ужасным для Ирека оказалось то, что Ремис ходил в церковь. Регулярно — не то слово! Каждый день. Уж что он там делал, молился ли, со священником общался или просто так стоял, душу успокаивал, — неизвестно. Ирек попытался как-то зайти следом за ним, да не выдержал и через несколько минут сбежал. Неуютно ему в церкви, словно сила какая-то гонит прочь, на улицу, на воздух.

С третьим же объектом все оказалось куда проще. По словам тусующихся во дворе дома мужиков, Виктор Слуцевич был коренным москвичом, хотя и он тут живет не так давно, но это и неудивительно. Теперь молодые мужики редко подолгу на одном месте сидят, как свободную куплю-продажу жилья разрешили, так и скачут с хаты на хату, то новенькое что-нибудь купят, если денег много, то снимут квартиру поближе к месту работы, то к бабе временно переедут. Работает Виктор в риэлторской фирме, целыми днями мотается по квартирам, с клиентами встречается. Замкнутый, ни с кем из соседей не общается, ни к кому в гости не ходит и к себе не зовет.

Этот последний вызвал у Ирека самые сильные подозрения. Милашка Эдик (как он его заочно окрестил) слишком открыт и общителен для человека, который скрывается и живет по чужим документам. Набожный переводчик Ремис выглядит слишком скромным и забитым для удачливого игрока и убийцы. А вот Слуцевич — самое то.

В один из дней Ирек потащился следом за Слуцевичем, вышедшим после рабочего дня из офиса своей конторы. Тот отправился в казино, поиграл там около часа и ушел. А Ирек остался. Дождавшись, пока Слуцевич скроется из виду, подсел за тот же стол, за которым играл Виктор. И то, что он услышал, заставило его крепко призадуматься. Оказывается, Виктор здесь назвал себя Эдиком и дал понять, что три года провел на зоне. На следующий день, в субботу, Ирек с раннего утра занял пост неподалеку от дома, где жил Слуцевич. Объект вышел около одиннадцати часов, роскошный, светловолосый, сероглазый, широкоплечий, одетый в дорогие летние брюки от Сен-Лорана и шелковый тонкий пиджак от Версаче и сел в припаркованный возле подъезда «Рено». Ирек тут же нырнул в свой «Ниссан», который ему временно выделили для работы в Москве.

Сперва Слуцевич направился на своей машине в Кунцево, где возле метро его ждала красивая темноволосая девушка. Вместе с девушкой он двинулся в сторону центра, поставил машину на подземную стоянку под гостиницей «Москва» и дальше пошел со своей дамой пешком. Ирек, держась на почтительном расстоянии, следовал за ними. Они вошли в ресторан и уселись перед барной стойкой. Почти все столики пустовали, для обеда еще рановато, но в баре посетителей оказалось немало. Слуцевич со своей подружкой сразу нашли два свободных места, но эти места оказались последними. Иреку оставалось только стоять со своим пивом в сторонке, наблюдая издалека. Публика показалась ему несколько сомнительной, и он удивился, почему так дорого одетый Слуцевич привел свою подружку в такое недорогое заведение.

Парочка о чем-то нежно ворковала, а Ирек стоял и злился. И вдруг... Слуцевич начал вертеть головой, словно выискивая кого-то глазами. Встретился взглядом с Иреком, поднялся и направился прямо к нему. У Ирека мгновенно пересохло во рту. Неужели он? Вычислил?

— Слушай, парень, — обратился к нему Слуцевич, сияя улыбкой, — у меня к тебе дело. С меня пиво, если поможешь.

— А что надо?

— Мне надо отлучиться минут на десять, кое с кем парой слов перекинуться. Постереги мою барышню, не сочти за труд, а? Сам видишь, какая здесь публика, я уйду — к ней тут же кто-нибудь подсядет. Обидят еще ненароком. Она у меня нежная. Ну как? Договоримся?

— Базара нет, — бодро ответил Ирек, понимая, что торпеда прошла мимо.

Они вместе подошли к девушке.

— Люба, я пошел, через десять минут вернусь, — быстро проговорил Виктор. — Вот он с тобой постоит на всякий случай.

— Хорошо, — мило улыбнулась девушка.

— Да вы присядьте, — предложила она, видя, что Ирек мнется у нее за спиной со своим пивом.

— Спасибо.

Он радостно взгромоздился на высокий барный стул, поставил кружку с пивом на стойку.

— Никогда не думал, что такие красивые девушки посещают такие сомнительные заведения, — сказал Ирек. — Это ваш выбор или вашего друга?

— Меня Эдик сюда привел, здесь публика действительно немного... не того, зато кофе варят чудесный.

— Так его зовут Эдик? — уточнил он, чтобы быть уверенным, что понял все правильно.

— Да, Эдик. Мне тоже это место сперва не понравилось, но кофе здесь и в самом деле первоклассный. Знаете, Эдик меньше всего обращает внимание на антураж, он работает официантом и понимает, что главное — это кухня, а не интерьер.

Ирек уже открыл было рот, чтобы задать следующий вопрос, но прямо над ухом раздался голос Слуцевича:

— Я вернулся. Все оказалось куда быстрее, чем планировалось. Спасибо, что помог. Любочка, ты не соскучилась без меня?

Ирек поспешно слез со стула, уступая место Виктору-Эдику. Виктор, как и обещал, заказал пиво для Ирека и недвусмысленно дал ему понять, что на этом их знакомство заканчивается. Дальнейшие попытки следить за Слуцевичем с этой минуты не имеют смысла, он запомнил лицо Ирека и будет его узнавать при каждом удобном случае. Черт возьми, как неудачно! Но, с другой стороны, с точки зрения информации улов был весьма и весьма внушительным. Выходит, официант Эдик Гусарченко и сотрудник риэлторской фирмы Виктор Слуцевич — одно и то же лицо. Не может быть столько совпадений. И имя, и род занятий, и даже имя девушки — Люба. И внешность Слуцевича полностью подходит под описание Гусарченко — русоволосый, сероглазый, широкоплечий, привлекательный. Но как же так получается? Зачем Симонову два разных имени и две разные профессии? Впрочем, пустой вопрос, одно-то имя ему всяко нужно, так почему не два и не три? Но сомнений нет, это он, Эдик Гусарченко, он же Виктор Слуцевич, он же Юрий Симонов. Теперь есть о чем докладывать Старпому.

Глава 9

Предложение режиссера Натальи Вороновой собрать в выходной день всю съемочную группу вместе с актерами и предоставить оперативникам и следователю возможность задать все необходимые вопросы энтузиазма у сыщиков не вызвало. Вороновой объяснили, что если бы с самого начала было известно, кого и о чем спрашивать, чтобы получить необходимую для раскрытия преступления информацию, то убийцы Теймураза Инджия давно уже были бы найдены. В том-то и сложность розыскной работы, что сначала в голову приходят одни версии, и вопросы задаются соответствующие, а потом, когда они не подтверждаются, выдвигаются другие версии, и вопросы встают совсем иные, да и люди, которые могли бы на них ответить, — тоже другие. Так что, к сожалению, не исключено, что съемочную группу еще не раз и не два будут систематически отрывать от работы и нарушать тем самым жесткий график съемок.

Воскресенье Настя Каменская решила посвятить общению с Русланом Нильским. Решение это созрело после того, как накануне, в субботу, Коротков поведал ей о своем свидании с актрисой Ириной Савенич.

— Девушка просто-таки рвет и мечет, — с усмешкой сообщил он, сидя на Настиной кухне и наблюдая, как она борется с собственной кулинарной неграмотностью в попытках освоить очередное блюдо в строгом соответствии с рецептом из толстой книги «Кухня народов мира». — Она уверена, что Яна Нильская заигрывает с мужем Вороновой, причем небезуспешно. Вчера господин Ганелин целый день развлекал Яну поездками по дорогим магазинам и трапезами в экзотических ресторанах вплоть до посещения ночных заведений. И результат, должен тебе сказать, ошеломляющий. Яна перестала требовать возвращения домой и даже, как было доложено, улыбалась и сделалась доступной контакту.

— Это кем же тебе было доложено? — поинтересовалась Настя, мелко шинкуя овощи.

— Ну как кем... Ириной, конечно. Она сегодня с утра, едва глаза продрала, тут же кинулась звонить Вороновой и выяснять, как у них дела. Вот Воронова ей и сказала, что Яна заметно повеселела и что сегодня намечается второй акт пьесы под названием «Разгон тоски». Насчет пьесы — это, конечно, Ирина добавила, а Воронова ей сказала, что сегодня Яна снова не поедет с ними на съемку, потому что ее на целый день забирает Ганелин. Ирина в ярости. Для нее Воронова дороже родной матери, и посягательства на чужого мужа она вынести не может. Забавная девчонка.

— Ага, — Настя рассеянно кивнула, выкладывая тонко порезанный лук на сковороду с шипящим раскаленным маслом.

На соседней конфорке стояла вторая сковорода в ожидании натертой на крупной терке моркови.

— Слушай, ты не знаешь, почему лук и морковь нельзя жарить вместе? — спросила она жалобно. — Ну черт знает что такое! В книге написано: жарить по отдельности. А это же две сковороды. Их потом мыть надо. Все эти рецепты рассчитаны на хозяек, у которых есть домработницы.

— Или посудомоечные машины, — заметил Юра. — Чего твой Чистяков тебе такую машинку не купит? Сунул в нее посуду, нажал кнопку и отдыхай. Дешево и сердито.

— Во-первых, не так уж и дешево. Во-вторых, ее ставить некуда, в нашей кухне для нее места нет. В-третьих, это нерационально. Ну зачем нужна посудомоечная машина в семье, где всего два человека? Гости у нас бывают редко, а за собой мы уж как-нибудь сами посуду помоем. Это я просто так разнылась, от осознания собственной неприспособленности к домашнему хозяйству.

Настя достала терку и принялась терзать морковь.

— Что еще интересного тебе рассказала твоя актриса?

— Еще она мне рассказала, что у господина Ганелина есть серьезные финансовые трудности, и он не гарантирует своей супруге оплату съемок сериала в полном объеме.

— Ух ты! — Настя оставила в покое несчастную морковь и повернулась к Короткову. — Это точно? — переспросила она.

— Ирине сказала Воронова, а Вороновой — сам Ганелин.

— Вот беда... — пробормотала Настя.

— Почему беда?

— Да потому, что Афоня как в воду глядит. Он с самого начала был уверен, что Ганелин заинтересован в прекращении съемок, и заставляет меня искать в этом направлении. Я еще вчера вечером должна была ему докладывать по финансовым делам Ганелина. Слава богу, он куда-то умотал, его в конце дня уже не было, но в понедельник спросит обязательно. Если не сегодня.

— Так я не понял, из-за чего ты расстраиваешься? Хорошая версия, красивая. Правда, малость невероятная, но мы вообще живем в веселое время, когда постоянно случается то, о чем несколько лет назад и помыслить было невозможно. Не только новые способы совершения преступлений появляются, но и новые мотивы. Убить человека, чтобы сорвать съемки фильма! А? Каково? Если б мне лет десять назад кто-нибудь такое сказал, я бы ему посоветовал фантастические романы писать. А теперь вот сижу с тобой на кухне и на полном серьезе такую бредятину обсуждаю. И ничего, даже язык не отсыхает.

Настя взяла миску и терку, перенесла их с рабочего стола на обеденный, чтобы стоять лицом к Короткову, и некоторое время сосредоточенно занималась превращением моркови в тонкие короткие полоски.

— И в эту бредятину хорошо укладываются подметное письмо невнятного содержания и отвратительные дохлые крысы, — заметила она после недолгого молчания. — Водителя убьем, внесем смуту в умы и разлад в график работы съемочной группы, поселим нервозность, дождемся выхода за рамки бюджета, а потом сделаем так, что сценарист уедет, бросив Воронову сражаться с сюжетом и с бюджетом один на один.

— Во! — Коротков выразительно поднял указательный палец. — Все одно к одному. Я уже зарядил с утречка людей, чтобы проверили финансовые дела Ганелина. Похоже, у нашего нового начальника, которого ты так не любишь, все-таки есть нюх. И тебе, как это ни прискорбно, подруга, придется это признать. Есть только один момент, который меня сильно смущает.

— Да ну? — Настя скептически вздернула брови. — Неужели тебя, старого циника и бабника, еще что-то может смутить?

— Я попрошу! Во-первых, я не старый, а во-вторых, не бабник. Я влюбчивый, а это не одно и то же. Так вот, подруга, я не понимаю, зачем все эти сложности с убийством и прочими наворотами. Ну почему Ганелин не может просто сказать жене, что у него нет и пока не будет тех денег, на которые он рассчитывал еще месяц назад и которые ей пообещал? Ну что она, убила бы его за это? На развод бы подала? Воронова показалась мне очень уравновешенной и разумной женщиной, она вполне в состоянии понять, что такое бизнес и какие непредсказуемые скачки в нем бывают. Я полагаю, услышав такую новость, она бы расстроилась ужасно, может быть, даже поплакала бы, но и все. Ничего страшнее не произошло бы. Так зачем было затевать всю эту мутотень с убийством водителя, похищением Яны, письмом и крысами? Ты можешь мне объяснить?

— Могу.

Миска наполнилась тертой морковью, Настя включила газ под второй сковородкой, налила масло, помешала жарящийся рядом лук.

— Садисты они, эти составители кулинарных правил, — снова заныла она. — Теперь я должна буду стоять, как памятник, возле плиты и помешивать то одно, то другое, чтобы не пригорело. Неужели нельзя как-нибудь по-другому рецепты придумывать?

— Не канючь, все так готовят — и ничего, никто не умер. Кстати, а что это будет-то? Ради чего ты принимаешь такие смертные муки?

— Это будет рыба по-гречески. Сначала надо пережарить

лук и морковь, потом пожарить рыбу кусочками, потом все это перемешать, залить кетчупом и потушить. И есть можно не раньше чем через двенадцать часов, чтобы рыба как следует пропиталась.

— Да ну? По-моему, в нашей столовке это подают в разделе «холодные закуски». Только называется это рыбой под маринадом, а не «по-гречески».

— Очень может быть, — согласилась Настя. — Вот я и решила попробовать. Выбирала из кулинарной книги что попроще.

— А есть когда дадут? — живо поинтересовался Юра.

— Я же сказала — через двенадцать часов. Для тупых объясняю: завтра утром.

— Ну ни фига себе! — расстроился он. — Это ж сколько мне терпеть? В твоей книге нет ничего такого же простого, но чтобы сразу можно было кушать?

— На, — Настя сунула ему толстый том, — сам ищи, не отвлекай меня, а то все сгорит.

В течение десяти минут на кухне царило молчание, Настя помешивала овощи на сковородах, Коротков сосредоточенно шелестел страницами.

— Аська, у тебя рис есть? — спросил он наконец.

— Есть.

— А яйца?

— Три штуки или четыре.

— А чеснок?

— Вот этого не знаю, надо посмотреть. Кажется, был, но я не уверена.

— Масло сливочное точно есть, я его видел. Слушай, я нашел обалденное по простоте и калорийности блюдо. Называется «яйца по-неаполитански».

— Тоже мне, первооткрыватель! — фыркнула Настя. — Я это блюдо сто лет назад открыла. Его можно приготовить даже при моем феерическом кулинарном кретинизме.

— А чего же не готовишь? Ведь просто же. И вкусно, наверное.

— Действительно, вкусно. Иногда готовлю, когда надо к Чистякову подлизаться. Один раз в год.

— Почему так редко?

— А оно непрактичное. Чтобы это блюдо красиво выглядело, его надо делать в большой сковороде, то есть должно быть много риса и как минимум пять яиц. Мы вдвоем с Лешкой можем съесть дай бог если одну треть, рис же очень сытный, крутые яйца тоже. Остальное остывает, теряет вкус, и приходится либо мучительно впихивать в себя рис с яйцами два дня подряд, либо выбрасывать.

— А я бы съел, — глядя в пространство, заявил Коротков. — Вы с профессором вообще малоежки, а я — нормальный здоровый русский мужик. Мне сколько ни дай — все мало.

— Да ради бога, я приготовлю, — отозвалась Настя, не поворачиваясь. — Все равно надо же тебя чем-то на ужин кормить.

Через полчаса ценой невероятных усилий ей удалось пожарить рыбу, смешать все ингредиенты и сунуть то, что получилось, тушиться в духовку. Настала очередь яиц по-неаполитански. Настя поставила варить рис и яйца и присела за стол напротив Короткова.

— Ты спрашивал насчет Ганелина.

— Ну да, — кивнул Юра. — А ты сказала, что можешь объяснить, почему он вместо того, чтобы...

— Юрик, ты не понял. Я сказала, что могу объяснить, почему абстрактный мужчина в принципе может так поступить. Абстрактный мужчина, понимаешь? Но не Ганелин, которого я совсем не знаю, а потому не могу судить о его мыслях и поступках. Я его видела всего один раз и разговаривала с ним совсем недолго. Может быть, он подпадает под схему, а может быть, и нет.

Коротков поморщился.

— Ладно, не умничай. Давай объясняй, коль обещала.

— Ну, хорошо... Для начала ответь мне на вопрос: ты сказал Людмиле, что ушел от жены?

— А это к чему? — вытаращил глаза Юра. — Какая связь?

— Сначала ответь, потом я тебе про связь расскажу. Так сказал или нет?

— Нет.

— Почему?

— Да как-то... Я с ней и не разговаривал всю эту неделю. Случая не было.

— Почему, Юра? Как могло получиться, что ты целую неделю не звонил женщине, с которой у тебя роман вот уже десять лет?

— Девять, — хмуро поправил ее Коротков. — Чего ты цепляешься, Аська? Ты же прекрасно знаешь насчет нас с Людмилой, я тебе как другу...

— Знаю. Знаю, что пик прошел, что роман давно остывает, что вы видитесь все реже и реже, иногда месяцами не встречаетесь, только перезваниваетесь. Все нормально, Юра, это естественное течение человеческой жизни. И получается, что ты ушел от жены вовсе не к Людмиле. Ты просто ушел. От жены. Правильно?

— Ну.

— А что мешало тебе уйти, когда роман был в разгаре? Ее дети старше твоего сына, они давно выросли, и Людмила спокойно могла бы развестись и быть с тобой.

— Аська, прекрати! Мы с тобой тысячу раз об этом говорили! — Коротков начал злиться, и это не укрылось от Насти. — Не мог я ни с того ни с сего взять и бросить Ляльку, сказать ей, мол, все, дорогая, больше я не могу этого терпеть...

— Все правильно, Юрик. Не надо мне напоминать, я помню наши с тобой бесконечные беседы на эту тему. Попробуй посмотреть на ситуацию чуть-чуть со стороны. Твоя жена Ляля — женщина со сложным характером, взрывная, капризная, истеричная, требовательная, не считающаяся с окружающими, с их мнением, желаниями и интересами. Она на тебя постоянно орала, обзывала тебя никчемным неудачником, ревновала тебя к работе, закатывала сцены. А ты молчал и терпел. Почему — вопрос третьестепенный, но факт остается фактом: ты терпел. И Ляля к этому привыкла. То есть ты своим молчанием и терпением создал у нее определенное мнение о себе, какой-то определенный образ. И сказать: «Все, хватит, я больше не хочу этого терпеть, я ухожу» — означает заявить: «Я вовсе не такой, каким ты меня себе рисуешь. Я другой. Я тебя обманывал. Мне не нравится, что ты орешь на меня, что ты не уважаешь мою профессию и меня как личность. Я только прикидывался, что меня это устраивает». То есть уйти в данной ситуации означает объявить себя обманщиком и притворщиком. Ты понимаешь, о чем я говорю?

— Ну, — буркнул Коротков. — Но я же ушел все-таки.

— Ушел, — согласилась Настя. — Когда нашел в себе силы объявить себя лгуном. Мы не обсуждаем вопрос о том, хорошо это или плохо. Просто наступил момент, когда тебе стало абсолютно все равно, что Лялька будет о тебе думать. Если бы ты стремился сохранить ее уважение и доброе к себе отношение, ты бы не ушел. Ты бы не осмелился признаться, что столько лет врал и притворялся. Теперь вернемся к Ганелину и его жене. Ты знаешь их историю?

— А что, там что-то интересное? — оживился Коротков, понимая, что нелицеприятное обсуждение его личной жизни закончено.

— Ганелин добивался руки Вороновой больше десяти лет. Она была в браке, у нее росли сыновья, Воронова любила своего мужа и с самого начала дала понять Ганелину, что ему ничего не светит. Он принял это как данность, ни на что не претендовал, кроме дружбы, но делал все, чтобы стать полезным, нужным, незаменимым. Он был прекрасным практикующим хирургом, но при первой же возможности, еще на самой заре перестройки, бросил медицину, ушел в бизнес, создал свое дело, крепко поставил его на ноги. И все это только ради того, чтобы иметь возможность финансировать проекты Вороновой. Свой первый фильм, который сделал ее знаменитой, она сняла целиком на деньги Ганелина, хотя была еще замужем и ни в какие интимные отношение с Андреем Константиновичем не вступала.

— Везет же некоторым, — прокомментировал услышанное Юра. — Но связи я все равно не вижу. Где поп, а где приход?

— Юрик, связь есть, и самая прямая. Ганелин и Воронова знакомы с 1984 года, то есть семнадцать лет. На протяжении всех этих лет наш Андрей Константинович был источником, из которого Воронова постоянно получала помощь и поддержку, материальную, моральную, организационную —

любую. В каждый трудный момент он был рядом. Чего ему стоила эта помощь — мы с тобой не знаем. И Воронова, скорее всего, не знает. У нее сложился определенный образ этого человека: Ганелин может все, Ганелин — палочка-выручалочка, он всегда придет на помощь, и, что самое главное, он никогда не подведет и сделает то, что обещал. И вдруг наступает момент, когда ему нужно сказать жене: «Извини, дорогая, но свое обещание я выполнить не смогу. Ты на меня понадеялась, а я тебя подвел. И тебя, и всю твою группу». Чтобы это сказать, ему нужно решиться сломать тот образ, который сложился за много лет у Вороновой в голове и в душе. Но ему не безразлично, что будет думать о нем жена, потому что он ее любит и дорожит ее уважением. Он слишком долго добивался ее и ждал своего счастья, чтобы взять и рискнуть ее отношением к себе. Вот поэтому он может пойти на все, чтобы сорвать съемки, но чтобы при этом считалось, что это произошло по воле несчастного случая и с ним лично никак не связано. Но, Юрочка, это общая схема. Под нее подпадают далеко не все мужчины, меньше половины. Можно ли ее применить к Ганелину? Не знаю. Но чисто теоретически такое вполне может быть.

— И все равно я не понимаю, — упрямо возразил Коротков. — Если твоя схема верна, то зачем он сам сказал Вороновой, что у него проблемы? Если бы он действовал так, как ты говоришь, он бы молчал в тряпочку и делал вид, что он богатенький Буратино, и как жаль, дескать, что съемки срываются, а он уже и денежки приготовил... И потом, зачем тогда он кинулся Яну отвлекать от мыслей об отъезде? В его же интересах, чтобы она стояла на своем и чтобы Руслан как можно быстрее убрался из Москвы и бросил работу с Вороновой. Нет, не сходится. Чего-то ты, подруга, перемудрила.

— Угу, — промычала Настя. — Это ты Афоне скажи, а то он меня поедом ест по версии о Ганелине. Ну вот хочется ему, чтобы Ганелин оказался замешан, и хоть ты тресни! Правда, против крупного политика, который мстит Нильскому за разоблачительные публикации, он тоже не возражает. Ему без разницы, лишь бы было что-нибудь нерядовое: или преступник, или мотив. Каждый новый начальник хочет начать с громкого успеха, кто ж спорит.

Она сняла с плиты кастрюльку с яйцами и поставила в раковину под струю холодной воды. Присела на корточки перед открытым холодильником и после долгих поисков нашла завалявшуюся в овощном ящике головку чеснока.

— Держи. — Она выразительным жестом положила перед Коротковым чеснок и маленький нож.

— Это что? — не понял Юра. — Зачем мне это?

— Это ты будешь чистить.

— А что, сама не умеешь?

— Умею, но не люблю. У меня потом руки долго чесноком пахнут.

— А у меня что, пахнуть не будут?

— А ты у нас нормальный русский мужик, твои руки должны пахнуть чесноком, луком, водкой и машинным маслом.

— Водка не пахнет, — обиженно возразил Коротков.

— Хорошо, я согласна, пусть пахнет не водкой, а перегаром, — покладисто откликнулась Настя. — Но чистить чеснок все равно придется.

К десяти вечера сложная процедура приготовления рыбы по-гречески и яиц по-неаполитански, кормления Короткова и мытья посуды была благополучно закончена. К этому же времени в результате многочисленных телефонных звонков и кратких переговоров с какими-то неведомыми Насте людьми стало известно, что у Андрея Константиновича Ганелина, генерального директора закрытого акционерного общества «Центромедпрепарат», действительно возникли серьезные финансовые трудности. Более того, из источников, «приближенных к акционерам», поступила информация о том, что далеко не все держатели акций (хотя их всего-то четыре человека) согласны с необходимостью вкладывать деньги в кино, которое снимает супруга генерального директора. Они этим недовольны и считают, что деньги лучше вкладывать в развитие производства, чем в семейную благотворительность.

— Нет!

Настя в ужасе схватилась за голову, совершенно забыв, что руки у нее покрыты пеной для мытья посуды.

— Я этого не вынесу, Юрик! Да что ж это за дело такое заколдованное? Что ни день — то новая версия. Теперь нам придется еще и акционеров разрабатывать.

— Тише, Ася, тише, — кинулся успокаивать ее Коротков. — Не паникуй раньше времени. Смотри, как все славно получается с акционерами-то! То есть все, что мы с тобой думали, правильно, только исходит не от Ганелина, а от кого-то другого. Или от других, которые сговорились за его спиной сорвать съемки, потому что сам он ни за что не позволяет сокращать финансирование сериала.

— Это не мы с тобой думали, а Афоня, — сердито сказала Настя.

Она уже заметила, что по лицу стекает мыльная пена, и от этого злилась еще больше. Пена текла и по рукам, забиваясь под завернутые до локтей рукава домашней ковбойки.

— Тьфу ты, какая ж я растяпа! — в сердцах воскликнула она, подставляя руки под воду, чтобы смыть пену. — Юр, знаешь, чего я больше всего на свете сейчас хочу?

— Лечь спать? — предположил Коротков.

— Да нет, рано еще.

— Покурить?

— Нет.

— Чтоб Чистяков приехал?

— Не угадал.

— Чтобы Афоня ушел, а Колобок вернулся?

— Юрочка, солнце мое, я оперирую реальными категориями. Я фантастику даже не читаю, не то что не сочиняю. Я не могу мечтать о том, чего не может быть. Ну, напряги извилины. Ты же меня знаешь миллион лет.

— Слушай, может, ты есть хочешь? — испуганно спросил он. — Ты, наверное, голодная. Аська, я теряюсь в догадках. Могу, конечно, предположить самое простое: больше всего на свете ты сейчас хочешь, чтобы преступление раскрылось. Вот так — раз-два — и раскрылось. Чтобы сейчас нам кто-нибудь позвонил и сообщил о том, что убийцы Инджия и похитители Яны Нильской обнаружены и уже дают показания. Да? Правильно? Я угадал?

— Да ну тебя, — Настя огорченно вздохнула и отвернулась. — Это же надо до такой степени меня не знать, чтобы предположить такую глупость! Чтобы преступление само раскрылось! А кайф где? А сыщицкий азарт? А сладость победы? Нет, Юрик, больше всего на свете я хочу, чтобы, когда мы это преступление все-таки раскроем, оказалось, что его совершили люди, испытывающие сильную личную неприязнь к водителю Инджия. А все манипуляции вокруг Яны — не более чем попытки запугать свидетеля. Я не хочу, чтобы это дело получилось громким. Я не хочу, чтобы Афоня торжествовал победу.

— Ну что ж, тебе стоит только намекнуть, и все будет, как ты хочешь. Те двое, которых задержали по подозрению в причастности к убийству, все еще в клетке прохлаждаются.

— Но их никто не опознал, ни Яна, ни собачник из парка. И оружие, из которого застрелили Инджия, пока не нашли.

— И что? Подумаешь, невидаль. С ними пока хорошо обращаются, бьют не сильно, вот и не опознал никто. Надо будет — сами признательные показания дадут, если жить хотят. И оружие сами найдут, даже если не знают, где оно и как выглядит. Найдут и на блюдечке принесут.

— Юрка, ты циник, — грустно рассмеялась Настя. — Их, конечно, бьют, сомнений нет. Но мне так неинтересно. Кайфа никакого. Я ведь женщина, не забывай, поэтому никогда не полагаюсь на физическое насилие. Я его просто оказывать не могу в силу общей слабости и нетренированности организма. Мне интереснее, когда результат достигается мозгами, хитростью, ловкостью, умением прогнозировать ситуацию.

— Вот! То-то и оно, подруга, что ты свои личные интересы ставишь выше интересов дела, — назидательно произнес Юра. — Ты хочешь, чтобы новый начальник сел в лужу, чтобы он оказался не прав. И ты готова землю рыть, чтобы доказать, что ни Ганелин и дела его фирмы, ни Нильский и его публикации не имеют никакого отношения к убийству. Ведь так?

— Юрик, я работаю честно. Я отрабатываю все версии, ты не можешь меня упрекнуть в предвзятости. Но помечтать-то можно?

Уже лежа в постели, Настя думала о том, что придется завтра, в воскресенье, встречаться с Русланом Нильским. Надо поговорить с ним о героях его публикаций. Хорошо бы договориться с ним о встрече дома у Вороновой. И хорошо бы при этом присутствовали сама Воронова, ее муж Ганелин и Яна. Собрать их всех вместе да и поглядеть, как они себя ведут, как смотрят друг на друга, как общаются. Тогда и характеры каждого в отдельности лучше прорисуются, и взаимоотношения в этой теплой компании проявятся. Уж если тратить воскресный день на работу, то надо постараться выжать из этого как можно больше информации, пусть не для дела, так хоть для размышлений.

* * *

В воскресенье Ирек первым же самолетом вылетел в Кемерово. Делать в Москве пока нечего, за Слуцевичем-Гусарченко ходить больше нельзя — может узнать, а богобоязненный Ремис никуда не денется. В этом Ирек был почему-то совершенно уверен. Если надо — он в любой момент может снова прилететь, а пока он должен доложиться Старпому. Все-таки он ужасно невезучий... Ну надо же было так нарваться на знакомство с объектом! И вроде слишком близко не подходил, а все равно нарвался. Старпом будет недоволен. С другой стороны, Ирек возвращается не с пустыми руками, а с приличными результатами. Никаких сомнений: бывший Юрий Симонов ныне имеет документы, жилье и легенды под двух человек, Виктора Слуцевича, сотрудника фирмы по торговле недвижимостью, и официанта Эдуарда Гусарченко. Думает, козел, если вместо одного нового имени возьмет два, так его труднее найти будет. Как же, видали мы таких умных!

У выхода из аэропорта его уже ждали. Ирек сразу увидел знакомую «Тойоту», на которой ездили шестерки Старпома.

— Здорово, братан!

Знакомые лица, радостные улыбки, крепкие рукопожатия, похлопывания по спине. Иреку стало спокойно. Здесь он среди своих, здесь не нужно постоянно быть начеку, думать над каждым словом, над каждым жестом. Однако едва машина тронулась с места и отъехала от здания аэропорта, лица пацанов помрачнели.

— Ты... это... — начал Кич, который сидел за рулем.

— Что? — еще не подозревая ничего плохого, весело откликнулся Ирек. — Говори, не жуй сопли-то.

— Короче, — вступил в беседу Менингит, он же Шурик Меньшов, — Шаню того...

Ирек похолодел. Что — того? Убили? Ранили? Но кто? Почему? За что? Он понимал, что задавать эти вопросы пацанам бессмысленно, они и сами не знают ответов, а если знают, то промолчат, без команды Старпома рот лишний раз не откроют. Они знают, что со Старпомом шутить нельзя. Коль сами заговорили об этом сейчас, стало быть, Старпом дал разрешение только проинформировать Ирека, но не более того.

— Когда? — только и спросил он, справившись с собой.

— Позавчера. Завтра похороны. Ты как раз успел, — заговорил Менингит уже бодрее, видно, обрадовался, что Ирек не стал задавать слишком много вопросов.

На протяжении всего пути до жилища Старпома Ирек думал о бате, на расспросы Кича и Менингита отвечал рассеянно и невпопад и с благодарностью расслаблялся, когда пацаны начинали сами рассказывать о делах бригады.

Затормозили у знакомого бетонного забора. Охранник, узнав Ирека, скроил подобающую случаю делано скорбную мину. Поднимаясь по лестнице, Ирек отчего-то сам с собой спорил о том, заговорит ли Старпом первым делом о Шане или сперва потребует полного отчета о московских делах. Старпом был жестко деловит и отчаянно лицемерен, это даже Ирек, не будучи приближенным к кормушке, хорошо знал. Деловитость потребует в первую очередь отчета, лицемерие же будет диктовать проявления сочувствия и выражение соболезнований.

— Проходи.

Голос Старпома был сух и строг. Таким голосом соболезнования не приносят. Пожалуй, начнет о Москве расспрашивать, решил Ирек. Значит, прежде чем узнать хоть что-то о смерти бати, ему придется выслушать кучу слов о том, какой Ирек идиот и как глупо он подставился, лишив себя возможности дальнейшего наблюдения за Слуцевичем-Гусарченко.

— Слушаю тебя, Батыр.

Ирек вздрогнул. Впервые он услышал свое погоняло из уст самого Старпома. Кликуху Батыр он заслужил своим нелепым именем, никак не соответствующим простой русской фамилии Шанькин. Именно так называли его пацаны, и даже батя порой, обращаясь к нему, звал не по имени. Но Старпом называл Ирека только на «ты», не упоминая ни имени, ни кликухи, отчего Иреку казалось, что хозяин вообще его не помнит, не идентифицирует и именем его свою память не отягощает. Дал команду найти человека для выполнения задания — нашли, а кого конкретно — не его забота, за это бригадир отвечает. Дал команду прислать исполнителя для отчета — прислали, и какая разница, кто он такой, главное, чтобы дело сделал. Ан нет, оказывается, Старпом знает его, помнит.

Ирек постарался сосредоточиться и изложить все коротко, как любит Старпом, при этом не акцентируя внимания на собственных проколах и выпячивая вперед сделанные им выводы.

— Можете не сомневаться, это точно он, Симонов, — закончил Ирек свой доклад. — Живет с двумя комплектами документов, один на имя Гусарченко, другой на имя Слуцевича. Имеет две хаты, в одной живет постоянно, прописан, все тип-топ, другую сдает, а вместо нее снимает еще одну квартиру, где появляется крайне редко, только чтобы соседи его не забыли. И с самолетом такая же фигня. По вашим сведениям получалось, что первым из Кемерова улетел Ремис, вторым — Гусарченко, и только самым последним, поздно вечером — Слуцевич. Ремис вообще не при делах, а Симонов сначала зарегистрировался на рейс по документам Гусарченко, но на посадку не пошел, а улетел следующим рейсом уже как Слуцевич.

— Зачем? — равнодушно спросил Старпом.

— Что — зачем?

— Зачем ему было регистрироваться по паспорту Гусарченко?

— Ну так... Следы заметал. Хитрый он.

— Если он такой хитрый, как ты думаешь, то должен был понимать, что без зарегистрировавшегося пассажира самолет так просто не улетит. Его должны были как минимум раз двадцать по громкой связи выкликнуть, чтобы шел на посадку. А ничего подобного на том рейсе не было. Ни опоздавших пассажиров, ни пропавших.

Об этом Ирек не подумал. Да, действительно, Старпом прав. Значит, вся конструкция, так старательно возведенная Иреком, рушится. А если?..

— У него был помощник, — неуверенно начал Ирек. — Он его отправил по своему билету, сам зарегистрировался как Гусарченко, а в самолет пошел кто-то другой. После регистрации если кто и смотрит паспорта, так одним глазом. Элементарно можно проскочить.

— Хорошо, — Старпом выдержал паузу и вперил в Ирека недобрый взгляд зеленовато-карих глаз. — Умно. Я бы тебя похвалил, Батыр, если бы не одно обстоятельство. Эдик Гусарченко на самом деле существует, за ним две ходки, характеристики самые благоприятные, я узнавал. У него были какие-то задумки, и он, перед тем как в последний раз откинуться, интересовался возможностями сделать новые документы. Гусарченко и Слуцевич — одно лицо, в этом ты прав. И молодец, что догадался, хвалю. Но только это не Симонов. Это Эдуард Олегович Гусарченко, который прикупил себе новые документы на имя Слуцевича. Эдик — крупный аферист, сейчас, судя по всему, готовит очередное дело, для которого ему нужно временно побыть риэлтором. Более того, Эдик в интересующее нас время действительно летал в Кемерово. Ты еще маленький, Батыр, не знаешь, как в этом мире информацию собирать. Если бы ты работал в Москве с людьми Гоги Сухумского, ты бы такой ошибки не сделал. Но ты был один, потому я с тебя строго спрашивать не стану. Тем более что результат ты все-таки привез. У нас было трое на примете — Гусарченко, Слуцевич и Ремис. Гусарченко не при делах, он приезжал в Кемерово по своей теме, улетал в точности, как ты сказал, по двум билетам, сначала помощника отправил, потом сам сел на следующий рейс. Теперь остается только один Ремис. Он и есть Симонов. Вот им и займемся. А теперь...

Старпом подошел к бару, вытащил бутылку водки и три стопки, налил. Одну стопку протянул Ireку, вторую отставил на середину стола, третью поднял сам.

— Помянем батю твоего, пусть земля ему будет пухом.

Ирек молча выпил, поставил пустую стопку на стол. Ему мучительно хотелось задать Старпому вопрос, как, кто и почему убил Шаню, но он знал: спрашивать нельзя. Если Старпом сочтет нужным — сам скажет.

— Ты знаешь, что произошло между Шаней и Гогой Сухумским?

— Нет, — от неожиданности Ирек растерялся. — Знаю только, что Гога был против, когда батя короноваться хотел. Это из-за меня, вы мне сами говорили.

— Верно. А еще, когда сам Гога короновался, батю твоего не спросили. Во все зоны маляву тогда направили, дескать, кто что про Сухумского знает, порядок такой. Шаня в то время срок мотал, в зону, где он сидел, такая малява тоже пришла, воры ее перетерли, а батю позвать и спросить забыли. Или не сочли нужным. Ту зону тогда люди Сухумского держали, они точно знали, кого спрашивать, а кого не надо. Шаня злобу затаил, но понадеялся, что, когда сам короноваться захочет, Гога его поддержит хотя бы за то, что Шаня хипиш не поднял, смолчал о том, что порядок нарушили, не всех воров спросили. Ведь Шане было что сказать о Сухумском, Гога и в самом деле крысятничал, у своих воровал, но батя твой был стратег, он всегда знал, когда имеет смысл промолчать, чтобы это молчание ему потом тройной выгодой обернулось. А Гога надежд не оправдал, выступил против твоего бати. Дальше знаешь что было?

— Нет, — покачал головой Ирек.

— А дальше я заранее связался с Сухумским, попросил о помощи, предупредил, что человек от меня в Москву приедет. И вдруг Шаня заявляет, что, если мы будем иметь дело с Гогой, он сочтет это личным оскорблением. Я уважал твоего батю, Батыр, я считался с его мнением, он был уважаемым и авторитетным вором. Я не мог так обидеть его и сделать по-своему. Я послал тебя к Захару. Но Гога все равно узнал, что я отказался от его помощи, и узнал, почему. И на другой же день пошли разговоры о том, что вся наша братва, все мы ходим под Шаней, что он у нас тут главный, как он скажет — так и будет. Что мы — не серьезные люди, а пацаны сопливые, поставившие над собой «сухаря» и пляшущие под его дудку. Ты знаешь, кто такой «сухарь»?

— Знаю, батя говорил. Это тот, кому в коронации отказано.

— Вот именно. Видишь теперь, что получилось? Шаня пытался навязать нам старые воровские понятия, он — человек прошлого, а мы — люди будущего, и у нас свои понятия, современные. Я чисто по-человечески сделал ему уважение как старшему товарищу, а обернулось все тем, что нашей организации нанесен ущерб, пострадала наша репутация. И виноват в этом оказался я. Ты, Батыр, тоже считаешь, что я виноват?

Вопрос был коварным и страшным. Сказать «да» — до вечера не дожить. Сказать «нет» — отпустить Старпому грехи. Ведь Ирек, какой бы он ни был молодой и неопытный, уже отлично понял, что Шаню завалили свои. Нельзя было терпеть такого надругательства над репутацией, необходимо было показать, кто хозяин в организации. Показать и тем, кто снаружи, и тем, кто внутри. Чтобы понимали, что старым воровским законам не место в новом криминале, и не рыпались. Прав не тот, на стороне которого «закон» и какие-то мифические «традиции», а тот, кто сильнее и у кого денег больше.

— Нет, вы не виноваты, ни в чем не виноваты, — дрогнувшим голосом произнес Ирек. — Я полностью согласен с вашим решением.

— Это было не мое решение, — пряча удовлетворенную усмешку, ответил Старпом.

— Да, я понимаю.

— Похороны завтра. Все будет по высшему разряду, об этом не беспокойся.

— Спасибо вам.

В этом был весь Старпом. Ирек не сомневался, что решение расправиться с Шаней принадлежало именно ему, а не Шефу, так он повел разговор так, что сын убитого еще и благодарит его, и кланяется, только что руки не целует.

— Иди, Батыр, отдыхай. У тебя завтра трудный день. Кич тебя отвезет домой.

— Спасибо, — снова повторил Ирек.

Всю обратную дорогу Кич и Менингит вежливо молчали, соблюдая этикет. Ну как же, такое горе у братана, батю шлепнули. Видно, Старпом какие-то подробности ему поведал, вон с каким лицом Батыр вышел к машине, прямо почернел весь. Какие уж тут веселые разговоры, понятие надо иметь.

Глава 10

На встречу с Русланом Нильским в воскресенье Настя отправилась с утра, она специально, накануне договариваясь с ним, хотела попасть в квартиру Вороновой как можно раньше, пока все ее обитатели не разбежались по своим делам. Но ей не повезло. Подходя к дому в переулке Каменной Слободы, она увидела, как из подъезда вышли Андрей Ганелин и Яна Нильская, сели в белый «Мерседес» и уехали. Выражаясь словами Короткова, это, похоже, был уже третий акт «Разгона тоски», если предположить, что первый состоялся в пятницу, а второй — вчера, в субботу.

Уже подойдя к двери квартиры на втором этаже, Настя машинально подняла голову и увидела возле окна между вторым и третьим этажом женскую фигуру. Женщина неподвижно сидела на подоконнике и смотрела в окно.

— Наталья Александровна? — неуверенно окликнула Настя.

Воронова повернула голову и приветливо улыбнулась.

— Доброе утро. Заходите, дверь не заперта. Руслан вас ждет.

— Почему вы здесь сидите? Что-то случилось?

— Нет-нет, все в порядке.

Настя, поколебавшись, поднялась по ступенькам на один лестничный марш. Теперь она стояла совсем рядом с Вороновой и видела, что у той на коленях лежит открытый блокнот, а в пальцах Наталья крутит шариковую ручку.

— Вы что, работаете здесь? — изумилась она.

— Ну, — засмеялась в ответ Воронова, — работой это можно назвать очень условно. Понимаете, я раньше жила на четвертом этаже. Там была большая коммунальная квартира, я там родилась, там прошла вся моя жизнь. На втором этаже мы живем совсем недавно, муж специально купил квартиру в этом доме, чтобы мне не пришлось отрываться от привычного места. А вот на этом подоконнике я, бывало, подолгу просиживала, когда мне не хотелось идти домой и нужно было о чем-то подумать. Например, что сказать родителям. Или как уклониться от неизбежного конфликта. Вот привычка и осталась. Это место меня как-то по-особому греет. Наверное, мозг уже знает: если я подошла к окну на лестнице, значит, надо работать, надо думать.

Воронова снова рассмеялась, несколько смущенно. Но Настя отчего-то не поверила ей. Она была уверена, что Воронова смотрела вслед уезжающим мужу и Яне. Неужели ревнует? Такая уравновешенная и умная женщина не станет впадать в ревность по пустякам. Настя подумала, что если уж Воронова заревновала, то у нее должны быть очень веские основания. Очень веские. Выходит, Ирина Савенич права...

— Андрей Константинович и Яна уже уехали? — полуутвердительно спросила она.

— Да, только что, — кивнула Воронова.

— Жаль. Мне хотелось побеседовать и с ними тоже. Не знаете, они скоро вернутся?

— Боюсь, что поздно вечером. Яночке надо отвлечься, встряхнуться. Я очень благодарна мужу за то, что он взял это на себя. Девочка такое пережила... Она еще слишком молода, не умеет справляться с эмоциями.

— Что вы имеете в виду?

Настя сделала вид, что не понимает, о чем говорит Воронова. Ведь ей самой ни Наталья Александровна, ни Руслан не рассказывали об истерике, которую закатила Яна, требуя, чтобы муж увез ее домой. А сослаться на Ирину Савенич означало бы нарушить конфиденциальность ее отношений с Коротковым.

— Яна хотела непременно уехать отсюда. Она была очень напугана, издергана, сначала похищение, потом письмо, крысы... Я ее понимаю, но ведь и она могла бы понять, что отъезд Руслана затруднит работу. У нас пока нет готового сценария, мы все сцены прорабатываем за два-три дня до съемки, постоянно что-то меняем. Руслан нужен мне здесь, он мне необходим, особенно теперь, когда надо думать над сокращением бюджета. Но Яночка не хочет с этим считаться. Точнее, не хотела.

— То есть она передумала? Она больше не настаивает на том, чтобы вернуться в Кемерово?

— По крайней мере за последние двое суток она не сказала ни слова об отъезде, — вздохнула Воронова. — И в этом заслуга только моего мужа. Он делает все возможное, чтобы вернуть Яночке нормальное настроение.

Воронова продолжала вертеть ручку, и Настя невольно обратила внимание на ее руки. Широкие ладони, сильные пальцы, коротко остриженные ногти, не покрытые лаком. Кожа шершавая даже на вид. Это были руки женщины, никогда не знавшей услуг домработницы. Даже странно: жить в роскошной, богато обставленной квартире и все делать самой. Если у Ганелина нашлись два миллиона долларов на сериал, так неужели у него нет денег на то, чтобы оплачивать домработницу?

— Наталья Александровна, вы хорошо готовите?

Вопрос сорвался с Настиного языка прежде, чем она успела понять, зачем задает его.

— Я? Да, хорошо, — рассеянно ответила Воронова, снова глядя в окно.

— Вас кто-нибудь специально учил?

— Да нет, как-то само вышло. Что-то мама показывала, что-то — соседки. Вот потихоньку с самого детства и набиралась от них опыта. Специально никто не учил. А почему вы спрашиваете?

— Просто интересно. Знаете, я совсем не умею готовить, но мне с мужем повезло, он прекрасный кулинар. Вот сейчас он в длительной командировке за границей, а я решила хоть чему-то научиться. По книгам науку осваиваю.

— Что-нибудь сложное?

Воронова по-прежнему смотрела в окно, и Насте показалось, что она разговаривает совершенно автоматически, машинально фиксируя смысл беседы и точно так же машинально двигая губами и языком, чтобы получились нужные слова, из которых складывается вопрос или ответ. Мысли же Натальи Александровны где-то далеко-далеко... Уж не за белым ли «Мерседесом» они летят?

— Сложное? Нет, начинаю с простого. Наверное, стыдно в этом признаваться, но я в свои годы ничего, кроме бутерброда и омлета, делать не умею. Ну, могу еще картошку сварить или макароны, но это даже нельзя назвать словом «готовить».

— Вы в свои годы... — пробормотала Воронова. Внезапно она резко повернулась к Насте, карие глаза сузились. — Простите, сколько вам лет?

— Сорок один, а что?

— А сколько лет вы живете с мужем?

— Двадцать. То есть мы живем вместе двадцать лет, а знакомы еще дольше.

— И что, все это время вы ничего никогда не готовили?

— Нет, — честно призналась Настя. — Сложного — ничего. Только все самое примитивное, да и то в крайних случаях, чтобы с голоду не опухнуть. Я кажусь вам чудовищем?

— Вы кажетесь мне очаровательной обманщицей, — улыбнулась Воронова. — Вы меня простите, Анастасия Павловна, но я вам не верю.

— Господи, да почему?

— Потому что я не верю, что можно жить так, как вы. Двадцать лет жить с мужчиной и не научиться готовить! А в сорок один год вдруг взяться за ум. Так не бывает.

— Бывает, к сожалению. Хотя, конечно, редко, — улыбнулась в ответ Настя. — Я, собственно, и разговор-то этот завела с корыстной целью. Поскольку я сейчас учусь, то у всех подряд спрашиваю про фирменные рецепты простых и вкусных блюд. Чтобы продукты были доступными и времени требовалось немного. А то в кулинарных книгах такие рецепты сложные, пока сделаешь все, как там написано, с ума сойдешь. И потом, там такие мудреные названия, пряности всякие, я даже и не слышала про такие. Наталья Александровна, рецептами не поделитесь?

Воронова быстро строчила что-то в блокноте.

— Конечно, с удовольствием, — бросила она, не отрываясь от своего занятия. — Извините, я сейчас.

Она закончила фразу, поставила в конце предложения точку, захлопнула блокнот и легко соскочила с подоконника.

— Пойдемте в дом, что же мы с вами на лестнице...

Наталья с такой скоростью сбежала по ступенькам вниз, что Настя за ней угнаться не смогла. Она только-только перешагнула порог квартиры, а откуда-то из дальней комнаты уже раздавался голос Вороновой:

— Руслан! Я придумала! Вот послушай...

Настя растерянно остановилась посреди просторного холла. Куда проходить? В гостиную, где они с Вороновой беседовали в прошлый раз? Или в кабинет? Кажется, Воронова упоминала, что в этой квартире есть кабинет.

Где-то сбоку открылась дверь, и в холл выполз совершенно сонный юноша в тонких спортивных шортах.

— Ой... здрасьте. — Он очумело глянул на Настю, потом в лице его проступило некоторое просветление.

Настя узнала его, это был младший сын Вороновой, с которым ее уже знакомили несколько дней назад. Юноша, по-видимому, тоже вспомнил, где и при каких обстоятельствах видел эту тетку, которая в данный момент мешала ему пересечь холл и добраться до ванной.

— Вы к маме? Мам! — заорал он во всю мощь. — К тебе тетя из милиции!

— Я тебе дам — «тетя из милиции»! Марш умываться, соня!

Воронова выскочила в холл, на ходу дала сыну ласковый подзатыльник и распахнула перед Настей дверь в гостиную.

— Простите, Анастасия Павловна, я вас бросила... Проходите, пожалуйста, присаживайтесь. Знаете, я так обрадовалась, когда наконец сообразила, что делать с этим персонажем! Столько времени мучилась, а пока с вами разговаривала — вдруг придумалось. И все благодаря вам.

— Неужели?

— Ну конечно! Мне, честно говоря, и в голову никогда не приходило, что на свете могут быть такие женщины, как вы. В сорок один год не уметь готовить, будучи замужем... В голове не укладывается. Но коль вы существуете на самом деле, то почему бы мне это не использовать? Будет у нас замечательная тетка в сериале, которая все время будет учиться готовить. Это можно будет сделать ужасно смешно! Вам чай или кофе?

— Спасибо, ничего не нужно, — вежливо отказалась Настя, хотя смертельно хотела выпить чашечку кофе. — Не беспокойтесь.

— Мне не трудно, — снова рассмеялась Воронова, — все равно сына нужно завтраком кормить. С ума сойти! Одиннадцатый час — а он только-только глаза продрал. Мы с Русланом встали в шесть и уже с семи утра работаем. Нам сейчас в пору второй завтрак устраивать. Присоединитесь к нам?

А почему бы и нет? В конце концов, Настя так и планировала изначально: провести в доме Вороновой как можно больше времени, посмотреть, как ведут себя в неформальной обстановке хозяева и их гости. Афоне нужен Ганелин или в крайнем случае герой какого-нибудь очерка Руслана Нильского, вот и будем считать, что Настя действует в точном соответствии с пожеланиями руководства. Самой же Насте нужны Воронова и Яна Нильская как источники возможной, еще не выявленной информации о водителе Тимуре. И о его взаимоотношениях с членами съемочной группы. Ей покоя не давало то, что рассказала Яна: они шли с Тимуром по аллее в сторону Митьковского проезда, из кустов прямо напротив роликодрома их окликнули по именам. По именам... То есть преступник убил Тимура не потому, что он оказался случайной, непредвиденной помехой к похищению Яны. Он точно знал, как его зовут, знал, что они идут вместе. И Яну похитили тоже не потому, что она оказалась случайной свидетельницей убийства водителя, неожиданной помехой. Преступник их обоих знал, причем знал не только по именам, но и в лицо. Кто это мог быть? Вариантов только два: либо знакомый Тимура, с которым тот знакомил Яну, либо кто-то из съемочной группы. Других вариантов вроде бы нет. Можно выдвинуть, правда, и третье объяснение: это кто-то из знакомых Яны, кого она, в свою очередь, познакомила с Тимуром. Против этого объяснения на данный момент стоит все, что они знают о Яне Нильской: никогда прежде не бывала в Москве, знакомых и родственников здесь не имеет. Но насколько это соответствует действительности? И потом, кто сказал, что этот «знакомый Яны» — непременно москвич? А если он приезжий, кемеровчанин, к примеру, случайно встреченный Яной в столице? Возможно, очень возможно, но только совершенно непонятно, зачем ему убивать Тимура и похищать Яну. И если это он, то почему Яна его не узнала в момент убийства и своего похищения? С перепугу? Или из каких-то иных соображений?

В обнимку с этими мыслями Настя провела добрых полночи, задавая себе все новые и новые вопросы и чувствуя, как постепенно формируются два центра притяжения ее сыщицкого интереса: один — Ганелин, другой — Яна Нильская. И как назло, ни того, ни другого дома нет. Что ж, придется собирать информацию из вторых рук. Впрочем, если между Яной и мужем Натальи Вороновой что-то есть, то вполне может оказаться, что это не два разных центра, а всего один.

Завтрак — для большинства из присутствующих уже второй за нынешний воскресный день — состоял из «правильных» продуктов, которые Настя терпеть не могла. Что-то с бифидобактериями, с виду напоминающее кефир, мюсли, обезжиренный творог, крекеры «Здоровье», ржаной хлеб. Вероятно, ей не удалось справиться с лицом, потому что Воронова сказала:

— Вряд ли вы это едите, если судить по вашей фигуре. Это специальный утренний корм для мужа и сына. Муж борется с уже имеющимся весом, а сын — с потенциальным. Он много лет занимался спортом и привык много есть, ни в чем себе не отказывая, все равно на тренировках все сгорало, а как только бросил — сразу начал вес набирать. Мне тоже приходится это есть, из солидарности, чтобы их не раздражать. Руслана и Яночку я кормлю нормальными завтраками.

Появившийся в этот момент Руслан услышал последние слова Вороновой и тут же включился в разговор:

— Я постоянно твержу Наталье Александровне, чтобы она не хлопотала, мы с Яной можем обходиться одним кофе на завтрак, в крайнем случае съедим быстрорастворимую овсянку. Мне так неудобно, что мы с Янкой свалились вам на голову...

— Не говори глупости, — резко оборвала его Воронова. — Вы здесь никому не мешаете, зато нам с тобой намного удобнее работать, когда мы живем в одной квартире.

— Наверное, нам нужно возвращаться на ту квартиру, — упрямо продолжал Руслан. — Надеюсь, Яна не станет возражать. По-моему, она уже совсем успокоилась, даже не вспоминает про тех крыс.

Когда к ним присоединился умывшийся Алеша, беседа плавно потекла в русле обсуждения различных диет и проблем здорового питания. При этом Воронова и ее сын мужественно ели «правильные» продукты, предоставив Руслану и Насте травить свои организмы горячими гренками из белого хлеба с джемом, а также несочетаемыми продуктами в виде разжареной и залитой яйцом картошки с сосисками и помидорами. Настя то и дело ловила на себе несчастные и полные зависти глаза Алеши. Бедный парень, он искренне полагает, что Настя испытывает удовольствие. Удовольствия на самом деле никакого не было, есть ей ни капельки не хотелось, хотя еда, надо прямо признать, была вкусной. Но после завтрака у себя дома, во время которого они с Коротковым «снимали пробу» с рыбы по-гречески, заедая ее недюжинными ломтями свежего хлеба, Насте казалось, что проголодается она теперь не раньше чем через неделю. Рыба оказалась на удивление вкусной, чего ни она, ни Коротков ну никак не ожидали: все-таки первая попытка, а она, как показывает многовековая практика, редко получается удачной. Однако Настя мужественно изображала нечеловеческий аппетит, понимая, что ведет себя абсолютно не так, как положено находящемуся на работе оперативнику. Строго говоря, она должна была отказаться от любых угощений, в крайнем случае позволить себе кофе или чай, но даже без конфет или печенья, делать строгое лицо и всем своим видом демонстрировать усталую озабоченность судьбами человечества или, на худой конец, судьбой одного-единственного нераскрытого убийства. Но ей не хотелось сегодня быть старшим оперуполномоченным уголовного розыска, ей хотелось побыть приятной гостьей в этом доме, такой гостьей, с которой все разговаривают откровенно и не задумываются над каждым произнесенным словом. А ради этого желудку придется потерпеть.

Хозяйка дома, однако, не забыла, для чего Настя сюда явилась.

— Я поработаю, а вы с Русланом располагайтесь в гостиной, — сказала Воронова.

Настя внимательно присматривалась к Нильскому. Жаль, что она не была знакома с ним раньше и поэтому не может с точностью судить о том, всегда ли он такой «заторможенный» или утратил живость после того, что произошло с его женой. Во всяком случае, внешне он совершенно не походил на отважного журналиста, владеющего пером с достойным зависти изяществом. Читая его публикации, Настя представляла себе остроумного и энергичного молодого человека, готового идти до конца в стремлении выяснить истину и пролить свет на затуманенные ложью или недомолвками факты. Кроме того, он, судя по прочитанным ею текстам, обладал мощной способностью к конструированию целостной картины из имеющихся обрывочных сведений. Это был именно тот дар, который столь необходим сыщикам и следователям, но которым природа наделяет далеко не каждого индивида, надевшего милицейские погоны. Насте казалось, что такой человек по определению не может оказаться вялым, что живость ума непременно должна находить свое продолжение в живости и легкости движений. Это, конечно, не означает, что Нильский, по ее представлениям, будет непрерывно бегать по комнате и бурно жестикулировать. Отнюдь. В литературе есть великолепный пример — Ниро Вульф, толстый, ленивый, малоподвижный, но обладающий необыкновенной ясностью и остротой ума. Но такой человек, каким она представляла себе Руслана Нильского, должен был бы проявлять интерес к происходящему, задавать вопросы, предлагать свои версии. Одним словом, глаз у него должен гореть.

А глаз у Нильского не горел. Взгляд был потухшим и каким-то безразличным. Нет, не похож он был ни на бравого журналиста, ни на мужа потерпевшей.

— Руслан Андреевич, — начала Настя, понимая, что двигаться придется на ощупь, — я пришла к вам сегодня не задавать вопросы, а просить о помощи. С момента совершения преступления прошла неделя, а следствие не продвинулось ни на шаг. Было множество разных версий, мы их старательно проверяли, и все они рассыпались. Мы пока не нашли убийцу среди знакомых Тимура, а похищение и благополучное возвращение вашей жены совсем все запутало. И я хотела просить вас забыть на какое-то время о том, что вы являетесь мужем потерпевшей, и вспомнить, что вы журналист и писатель. Вы — человек, который умеет из разрозненных фактов складывать истории, додумывая то, что скрыто от наших глаз.

— Я пока еще не писатель, — усмехнулся Руслан. — Мой роман нигде не опубликован.

— Это неважно. Вы же его написали, значит, вы умеете это делать. Руслан Андреевич, помогите мне, прошу вас. Здесь нужна фантазия, а у меня с фантазией плохо.

— Фантазия — опасная вещь, Анастасия Павловна. Я вам тут нафантазирую, а вы мне поверите и схватите невиновного. Не боитесь?

— Не боюсь. Никто не побежит задерживать человека, который окажется виновником в вашей придуманной истории. Мы сначала тщательно соберем все сведения о нем, проверим их и только потом будем принимать решение.

— Простите, Анастасия Павловна, но вы или большая оптимистка, или сами живете в мире фантазий. Я много лет тесно сотрудничал с нашей кемеровской милицией и хорошо знаю, как они проверяют сведения. И уж тем более как их собирают. Я с большим уважением отношусь к вашей профессии, но у меня нет оснований полагать, что московские сыщики хоть в чем-то лучше наших, сибирских. Даже если работают на Петровке.

Так, с этим понятно, милицию мы не любим и ей не доверяем. Что ж, вполне естественно, нынче во всей стране не сыщешь человека, который бы думал иначе. Если такой безумец и найдется, то только в психушке. Но и это вряд ли... Ладно, милицию, тем паче в ее сегодняшнем состоянии, никто не любит и любить не обязан, и Руслан Нильский в этом смысле не исключение. Но ведь есть здоровое чувство самосохранения. Твою жену похитили, держали несколько дней на какой-то хате, потом выпустили и стали подбрасывать тебе дурацкие письма и коробки с дохлыми крысами. Неужели можно продолжать спокойно жить и не думать ни о чем плохом, не поняв причину таких событий и не устранив источник опасности? Кроме того, в Нильском, коль уж он был журналистом, и журналистом, судя по всему, первоклассным, должно жить нормальное любопытство: что за этим стоит, почему это происходит? Не может быть, чтобы ему было неинтересно.

— Руслан Андреевич, среди ваших знакомых есть яростные почитатели Марка Твена? — спросила Настя.

— Марк Твен?

Недоумение чуть оживило его глаза, появился блеск, но тут же исчез.

— При чем здесь это?

— Письмо, которое вам подсунули, содержит одну-единственную фразу, принадлежащую этому писателю. Фраза не из популярных, не расхожая. Ее могут процитировать только истинные знатоки его творчества.

Нильский молчал, о чем-то размышляя. Плечи опущены, взгляд устремлен на стоящую на полке керамическую фигурку.

— Нет... Пожалуй, нет. Я, во всяком случае, таких людей припомнить не могу. А почему... Вы что, уверены, что это письмо написал человек, которого я знаю?

— Я ни в чем не уверена. Более того, я вообще не знаю, кто это написал, но мне же нужно это узнать. Вот я и задаю свои вопросы. Видите ли, если вашу жену пальцем никто не тронул, никто ее не обидел и не сделал ей ничего плохого, кроме того, что ее насильно увезли и продержали какое-то время взаперти, то у меня есть все основания полагать, что похитители к ней хорошо относятся. Потому у меня и возникла мысль о круге ваших знакомых. Моя логика понятна?

— Да, вполне, — кивнул Руслан.

— И в этом плане меня особенно интересует круг знакомых вашей жены. Может быть, любители Марка Твена есть среди них? Вспомните, пожалуйста.

— Яна никогда не упоминала о таких людях. Я бы запомнил, если бы она что-нибудь говорила об этом. Все-таки, согласитесь, Марк Твен сегодня не в моде, его поклонники на каждом шагу не встречаются. А кстати, из какого произведения эта фраза?

— Не знаю, — призналась Настя с улыбкой. — Я ее прочла в сборнике афоризмов. Давно, много лет назад. «Если бы все люди думали одинаково, никто не играл бы на скачках». Запомнила, потому что она имеет непосредственное отношение к моей работе. Если бы все люди думали одинаково, не было бы проблемы преступности. Решили, например, что убивать и красть нехорошо, и все одинаково это правило соблюдают, и никому и в голову не приходит его нарушить. Если бы все люди думали одинаково, то человечество давно вымерло бы. Не было бы ни открытий, ни изобретений, вообще никакого прогресса не было бы. Об этом можно долго рассуждать... Вам никогда не приходилось дискутировать на эту тему? Не приходилось никому доказывать, что ваша точка зрения на ситуацию совсем не обязательно должна совпадать с точкой зрения вашего оппонента?

— Конечно, — на лице Нильского появилось слабое подобие улыбки. — Странный вопрос. По-моему, невозможно найти человека, который хоть раз в жизни не отстаивал бы свое право видеть ситуацию с собственной колокольни. Жаль, что я раньше не знал этой фразы Твена, она бы мне пригодилась в таких спорах. Истина, конечно, банальна до оскомины, но, когда ссылаешься на авторитет, она сразу делается такой весомой, значимой.

— Руслан Андреевич, — Настя начала плавно подбираться к главному, что ее на данный момент интересовало, — а нет ли среди тех, с кем вы об этом спорили, людей, которые могли бы всерьез рассердиться на вас?

Он смотрел на нее глазами, в которых не мелькало даже искры понимания. Настя подумала, что, наверное, сформулировала свой вопрос уж слишком аккуратно и оттого чрезмерно завуалированно. Надо быть проще. В конце концов, Нильский — не противник, он просто человек, который уклоняется от сотрудничества. А это далеко не одно и то же. «А если все-таки противник? — мелькнула мысль и тут же исчезла, задавленная вполне рациональными аргументами. — Да нет, глупость это. Зачем ему похищать Яну? Ну убить Тимура — ладно, согласна, с огромной натяжкой, но наличие мотива можно признать, приревновал и убил. Но похищать Яну, организовывать письмо и крыс... Таким сложным способом отводить от себя подозрения? На это нужно время, нужны помощники, все это необходимо было именно организовывать, искать людей, машину, квартиру, где будут держать Яну, крыс этих жутких... Нет, бредово, абсолютно бредово. Здесь нет мотива».

— Вы меня не понимаете?

— Честно признаться, не очень.

— Тогда спрошу прямо: не случалось ли так, что герои ваших публикаций не были согласны с тем, как вы видите ситуацию? Может быть, они были недовольны, предъявляли вам претензии? Угрожали? И в письме, которое вам подсунули, они цитируют Марка Твена, словно напоминая вам о ваших же словах, когда вы защищали свою точку зрения и свое право написать о них так, как вы написали. Может такое быть?

— Может.

Он произнес это легко, не задумываясь ни на секунду. Легко и твердо, как произнес бы такие слова человек, который давно и много думал над этим и утвердился в своих выводах.

Настя тут же открыла блокнот и приготовилась записывать.

— Можете назвать имена?

— Нет.

И снова ответ последовал без малейшего промедления, словно был готов давно. Интересно. Очень интересно...

— Почему, Руслан Андреевич? Вы забыли эти имена? Или причина в чем-то другом?

— Я их не назову.

— Вы боитесь? Они действительно вам угрожали, и вы теперь боитесь за жену, за детей и за себя самого? Эти люди настолько могущественны, что нам, простым ментам, их никогда не скрутить, а вам они могут много крови попортить? Вы так рассуждаете, да?

— Анастасия Павловна, давайте закроем тему. Я все равно не назову вам ни одного имени.

Нильский отводил глаза, но говорил все так же твердо, по крайней мере ни тени колебания Настя в его голосе не уловила. Значит, решение он принял уже давно, еще до разговора с ней. Но почему? Неужели она попала в точку, и все дело в публикациях? То-то радости будет Афоне! А жаль...

— Ну хорошо, тогда я сама буду называть имена, — вздохнула Настя, открывая блокнот на другой страничке, где были записаны результаты ее ночных бдений за компьютером в поисках статей, написанных Русланом Нильским. — Александр Богорад, кличка Богомолец, крупный криминальный авторитет, ваш земляк.

Ответом ей было молчание.

— Следующий — Георгий Гринько, строительный бизнес.

Снова молчание.

— Есть еще один, Евгений Фетисов, ныне депутат Государственной думы, а в прошлом крупный аферист, создатель печально известной в Кемеровской области финансовой пирамиды «Элита». Был много лет связан с группировкой Богомольца, и связи эти год от года становятся все крепче. Помните такого?

— Анастасия Павловна, я ничего вам не скажу.

— Но почему?

— Потому что я ничего не знаю. Нет, я не так выразился... Я ничего не знаю точно, понимаете? Я могу только предполагать. Если я выскажу свои предположения, я наведу вас на конкретного человека, и он может пострадать ни за что, потому что мои предположения окажутся неверными. Я этого не хочу.

— А если ваше предположение окажется правильным и благодаря ему мы найдем преступника? Вы этого тоже не хотите?

И снова молчание, тяжелое, наполненное не напряжением, а, как показалось Насте, тоской и безысходностью. Любопытный парень этот журналист, однако. Что-то его пришибло, до земли согнуло, напрочь отбив желание двигаться вперед. Неужели то, что случилось с его женой? Странно... Может быть, ее все-таки насиловали, пока держали взаперти, и мужу она об этом рассказала, а от следствия решила скрыть? Вполне возможно. Но все равно непонятно, откуда у Нильского такое равнодушие к судьбе поиска преступников, ведь должен быть заинтересован, казалось бы. Хотя если речь идет о насилии над его женой и о стремлении скрыть это от посторонних, тогда, конечно, он не рвется помогать, для него и для Яны будет лучше, если правда никогда не выплывет.

Настя торопливо поднесла к глазам руку с часами (очки, как обычно, лежали в сумке) и сделала испуганное лицо:

— Господи, я совсем забыла, мне же нужно позвонить...

Схватила трубку радиотелефона и направилась к выходу из гостиной, изображая смущенную улыбку.

— Это служебный разговор, Руслан Андреевич, не обижайтесь.

— Да-да, конечно, — рассеянно ответил он.

В прихожей Настя несколько секунд повоевала со сложными замками на толстой стальной двери и тихонько выскользнула на лестничную площадку. Хорошо бы поймать Сережу Зарубина, он сегодня должен улетать в Кемерово, Гмыря пробил-таки для него командировку, несмотря на яростное сопротивление Афони. Ей повезло, Зарубин почти сразу снял трубку.

— Ты когда улетаешь? — спросила Настя.

— В двадцать с какими-то копейками.

— Сережа, немедленно звони Вороновой и спроси, как найти Яну, — быстро заговорила она вполголоса. — Я пока общаюсь с Нильским, Воронова работает в другой комнате. Прикинься чайником, пусть она даст тебе номер телефона, по которому можно связаться с ее мужем, он куда-то Яну повез. Найди их обязательно. Мне нужно знать, есть ли среди знакомых Яны какой-нибудь фанатичный любитель Марка Твена. Это первое. И второе: были ли угрозы или просто выражение недовольства в адрес Нильского в связи с его публикациями. Сделаешь?

— А то. Я так понял, ты свой интерес маскируешь?

— Нет, я его обнародовала, но Нильский категорически отказывается это обсуждать. Мне придется сделать вид, что этим я и удовлетворилась. Я пока уйду в тину, а ты попробуй Яну прокачать.

— Лады. Позвоню, если что узнаю.

Едва Настя успела вернуться в уютную гостиную и положить трубку на аппарат, как телефон приглушенно затрещал. Она вопросительно взглянула на Руслана, но тот отрицательно помотал головой:

— Наталья Александровна сама возьмет трубку в кабинете.

Настя уселась поудобнее в мягкое кресло и снова раскрыла блокнот.

— Руслан Андреевич, мне придется задать вам и другие вопросы, на которые, вполне возможно, вам будет неприятно отвечать, а мне неприятно будет их задавать. Но это входит в круг моих обязанностей. Работа у меня такая, понимаете?

— Пока нет, — с явной прохладцей отозвался Нильский.

— Вы же много писали о проблемах милиции и прокуратуры и наверняка понимаете, что у каждого милиционера есть начальник, и даже не один. А оперативник — тот же милиционер. У меня тоже есть начальники, и у них есть свои версии, объясняющие убийство Тимура и похищение вашей жены. Я с этими версиями могу быть согласна или не согласна, но меня никто не спрашивает, мне просто дают задание их отработать. И я обязана задать соответствующие вопросы и потом доложить начальству о результатах. Даже если мне этого совсем не хочется.

На губах Нильского мелькнула слабая улыбка и тут же погасла.

— А вам не хочется?

— Совершенно. То есть до такой степени не хочется, что даже язык не поворачивается задавать эти вопросы, сидя в квартире Натальи Александровны и злоупотребляя ее гостеприимством. Но придется. Итак, Руслан Андреевич, вопрос первый: когда вы познакомились с Андреем Константиновичем?

— Я? Сейчас скажу точно... Это был девяносто первый год, кажется... Да, совершенно верно, декабрь девяносто первого года. Я как раз был в Москве, когда подписали Беловежское соглашение. У меня был отпуск, но из редакции позвонили и сказали, что отпуск отменяется и что коль я все равно в столице, то этим надо активно воспользоваться, брать интервью у видных политиков и известных людей, делать живые зарисовки и все такое.

— Значит, десять лет назад, — уточнила Настя, делая пометку в блокноте. — И что же, господин Ганелин попал в список известных людей, которых вы интервьюировали? В качестве кого? Как крупный коммерсант или как будущая звезда политики? Или вы с ним познакомились как с мужем Вороновой, поскольку брали интервью у нее?

— Ни то ни другое. Я хотел использовать свой отпуск, чтобы подготовить большой материал о Вороновой. Собственно, поэтому я и приехал тогда в Москву. Из опубликованных интервью Натальи Александровны я узнал, что ее фильм «Законы стаи» был снят на деньги какого-то спонсора. И мне, вполне естественно, стало любопытно, что же это за спонсор такой, почему он ни с того ни с сего давал деньги ей на картину. У меня даже было предположение, что там имел место «черный откат», то есть деньги списывались как благотворительность, на мизерную их часть действительно снимался фильм, а остальное делили между собой спонсор и Воронова.

— Да, я знаю, такая практика существует. И что оказалось?

— Оказалось, что Андрей Константинович давно и безнадежно любит Наталью Александровну. Они тогда еще не были женаты, то есть Ганелин был холост, а Наталья Александровна счастливо жила со своим первым мужем.

— Романтическая история, — заметила Настя. — Значит, вы знакомы с Ганелиным уже десять лет.

— Нет, не так.

Она удивленно посмотрела на Руслана. Что значит не так? Она же не глухая. И не полная идиотка.

— А как?

— Я познакомился с Андреем Константиновичем десять лет назад, мы разговаривали минут тридцать-сорок, и я ушел. И не видел его десять лет, до тех пор, пока мы не встретились во второй раз.

— И когда это случилось?

— Два месяца назад, в апреле, когда я привез Вороновой рукопись моего романа.

— Вы точно уверены, что с декабря девяносто первого года по апрель две тысячи первого вы нигде и никогда больше не пересекались с Ганелиным?

— Абсолютно уверен.

— Может быть, не в Москве? Где-нибудь в другом месте, во время командировки или отдыха? Какая-нибудь случайная встреча, узнали друг друга, остановились, перебросились парой слов и разошлись. И тут же забыли об этом. Ганелин с Вороновой, вы с Яной, пять минут ни к чему не обязывающего трепа, который тут же вылетает из памяти, как только вы отходите от собеседника на три шага. Нет? Не было такого?

Нильский смотрел на Настю непонимающе, даже забыл, кажется, о своей апатии.

— Простите, а в рамках проверки какой версии вы об этом спрашиваете? Что-то я не соображу никак, какое отношение это все имеет...

— Я вам потом скажу, — пообещала Настя, — а вы сначала припомните, не случилось ли вам хотя бы мельком пересечься с Ганелиным за эти десять лет.

— Нет.

— Это точно?

— Совершенно точно, — твердо произнес Руслан.

Ну ладно, подумала Настя, слова мужа — далеко не истина в последней инстанции. Посмотрим, что скажет Сережа Зарубин, когда понаблюдает за сладкой парочкой в свободной обстановке. Пойдем дальше, вопросов еще много.

— Хорошо, стало быть, ваша вторая встреча с Андреем Константиновичем состоялась в апреле этого года. При каких обстоятельствах?

— Я приехал в Москву и принес Наталье Александровне рукопись. Она уже была замужем за Ганелиным.

— Где вы остановились? У Вороновой?

— В гостинице. Потом переехал в квартиру Алеши, она все равно стоит пустая, парень не стремится жить один.

— Когда приехала ваша жена, вы еще жили в гостинице?

— Нет, уже на квартире. Послушайте, Анастасия Павловна, я не понимаю...

— Я же вам обещала, что все объясню. Но потом, попозже.

И снова вопросы, мелкие, подробные, штрих за штрихом прорисовывающие картину. Когда впервые привел Яну в дом Вороновой? Как познакомил ее с Ганелиным? Кто при этом присутствовал? Кто что сказал? Как часто Яна приходила в эту квартиру? Что при этом делала? Был ли в это время дома муж Вороновой? Звонила ли Яна сюда? С кем разговаривала? О чем? Подолгу ли? Что говорила Руслану об Андрее Константиновиче, как отзывалась о нем? Не бывало ли так, что Руслан здесь работает с Вороновой, Яна дома, а Андрея Константиновича нет?

— Конечно, так бывало очень часто. Я никогда не брал Яну с собой, когда ехал сюда работать, мне казалось, что это неудобно. Я же не в гости шел, а по делу. Развлекать здесь Янку некому, и она точно так же скучала бы, пока мы с Натальей Александровной работали. А Андрей Константинович частенько приходит довольно поздно, он человек занятой, у него много дел. И потом, у его фирмы завод по производству лекарственных препаратов, где-то в Подмосковье, но довольно далеко. Он регулярно туда ездит и возвращается вообще за полночь.

Замечательно! Пока писатель и режиссер корпят над переделкой романа в сценарий, оставленные без внимания жена писателя и муж режиссера резвятся на травке. Тем более что телефона в квартире, где временно живут Руслан и Яна, нет, и наш писатель, пребывая в доме у Вороновой в центре Москвы, возле станции метро «Смоленская», ну просто никак не может проверить, где в это время находится его молодая, хорошенькая и отчаянно скучающая женушка. Версия, построенная вокруг фигуры Ганелина, Насте не нравилась, но и закрывать глаза на факты она не была приучена.

— Скажите, Руслан Андреевич, не случалось ли так, что вы возвращаетесь домой от Вороновой, а вашей жены нет?

— Да, было несколько раз. Ну и что в этом такого? Сейчас лето, в одиннадцать вечера еще светло, что ж ей одной в четырех стенах сидеть? Яна ходила в магазин, у нас там неподалеку есть круглосуточный, покупала продукты, мороженое, что-нибудь вкусненькое. Да просто гуляла, воздухом дышала. Кроме того, она каждый день ездила к метро, чтобы позвонить домой, в Кемерово, узнать, как девочки. Возле метро есть автоматы с междугородним доступом, мы покупали телефонные карты и звонили.

Отлично. Почему бы не провести время в компании с Ганелиным, а по дороге домой купить продукты и изобразить жену, преданно ждущую мужа с горячим ужином? В Кемерово ведь можно и с ганелинского мобильника позвонить, лежа, например, в постели, а потом сказать, что ездила к метро, к автомату. Правда, это выглядело бы по меньшей мере странно: Руслан выходит из метро, садится в автобус и едет домой, а спустя двадцать минут является Яна и рассказывает, что была возле того самого метро. Почему же они там не столкнулись? Поздно вечером народу совсем мало, в толпе не затеряешься.

— А вы обычно от Вороновой на метро возвращались? — спросила Настя.

— Странный вопрос... Это имеет отношение к делу?

— Наверняка нет, — улыбнулась она, — но вы все-таки ответьте.

— На такси. В том районе, где Алешина квартира, по вечерам очень плохо ходят автобусы, можно минут сорок прождать. Такси там тоже не поймаешь, а на попутках я не езжу, сами знаете, это опасно. Наталья Александровна заказывала для меня машину по телефону.

Все понятно. Поэтому вопросов типа «как же мы с тобой разминулись у метро» вполне могло и не быть. Странно только, почему сама Яна ездила звонить так поздно и не боялась, что придется долго ждать автобуса. Впрочем, ничего странного в этом нет, если предположить, что она туда вообще не ездила, а проводила время с мужем Вороновой. Странно, что Руслану это в голову не пришло.

В гостиной появилась Воронова, короткие, наполовину седые волосы взлохмачены, глаза сверкают, хотя даже за стеклами очков заметны красные прожилки на белках — результат работы за компьютером.

— У вас все в порядке? Может быть, чаю, кофе? Бутерброды?

Настя попросила некрепкого кофе, с любопытством дожидаясь, расскажет Воронова о том, что ей звонил Зарубин, или нет.

— Кстати, Анастасия Павловна, мне тут позвонил ваш коллега, некто Зарубин. Есть у вас такой сотрудник?

— Есть. А что он хотел?

— Спрашивал Андрея Константиновича. Не знаете, зачем муж ему понадобился?

— Понятия не имею, — нахально солгала Настя. — А вы бы у него спросили.

— Мне неловко было. Я подумала, может быть, вы знаете. Все-таки вы вместе работаете...

— Это ничего не значит. У любого из нас в любой момент может возникнуть любой вопрос, и мы ищем возможность сразу же его задать, ничего ни с кем не согласовывая. Вас это не должно удивлять.

— Ну хорошо, — Воронова расставила на столике чашки с кофе, принесла тарелку с бутербродами. — Больше вас не отвлекаю.

Краем глаза Настя увидела через открытую дверь, как Наталья Александровна понесла в комнату сына огромную кружку, над которой поднимался пар, и еще одну тарелку, только не с бутербродами, а с абрикосами и черешней. Бедный парень, ему, наверное, до смерти хочется свежего мягкого хлеба с колбасой, а приходится питаться фруктами.

И снова вопросы, теперь уже о Вороновой и Ганелине. Как со стороны выглядят их отношения? Как Наталья Александровна относится к своему мужу? А как он к ней? Как ведут себя? О чем разговаривают? Какие проблемы обсуждают? Часто ли в доме бывают гости? Если да, что чьи это знакомые, их общие? Если нет, то чьи? И кто именно? Нильский отвечал неохотно, и по всему было видно, что от этих вопросов ему не по себе.

— Руслан Андреевич, я вас прекрасно понимаю, — вздохнула Настя. — Наталья Александровна находится в соседней комнате, и получается, что я вынуждаю вас обсуждать ее семейную жизнь за ее спиной. Это некрасиво, и вы чувствуете себя неловко. Но я хочу, чтобы вы понимали одну вещь. Эта мысль очень простая, но в нашей работе она является одной из принципиальных. Иногда вещи совсем не таковы, какими кажутся со стороны. А иногда со стороны они выглядят совсем не так, как их видят люди, включенные в ситуацию. Я могла бы спросить у Вороновой, не изменяет ли ей муж. Догадываетесь, что она ответила бы мне?

— Еще бы, — усмехнулся Руслан. — Она скажет вам, что Андрей Константинович ей безусловно верен. То же самое скажу вам и я.

— И при этом огромное количество людей, наблюдающих ситуацию со стороны, могут мне ответить, что это, скорее всего, не так. Потому что они видят и замечают то, чего не замечает и не видит жена.

— Теоретически это верно, но к данной ситуации совершенно неприменимо. Ганелин — идеальный муж, вам это любой скажет. Так что все ваши расспросы — пустая трата времени.

— Ну что вы, Руслан Андреевич, — рассмеялась Настя, — я вовсе не имела в виду уличать господина Ганелина в супружеской неверности, я просто привела пример. На самом деле меня интересует, какова реальная степень осведомленности Натальи Александровны о делах ее мужа, и наоборот, какова степень информированности ее мужа о ее собственных проблемах. Другими словами, я хочу понять, насколько два этих человека близки и дружны, могут ли они что-то скрывать друг от друга, могут ли недоговаривать или лгать. Я хочу понять, доверяют ли они друг другу.

Руслан слушал ее, слегка покачивая головой, но Настя так и не смогла определить, было ли это знаком согласия или все-таки сомнения.

Что ж, все вопросы заданы, только вот ответы далеко не все получены. Нильский отказывается говорить об угрозах в свой адрес и пользуется для этого весьма сомнительным предлогом. Но дожимать его сейчас бессмысленно, нельзя вынуждать человека слишком быстро сдавать собственные позиции, это подрывает его уважение к самому себе и заставляет тихо ненавидеть того, под чьим нажимом пришлось это сделать. Выкрутить руки Нильскому Настя всегда успеет, сперва нужно подождать и посмотреть, какую информацию нароет Зарубин. Но подготовить плацдарм для атаки следует уже сейчас.

— Что ж, Руслан Андреевич, у меня пока вопросы закончились. Но, как я уже предупреждала, они могут снова возникнуть в любой момент, так что не обессудьте, если придется снова вас побеспокоить. — Настя спрятала блокнот в сумку и поднялась с кресла: — Вы сегодня собираетесь куда-нибудь уходить?

— Нет, мы с Натальей Александровной будем работать.

— Прекрасно. Значит, в случае чего я смогу найти вас здесь?

— Конечно.

Энтузиазма в его голосе Настя не услышала.

Глава 11

Второй день над Москвой сияло солнце, и Сергей Зарубин по-мальчишески радовался предоставившейся возможности провести некоторое время на свежем воздухе, особенно в преддверии командировки в Кемерово, где уже будет не до прогулок, да и с погодой неизвестно повезет ли. Воронова дала ему номер мобильного телефона Андрея Константиновича Ганелина, и уже через десять минут Сергей ехал на встречу с ним и с Яной Нильской.

— Мы сейчас в Коломенском, — сказал Ганелин по телефону, — но как раз собираемся поехать куда-нибудь пообедать. Давайте встретимся... ну, например, у «Ходжи Насреддина». Знаете, где это?

— На Покровке?

— Совершенно верно. Пообедаем и заодно поговорим.

Предложение звучало соблазнительно, ресторан «Ходжа Насреддин в Хиве» обладал для молодого оперативника невероятной привлекательностью, присущей любой несбыточной мечте. Сергей много раз проходил мимо широких окон, за которыми таинственно мерцали в полумраке бирюзовые салфетки на синих скатертях и плавно двигались стройные девушки в национальных узбекских костюмах. Он с детства любил восточную кухню, к которой его приучила прабабка по материнской линии, родившаяся и до пятидесяти лет прожившая в Азии. Но цены в «Ходже» были ему явно не по карману. Не позволять же Ганелину платить за него...

— Да нет уж, Андрей Константинович, давайте не будем смешивать работу с удовольствием. Если вы не очень голодны, я попросил бы вас все-таки сначала встретиться со мной, а потом уж вы с Яной пойдете обедать.

— Не смущайтесь, капитан, если вас останавливают цены, то вы мой гость. Я вас приглашаю.

— Спасибо, не стоит, я только что пообедал, — соврал Зарубин, мгновенно ощущая обострение голода. — Я буду ждать вас возле ресторана, посидим на лавочке на Чистых прудах, хорошо?

Выйдя из метро на станции «Чистые пруды», Сергей заскочил в «Макдоналдс», взял двойную порцию картофеля по-деревенски и три пирожка с лесными ягодами и не спеша двинулся по бульвару в сторону Покровки. До назначенного времени оставалось пятнадцать минут, вполне достаточно, чтобы пообедать на ходу и явиться к месту встречи без опоздания. «Пора жениться, — думал он в такт шагам, — а то вечно голодным хожу. Женатым мужикам по утрам дают плотный завтрак, а я, несчастный и одинокий, выпиваю утром пустой чай с куском сыра, а уже к одиннадцати утра начинаю умирать от голода и теряю способность нормально работать, только о еде и думаю. Чего я тяну? Гуля — чудесная девчонка, надо срочно на ней жениться и жить как все люди. Опять же она наполовину таджичка, все мои любимые блюда наверняка умеет готовить». С Гюльнарой Сергей познакомился два года назад, увидел на одном из московских бульваров красивую девушку и тут же кинулся в атаку. С тех пор, стоило ему оказаться на любом бульваре или просто в месте, где много деревьев и скамеек, он автоматически начинал думать о Гуле.

Своей главной проблемой Зарубин считал невысокий рост. Не то чтобы он комплексовал по этому поводу, вовсе нет, но отчего-то так выходило, что девушек, которые подходили бы ему по росту, он встречал крайне редко, а если и встречал, то они, как правило, были связаны крепкими отношениями с высоченными, баскетбольных параметров, парнями. Зарубин злился на несправедливость такого распределения симпатий и полагал, что мужчинам, имеющим рост выше ста восьмидесяти сантиметров, нужно искать себе подруг среди рослых девиц и не покушаться на контингент миниатюрных статуэточек. Гуля же, помимо совсем крошечного росточка и несомненной внешней привлекательности, обладала еще и острым умом, стремлением к независимости и вполне покладистым характером, то есть не требовала от Сергея, чтобы он уделял ей все свободное время и просиживал целыми днями возле ее юбки. «Все, решено, сегодня же сделаю Гуле предложение, — думал он, методично забрасывая в рот дольки отварного обжаренного картофеля, — вот вернется она вечером с дачи, приду к ней и скажу... Ах, черт, я же улетаю в Кемерово. Совсем забыл. Ладно, как только вернусь — в тот же день поговорю с ней. Нет, не буду тянуть, позвоню завтра и сделаю предложение по телефону. Если она согласна — пусть пока начинает готовиться. Платье там, туфли всякие, то-сё...»

Предаваясь приятным мечтам и не менее приятному процессу поглощения пищи, Сергей не заметил, как невольно замедлил шаг, и спохватился только тогда, когда увидел припаркованный белый «Мерседес» Ганелина, до которого оставалось идти не меньше двухсот метров. Поспешно запихнув в рот остатки последнего из трех пирожков, он прибавил шаг и почти перешел на бег. Высокий полный Ганелин и маленькая стройная Яна ждали его возле машины. Они о чем-то разговаривали, и Сергей пытался издалека заметить те случайные, почти неконтролируемые признаки, невольно выдающие близость отношений. Андрея Константиновича он видел впервые и, приближаясь к нему, мысленно сопоставлял его внешность с тем описанием, которое дали ему люди, узнавшие Яну по фотографии и рассказывавшие о том, что она была с мужчиной. Да, несомненно, это он. Во всяком случае, очень похож.

— Извините, я немного опоздал, — произнес он покаянно, пытаясь при этом незаметно смахнуть крошки слоеного теста с голубой, в клеточку, рубашки.

— Все в порядке, — весело откликнулся Ганелин, — мы приехали значительно раньше, чем рассчитывали, сегодня дороги совсем пустые, дожди закончились, и все сидят на дачах. Так вы окончательно отказываетесь обедать с нами? Может, передумаете, Сергей Кузьмич?

Сергей метнул взгляд сначала в сторону окон, манивших своей сине-бирюзовой глубиной, потом в сторону швейцара, предупредительно взявшегося за ручку входной двери и изогнувшегося в готовности впустить дорогих гостей. Те, кому посчастливилось побывать в «Ходже», не жалея эпитетов, хвалили здешнюю кухню, а Зарубину после смерти прабабушки редко когда удавалось съесть приличный плов, бабушка, конечно, готовила его, но это было не то, не то... Прабабушка Мадина прожила долгую жизнь и умерла, когда Сереже было пятнадцать, а ей самой — девяносто два года. Свой последний плов она приготовила за два дня до смерти, и с того времени Зарубину не довелось есть ничего даже отдаленно похожего на это восхитительное блюдо. Знатоки же и ценители уверяли, что в «Ходже» плов именно такой, каким должен быть. Человек слаб и подвержен соблазну...

— Большое спасибо, — он мучительно выигрывал борьбу

с самим собой, — но мы с вами, кажется, условились: сначала беседа, потом я ухожу, а вы обедаете.

Они перешли на противоположную сторону, свернули к бульвару и уселись на первой же скамейке.

— Скажите, Яна, — начал Зарубин, — у Руслана не было неприятностей из-за тех статей, которые он публиковал?

— Регулярно. — Яна улыбнулась, сверкнув зубами. Серые глаза блестели из-под темно-русой челки, и вся она буквально лучилась весельем и радостью, ничем не напоминая ту тихую, неразговорчивую, оглушенную случившимся молодую женщину, которую Сергей видел всего три дня назад, в четверг утром.

— А поконкретнее?

— И в суд грозились подать, и избить, и убить. Этого добра мы накушались выше крыши. Вы у Руслана спросите, он вам все расскажет.

— Спрошу, — пообещал Сергей. — Сейчас мне важно услышать ваше мнение и ваши оценки. Знаете, со стороны бывает виднее. Я хочу понять, насколько серьезны были эти угрозы. Ваш муж — мужчина, а настоящий мужчина всегда преуменьшает опасность, мол, ничего особенного, пустяки, ерунда, не стоит даже внимания обращать. А вы, Яна, — женщина, вы должны особенно остро чувствовать опасность, тем более что вы мать. Поэтому для меня важнее сначала поговорить с вами. Вы можете сказать мне, кто конкретно угрожал Руслану? Меня больше интересуют последние месяцы его работы в газете. Истории трехлетней давности можно пока опустить.

— Ну, во-первых, Богомолец. Это у нас такой криминальный авторитет есть. Не слыхали?

— Знаю такого, — кивнул он.

О Богомольце он слышал, его группировка гремела на всю Кемеровскую область, а в последнее время люди Богомольца зачастили в Москву. Правда, ни на чем не попались, нигде не засветились, но оперативной информации об их похождениях было немало.

— Ну вот, сначала Русик написал о Богомольце, но тому-то по фигу, подумаешь, все и так знают, что он криминальный авторитет. А потом Русик написал об одном аферисте, который стал депутатом Госдумы и перебрался в Москву. Этот дядька — дружок Богомольца. Русик и об этом тоже написал. Вот тогда начались угрозы.

— В чем был смысл угроз? Что они хотели?

— Чтобы Русик больше не смел поднимать эту тему.

— Ну и как ваш муж отреагировал? Перестал писать о... Кстати, как фамилия этого деятеля из Госдумы?

— Фетисов. Евгений Фетисов. Да, конечно, Русик перестал писать, но не потому, что ему угрожали, а потому, что он как раз в это время решил вообще уйти из журналистики. Вы не думайте, что он испугался, просто он понял, что должен заниматься другим... Впрочем, это неважно. Он давно хотел написать большой роман, вот и решил, что время пришло.

— А почему вы так уверены, что ваш муж не испугался? — Зарубин настойчиво возвращался к тому, что его интересовало. — Может быть, его отказ от журналистики связан именно с этим? Это его никоим образом не порочит, он несет ответственность за вас, Яна, и за ваших детей, и, как человек разумный, он должен был постараться обеспечить вашу безопасность. Нет ничего постыдного в том, чтобы поступиться любимой профессией в интересах безопасности жены и детей.

— Да нет же! Ну что вы мне рассказываете! — Яна начала сердиться, голосок ее зазвенел медными колокольчиками. — Русик вообще не из тех, кого можно угрозами заставить что-то делать. Он всю жизнь делал только то, что хотел. Я имею в виду, что считал правильным и нужным. Пока хотел быть журналистом — писал статьи, захотел написать роман — написал. Он никому ничего не должен. А вы что, думаете, это Фетисов?.. Ну, в смысле, письмо это и крысы?..

Она поежилась, словно наяву увидела перед собой коробку с окровавленными тельцами несчастных животных.

— Я пока не думаю, но вполне допускаю. Давайте уточним даты. Когда Руслан написал материал о Фетисове?

— Где-то... где-то года полтора назад.

— И когда начались угрозы?

— Почти сразу же. Сначала Русика избили, но не сильно,

он даже в больницу не обращался, я его домашними средствами лечила. А потом, на следующий день, начались звонки по телефону.

— Я все-таки не понял, в чем был смысл звонков. Ведь материал уже был опубликован, так?

— Понимаете, Сережа, в том материале Русик сделал так называемую заявку. Дескать, осталось еще много неясного с этим вопросом, и с этим, и с тем, но мы продолжим журналистское расследование, и в скором времени вы, дорогие читатели, узнаете, как там все было на самом деле. То есть из материала было понятно, что Русик собирается и дальше копать под Фетисова и писать об этом.

— Угу, угу, — промычал Зарубин. — И что же было дальше? Руслан продолжил собирать материал о Фетисове?

— А как же. Я же вам говорю, Русик ничего и никого не боится.

— Значит, он собирал материал, а они...

— А они звонили, — закончила за него Яна. — Потом машину нашу поуродовали, все стекла побили, колеса сняли, в салоне обивку ножом порезали. А потом опять звонили.

— Вам было страшно? — участливо спросил Сергей.

— Мне — да, очень. Я так просила Русика остановиться, бросить это дело, ведь у нас дети... А он говорил, что я не должна беспокоиться, потому что ничего они нам не сделают. Вся редакция знает о том, что Фетисов и Богомолец ему угрожают, и если с ним что-нибудь случится, никто и сомневаться не будет, что это их рук дело. Богомолец тоже не дурак, он это прекрасно понимает, поэтому дальше угроз не пойдет. Все хотят жить хорошо, а в тюрьму садиться никто не хочет.

Н-да, аргументация — хоть стой, хоть падай. Конечно, когда имеешь дело с людьми, обладающими необходимым минимумом серого вещества, то такой расчет вполне оправдан. Если хочешь убить — убивай сразу, не засвечивай свое негативное отношение к человеку, тогда никому не придет в голову тебя подозревать и тем более обвинять. А если уж начал угрожать, то надо быть полным дуболомом, чтобы после этого идти на убийство, ты же первым попадаешь в список подозреваемых. Но так бывает только в классических детективах, когда умный сыщик имеет дело с не менее умным преступником. В реальной жизни умные преступники встречаются куда реже, чем в книжках, зато отмороженных на всю голову — пруд пруди. Такие отморозки вообще ходы считать не умеют, даже на полчаса вперед заглянуть не могут, в их хилых мозгах генетически отсутствует способность к осознанию понятия «будущее», они живут только минутой и секундой, и, уж конечно, подобные экземпляры легко могут «засветить» свой конфликт с кем-то, а потом на глазах у всего честного народа убить противника, рассчитывая, вероятно, либо на бога из машины, который явится и уничтожит всех свидетелей, либо на леность, трусость и продажность милиции, что, безусловно, имеет место, но далеко не всегда. Неужели такой опытный журналист, как Нильский, мог этого не понимать? Да нет, наверняка он все прекрасно понимал, просто хотел жену успокоить, а она, дурочка, и поверила.

— Как долго продолжались угрозы?

— Два или три месяца. Нет, вру, дольше... Пока Русик не уволился из газеты. Примерно полгода.

— И что потом?

— А потом — как отрезало. Он перестал интересоваться Фетисовым, и все кончилось.

Кончилось, как же... Похоже, все только начинается.

— Яна, вы читали роман вашего мужа? — спросил Зарубин.

— Ну конечно. А что?

— Там есть какая-нибудь история, похожая на дело Фетисова? Может быть, Руслан, отказавшись от журналистики, решил все-таки донести до читателей правду об этом человеке? Пусть даже он дал ему другую фамилию, но тот, кому надо, все равно догадается, о ком идет речь.

— Вы думаете... — растерянно пробормотала Яна. — Нет, кажется, в романе ничего такого нет.

— Ну как же нет, Яночка, — внезапно вступил в разговор Ганелин. — Я не читал статьи Руслана, но даже по тому, что вы тут обсуждаете, могу судить. В романе есть именно эта история, есть персонажи, в точности напоминающие и Богомольца, и Фетисова, и даже есть журналист, которого они запугивают.

Ну надо же, оказывается, Андрей Константинович внимательно прислушивался к разговору, а ведь сидел с отсутствующим видом, смотрел в сторону и ни единым словом, ни единым жестом не напоминал о себе.

— Что вы, Андрей Константинович, в романе все совсем не похоже, — возразила Яна, но уверенности в ее голосе не было.

— Сергей Кузьмич правильно сказал, кому надо — тот догадается. Внешность и даже характер персонажа могут быть какими угодно, но если технология его действий описана точно, то никто сомневаться не станет. Получается, Фетисов и Богомолец снова запугивают Руслана, чтобы он не публиковал роман в таком виде. Я правильно понял, Сергей Кузьмич?

На полном добродушном лице Ганелина была написана неподдельная тревога. Впрочем, как знать, может, он хороший актер.

— В принципе — да, но тут есть еще много неясностей, — уклончиво ответил Зарубин. — Как, например, они могли узнать о содержании романа, если он еще не опубликован?

— Да, действительно, я об этом не подумал.

«Зато я подумал, — злорадно произнес про себя Сергей. — Узнать о содержании романа можно от тех, кто его читал. Воронова, вы, Андрей Константинович, Руслан, Яна, руководство телеканала, поскольку Воронова показывала им рукопись, Ирина Савенич, поскольку она близкая подруга Вороновой. И наверняка еще человек пять-шесть найдется. Круг не бесконечный, в нем легко можно обнаружить человека, от которого информация могла уйти к Фетисову или Богомольцу. Надо только точно выяснить, кому показывали роман. Придется звонить Каменской, пусть задаст этот вопрос Нильскому и Вороновой».

— Хорошо, с этим пока все. У меня есть к вам еще вопрос. Яна, среди ваших знакомых есть кто-нибудь, кто неистово влюблен в творчество Марка Твена?

Яна ошарашенно смотрела на него. Ну еще бы, только что говорили про угрозы и криминальных авторитетов, и вдруг какой-то Марк Твен! Похоже, она даже не может сообразить, о чем Зарубин ее спрашивает и кто такой этот Марк.

— Марк Твен? — неуверенно повторила она. — Это который Том Сойер?

— И Гекльберри Финн в придачу, — добавил Сергей. — И «Принц и нищий», и «Янки из Коннектикута при дворе короля Артура». Я в детстве ими зачитывался. Но вы, судя по всему, не поклонница этого писателя, верно?

— Честно говоря, я вообще его не читала, — призналась Яна.

— Но хотя бы слышали?

— Да, конечно, слышала.

— От кого?

— Не помню уже, в школе говорили... Кино было про Тома Сойера, я помню.

— А позже, когда вы стали взрослой, никто из ваших знакомых не рассказывал о Марке Твене взахлеб? Я хочу сказать, с восторгом, с упоением, как рассказывают настоящие фанаты?

— Вроде нет... Какой странный вопрос. Почему вы спросили?

— Просто интересно, — Сергей снова ускользнул от прямого ответа. Собственно, скрывать особо нечего, но отчего-то его сильно напрягало присутствие Ганелина. Уж больно активно он включился в обсуждение, хотя никто его не спрашивал. И включился как раз в тот момент, когда появилась красивая возможность переключить внимание сыщиков на содержание романа Нильского и на Фетисова с Богомольцем.

Разговор шел не так, как хотелось Зарубину. Разумеется, для получения информации беседа на бульварной скамеечке вполне годится, но для наблюдения за людьми совсем не подходит. От обеда он отказался, а ведь это было бы прекрасной возможностью посмотреть, как общаются Ганелин и Яна, как смотрят друг на друга... Когда люди общаются, они должны видеть друг друга, а не сидеть на лавочке в рядок, как в очереди в кабинет врача. Но ничего не поделаешь, он с самого начала допустил ошибку, договорившись о встрече на Покровке, нужно было предложить встретиться у памятника Грибоедову, рядом с метро, там есть летнее кафе «Русское бистро», где можно с приятностью посидеть на свежем воздухе за столиком, перекусить за вполне человеческие деньги и поговорить. Теперь уж поздно рвать на себе волосы, люди, которые собираются обедать в «Ходже Насреддине», не захотят перебивать себе аппетит в недорогой закусочной, тем паче ресторан находится в три раза ближе отсюда, нежели бистро. «Лопух ты, Зарубин!» — в сердцах сказал себе оперативник.

— Андрей Константинович, у меня к вам тоже есть вопросы.

— Внимательно вас слушаю, — с готовностью откликнулся Ганелин.

— У вас есть недоброжелатели среди ваших коллег по бизнесу?

— Естественно, — улыбнулся Андрей Константинович, — я же не ангел. По-моему, недоброжелатели есть у любого человека, это нормально.

— Я имею в виду конкретно тех людей, которые недовольны вашим спонсорским участием в работе вашей жены. Вам не приходило в голову, что кто-то из них мог попытаться сорвать съемки? Просто из вредности, от злости, чтобы вам насолить. Подумайте, Андрей Константинович.

Ганелин снял очки с толстыми линзами, неторопливо протер стекла специальной салфеточкой, которую извлек из нагрудного кармана легкой светлой рубашки.

— Озадачили вы меня, Сергей Кузьмич. Мне, честно признаться, такое и в голову не приходило. А что, у вас есть основания так думать?

— Очень слабые. Но я должен все проверить. Пока есть только совсем хиленькая информация, которая, вполне возможно, и не подтвердится. Мне нужно съездить на ваш завод, поговорить с людьми.

— Конечно, ради бога, я сам вас отвезу. Давайте завтра прямо с утра? — тут же предложил Ганелин.

«Завтра я уже буду в Кемерове, — мысленно ответил Зарубин, — а на завод поедут совсем другие люди. Но вам, господин Ганелин, знать об этом совсем не обязательно».

— Да нет уж, вместе нам ехать не стоит, — усмехнулся Сергей. — Я один поеду, потусуюсь среди персонала, вопросики всякие позадаю, глядишь — и услышу что-нибудь интересное. Очень у вас там любопытная фигура в лице директора, надо мне к нему присмотреться. Только вы, уж будьте любезны, придумайте мне легенду и объясните, как доехать.

— Ах вот вы о ком, — протянул Ганелин. — Понимаю. Я не разделяю ваших подозрений, но вы имеете на них право. Директор завода и в самом деле фигура неоднозначная. Мне неоднократно намекали, что он связан с какими-то криминальными структурами, но я полагал, что до тех пор, пока это не наносит ущерба моему бизнесу, меня это не должно касаться.

— Но ведь он входит в число акционеров, — заметил Зарубин.

— Да-да, конечно... Сейчас я принесу карту Подмосковья, она у меня в машине, и покажу вам, как проехать.

Ганелин начал подниматься со скамейки, но Яна его опередила, стремительно вскочив на ноги.

— Сидите, Андрей Константинович, я принесу. Где карта лежит?

— В бардачке.

Он полез в карман за ключами и протянул их Яне.

— Нажмешь вот на эту кнопочку, чтобы выключить сигнализацию, — он показал Яне брелок, — потом снова включишь, поняла?

— Поняла.

Яна умчалась, легко перебирая ножками в изящных туфельках.

— Славная девочка, — ласково произнес Ганелин, глядя ей вслед.

— Славная, — охотно подхватил Сергей. — Я вижу, она уже совсем оправилась от потрясения. На нее в четверг смотреть было страшно, разговаривать не хотела, все время в комочек сжималась. А теперь ее будто подменили. Как вам это удалось?

— А разве вам не объясняли, что все душевные травмы лечатся только одним лекарством — любовью и лаской? — насмешливо спросил Ганелин.

— Вот, значит, как? Любовью и лаской?

— Ну что вы на меня так смотрите? Я же в переносном смысле говорю, а не в прямом, — добродушно рассмеялся Андрей Константинович. — Девочку нужно было отвлечь, и у меня это получилось. Она же совсем молоденькая, много ли ей надо? Дорогие магазины, дорогие рестораны, ночные клубы, красивые парки, музеи-усадьбы, словом, весь набор столичных удовольствий — и вот вам результат. Если бы, например, моя Наталья впала в такую депрессию, я бы так легко с ней не справился, мою жену ресторанами и магазинами не проймешь. А с Яночкой — нетрудный случай.

— Но вы же не можете проводить с ней целые дни, — осторожно заметил Зарубин. — А съемки закончатся еще не скоро. Как только вы перестанете с ней нянчиться, она снова заскучает, скиснет и вспомнит о своих страхах. И что тогда?

— Я буду с ней нянчиться столько, сколько понадобится, — голос Ганелина неожиданно стал жестким и сухим. — Даже если это будет в ущерб работе. Для меня гораздо важнее, чтобы Наталья спокойно снимала картину, и если для этого нужно, чтобы я три месяца вырвал из жизни и бросил под ноги Яне, я сделаю это, не задумываясь. Я пойду на все, только бы она не дергала Руслана, не заставляла его уехать и не мешала работать ни ему, ни Наталье.

— Не сочтите меня циничным, но в этой ситуации лучшим лекарством был бы какой-нибудь страстный роман. Согласитесь, Андрей Константинович, если бы Яна влюбилась в кого-нибудь здесь, в Москве, она оставила бы Руслана в покое и не стремилась бы уехать. Как вам кажется?

Ганелин взглянул на него с любопытством, однако Сергей уловил в его глазах легкую тень брезгливости.

— Молодой человек, я понимаю вашу мысль. Однако когда я сказал, что пойду на все, я не имел в виду...

Сергей не дослушал, потому что из-за поворота появилась Яна, мчавшаяся к ним с невероятной скоростью. И никакого атласа автомобильных дорог у нее в руках не было.

— Что-то случилось, — Сергей быстро устремился ей навстречу. — Кажется, вашу машину угнали.

Подбежавшая Яна выглядела насмерть перепуганной.

— Там... там...

Она с трудом переводила дыхание и от этого не могла связно говорить.

— Что там? — напористо спросил Зарубин. — Машину угнали?

— Нет... машина... на месте... там пистолет...

— Где? Какой пистолет?

— Я не знаю, я не разбираюсь... В бардачке лежит... Я его увидела... мне так страшно стало...

Господи, да она совсем еще ребенок! Пистолет увидела и испугалась. Детский сад, право слово.

— Андрей Константинович, — Сергей подошел к скамейке, крепко держа дрожащую Яну за руку, — у вас есть оружие?

— Какое оружие?

— Ну какое-нибудь. Холодное или огнестрельное. Например, пистолет или револьвер. Любое.

— Нет, зачем оно мне? У меня и разрешения нет.

— А вот Яна уверяет, что у вас в машине находится пистолет.

— Бред! Этого не может быть. Откуда ему там взяться?

— Я сама видела, Андрей Константинович! Я в бардачок полезла за картой, а он там лежит...

— Яна, вам не показалось? — терпеливо спросил Зарубин. — Может быть, это просто какой-то металлический предмет. Мы только что разговаривали о преступлениях, об убийствах, вот вам и померещилось.

— Да не померещилось мне! — истерически закричала она. — Я его вытащила, в руках держала!

Ганелин резко встал и решительно направился в сторону Покровки.

— Пойдемте посмотрим. Чертовщина какая-то.

Сергей, по-прежнему держа Яну за руку, послушно двинулся следом.

— Дай мне ключи, — резко сказал Андрей Константинович, когда все трое оказались возле машины.

Яна покорно разжала потную, судорожно сжатую ладошку и протянула ему ключи от машины. Ганелин распахнул переднюю дверь со стороны пассажирского места.

— Сами посмотрите? — зло спросил он у Сергея. — Или мне доверите?

— Если не возражаете, я посмотрю.

Сергей осторожно открыл бардачок и заглянул внутрь. Обычный джентльменский набор автомобилиста: атласы, аудиокассеты, перчатки-«драйверы», складной зонтик, футляр для очков, два блока жевательной резинки, панель от автомагнитолы, которую обычно снимают и прячут, когда надолго выходят из машины. И пистолет.

* * *

Настя Каменская решила не уходить слишком далеко от дома Вороновой. Лучше дождаться, когда отзвонится Сережа Зарубин и расскажет, что удалось узнать нового и интересного, а потом решить, нужно ли возвращаться, чтобы еще раз побеседовать с Русланом. Выйдя на Садовое кольцо, Настя нацепила на нос очки и принялась оглядывать окрестные дома в поисках места, где можно не без удовольствия провести время. На противоположной стороне она увидела китайский ресторан и подумала, что можно было бы продолжить знакомство с теми вкусными блюдами, которыми угощал ее Коротков. «Кстати о Короткове, — мелькнула мысль. — Где он собирается сегодня ужинать? У меня или в другом месте? Если у меня, то надо подумать о продуктах. Рыба по-гречески, конечно, получилась на славу, но того, что осталось после завтрака, ему явно не хватит, а уж на двоих — тем более».

Она достала из сумки телефон и позвонила Юре. Коротков сидел на работе.

— Я думала, ты на свидании со своей красавицей-актрисой, — удивленно протянула Настя. — Ты же вроде собирался.

— Не сложилось. А ты сама где?

— Только что вышла от Вороновой.

— Есть что-нибудь?

— Пока ничего существенного. Но к вечеру, надеюсь, будет. Юр, у тебя на вечер какие планы?

— А что? Собираешься любовника в дом привести? — ехидно хихикнул Коротков.

— Ага, троих, чтобы мало не показалось. Балда ты. Я в смысле ужина спрашиваю. Если ты придешь, тогда я озабочусь покупкой продуктов.

— Не дергайся, подруга. Про вечер пока ясности нет, но если я поеду к тебе, то жратву сам привезу. У меня совесть проснулась. Как вспомню твой вчерашний трудовой подвиг, так краснею от стыда. Но я в любом случае тебе заранее позвоню.

Так, одной проблемой меньше. Настя спрятала телефон в сумку и продолжила обзор окрестностей. А это что такое? Кажется, ирландский бар, почему-то названный «пабом». Вот туда-то мы и пойдем. В баре должно быть не так помпезно и разнообразно в смысле кухни, как в ресторане, зато наверняка есть кофе по-венски, с огромной шапкой взбитых сливок.

Паб надежды оправдал. Настя старательно изучила меню, но поняла, что после двух сверхобильных завтраков даже думать не может о еде, и ограничилась только кофе и соком. Она старалась сосредоточиться и думать о деле, но мысли почему-то все время съезжали на посторонние предметы. В частности, на Короткова. Еще несколько дней — и он поселится в пустующей квартире своего приятеля. Она снова останется одна. Хорошо это или плохо? Настя любила одиночество и никогда не скучала, до замужества она много лет жила одна, да и после того, как вышла замуж, проводила в обществе мужа далеко не каждый вечер, поскольку работал он в Подмосковье. Жить одной для нее не в новинку. И когда на горизонте нарисовался Коротков со своей семейной проблемой и робким скрытым намеком на просьбу «пустить переночевать», Настя сама предложила ему свое гостеприимство, но при этом внутренне поежилась, заранее представляя, как будет ее раздражать необходимость коротать вечера, спать в одном помещении и завтракать с давно знакомым, по-товарищески любимым, но, в сущности, посторонним мужчиной. Да еще и кормить его, иными словами — готовить, что казалось ей совсем уж неприемлемым. Однако

Юрка прожил у нее целую неделю, и ничего катастрофического не произошло. Она не свихнулась от раздражения и не умерла от перенапряжения, стоя у плиты. Более того, Юркино присутствие рядом с ней дома выглядит и ощущается совершенно гармонично, просто как продолжение рабочего дня и служебной обстановки. Если бы Коротков жил у себя дома или где-то в другом месте, они оба сидели бы на Петровке до позднего вечера и обсуждали все то же самое, что обсуждают на уютной кухне. И когда Юра наконец съедет, ей будет жаль... Она отчетливо поняла это в тот вечер, когда Коротков не пришел ночевать, остался у Ирины Савенич. Да-да, как ни странно, ей будет не хватать его. И потом, его присутствие волей-неволей заставляет Настю быть хозяйкой, пусть не в полной мере, но хотя бы отчасти. Готовить еду, покупать продукты, мыть посуду, одним словом, делать все то, что всегда делают нормальные женщины и чего никогда не делала она, во всяком случае на протяжении целой недели. Периодически, раз в месяц — да, но чтобы каждый день... И что самое удивительное, это оказалось не обузой, не тягостной повинностью, а внесло приятное разнообразие в ее жизнь, чего Настя уж никак не ожидала.

Неторопливо потягивая через трубочку свежевыжатый апельсиновый сок и гоняя по извилинам неспешные бестревожные мысли, Настя лениво обводила глазами посетителей бара. Уже в который раз, скользя взглядом по столику возле окна, она натыкается на ответный внимательный взгляд седого мужчины с моложавым лицом. Чего он ее рассматривает? Может быть, они знакомы? Настя напрягла память, но так и не вспомнила, моложавое красивое лицо с четко очерченными бровями казалось ей чужим. «Нет, вряд ли мы где-то сталкивались, уж больно красив этот мужик, я бы его не забыла», — решила она.

Настойчивый взгляд тревожил ее все больше и больше, даже кофе казался не таким вкусным. Чтобы отвлечься, она достала блокнот, ручку и очки и попыталась заняться делом. Итак, что мы имеем? Первое и главное: у Яны Нильской была масса возможностей встречаться с кем-то тайком от мужа. Во-первых, ее поездки с водителем Теймуразом Инджия. Выявлено по меньшей мере два случая, когда она выходила из машины и проводила неизвестно где и как примерно по полтора-два часа. В одном случае она была где-то здесь, рядом с метро «Смоленская» и домом Вороновой (читай — домом Ганелина), во втором — на проспекте Мира, в ресторанчике, в обществе крупного полного мужчины примерно пятидесяти лет (опять же читай — Ганелина). Возможно, таких случаев было больше, но и этих двух вполне достаточно для составления общего впечатления. Во-вторых, Яна оставалась полностью бесконтрольной в те часы, когда ее муж Руслан уезжал к Вороновой, чтобы работать над сценарием. Более того, со слов Ирины Савенич, Руслана Нильского и самой Вороновой известно, что когда Руслан находился у Натальи Александровны, Яна постоянно туда звонила под самыми разными предлогами. Воронова считает, что это было вызвано ревностью: Яна безумно ревновала мужа к Ирине, это ни для кого не было тайной, над ревностью молодой женщины втихаря посмеивалась вся съемочная группа. Но ведь можно посмотреть на ситуацию и с другой стороны: Яна звонила, чтобы точно знать, где в данный момент находится ее муж, все еще у Вороновой или уже уехал домой. И такой взгляд вполне оправдан, если предположить, что у Яны в Москве завелся любовник. Ганелин? Или все-таки кто-то другой, кто специально познакомился с Яной и втянул в свои игры, чтобы облегчить убийство Тимура? А если рассмотреть третий вариант: этот «кто-то другой» и есть Ганелин? Почему бы нет? Другой вопрос, что Андрею Константиновичу на первый взгляд незачем убивать несчастного водителя, но это именно на первый взгляд. Если мы чего-то не знаем, это не означает, что этого нет...

Настя рисовала квадратики, вписывала в них имена, прочерчивала стрелки, обозначающие связи между объектами и событиями. Так ей легче думалось.

— Позвольте угостить вас чашечкой кофе.

Настя от неожиданности выронила ручку, даже не успев сообразить, что хорошо знает этот голос. Перед ней, слегка наклонившись, стоял начальник одного из главных управлений Министерства внутренних дел генерал Заточный.

— Иван Алексеевич, вы?!

— А что, не похож?

— Не ожидала увидеть вас в таком месте... Я почему-то думала, что генералы не ходят туда, куда ходят простые смертные. Наверное, неприлично спрашивать, что вы здесь делаете?

— То же, что и вы. Вот сейчас сяду за ваш столик, закажу кофе и сок и не буду ничем отличаться от простого смертного подполковника.

— Ой, я так рада вас видеть! — искренне улыбнулась Настя, поверив наконец, что это не сон и перед ней действительно Заточный, которого она привыкла видеть либо в генеральской форме в служебном кабинете, либо в спортивном костюме во время утренних прогулок в Измайловском парке. В отлично скроенном элегантном костюме да еще в интерьере ирландского паба он смотрелся совсем по-другому, непривычно, даже пугающе непривычно, но невероятно привлекательно.

Она ни секунды не сомневалась, что Иван Алексеевич пришел сюда с дамой. Никакими другими причинами Настя, зная характер и привычки генерала, не могла объяснить его появление в воскресенье, среди бела дня, в очень приличном, дорогом, но все-таки питейном заведении. Машинально она поискала глазами спутницу генерала, но снова наткнулась на красивое лицо моложавого седого мужчины. На этот раз мужчина улыбался. «Все, голубчик, — ехидно подумала она, — кончились твои бесцеремонные разглядывания. Ко мне кавалер пришел».

— Что же вы стоите, Иван Алексеевич? Садитесь, вон уже официант к нам идет.

— Простите, Настенька, я здесь не один...

«Ну конечно, так я и знала. И где же ваша красотка, товарищ генерал? Давайте ее сюда, познакомьте со мной. Умираю от любопытства посмотреть на женщину, которой удалось пробить броню вашей холостяцкой жизни».

— Если вас не смущает присутствие двух траченых молью стариков, то мы с удовольствием к вам присоединимся, — продолжал между тем Заточный, глядя на нее желтыми тигриными глазами, излучающими теплый солнечный свет.

«Значит, не с красоткой... Жаль. Интересно было бы взглянуть».

— Конечно, — приветливо ответила она, — зовите своего спутника.

Заточный повернулся к окну, сделал приглашающий жест рукой, и седой мужчина, сияя улыбкой, поднялся и подошел к ним.

— Настенька, позвольте вам представить моего старого друга, однокашника по школе милиции, генерал-майора милиции Василия Ивановича Турьялова. Вася, представляю тебе красу и гордость МУРа, мою любимую сыщицу подполковника Каменскую.

Настя вежливо привстала и протянула руку:

— Очень приятно.

Турьялов... Начальник УВД одной из приволжских областей. Фамилию она знала, а вот лично встречаться не приходилось. Или все-таки приходилось, именно поэтому он и разглядывал ее так пристально? Вот черт, неудобно как получается! А, ладно, была не была, за спрос дорого не возьмут.

— Василий Иванович, а почему вы меня все время разглядывали? — спросила она. — Я уж даже собралась начать смущаться.

— Да что вы? А я думал, смущаться придется мне.

Голос у Турьялова оказался неожиданно высоким, а говорок — быстрым, округлым и журчащим, как бегущий по камушкам ручеек, что совсем не соответствовало его кинематографически-мужественной внешности. Василий Иванович резво взял бразды правления в свои руки, сделал заказ терпеливо ждущему официанту, занял место рядом с Настей и бодро повел разговор.

— Вы только представьте себе мое положение. Несколько лет назад я был в Москве, у Ивана в управлении, пока ходил по коридорам и решал свои вопросы, несколько раз столкнулся с вами. Я на вас сразу обратил внимание и запомнил, вы мне показались ужасно строгой, неприступной и очень красивой.

— Ну да?! — Настя от изумления вытаращила глаза. — Не может быть. Вы что-то путаете, Василий Иванович. Я действительно работала в главке у Ивана Алексеевича, и у меня действительно бывает совершенно отстраненное выражение лица, когда я о чем-то усиленно думаю. Некоторые принимают это за строгость и неприступность, такое случалось. Но никому, никогда и ни при каких обстоятельствах я не могу показаться очень красивой. Это, наверное, была не я.

— Вы, Настенька, вы, — со смехом подтвердил Заточный. — Вася мне вас тогда показал издалека и спросил, что это за фифа у меня в конторе завелась. Очень вы ему в сердце запали, прямо до самого донышка.

— Да ну вас, — смутилась Настя, — не вгоняйте меня в краску.

— Ну и вот, — невозмутимо продолжал журчать Турьялов, — теперь приезжаю я в Москву на пятидесятилетие нашего с Иваном товарища, договариваюсь с ним встретиться заранее, за пару часов до банкета, чтобы пообщаться в спокойной обстановке, все-таки мы давно не виделись, а на банкете, сами знаете, как бывает, рассадят в разные углы и как хочешь... Короче, остановился я в «Белграде», это здесь, прямо напротив, а банкет будет в «Праге», вот Иван и предложил встретиться и посидеть в этом пабе, и от гостиницы близко, и до банкета недалеко. И вот теперь представьте, прихожу я в то место, которое указал мне Иван, и что я там вижу? Я там вижу женщину, которая у Ивана работала. Более того, женщину, про которую мне говорили, что ее сам Заточный на работу приглашал и долго уговаривал. А те, кто мне это говорил, при этом гадко улыбались и многозначительно подхихикивали, дескать, сломался Иван, дал слабину, любовницу к себе поближе перетащил, чтоб, значит, сподручней было. Ну и вот что я должен был подумать, увидев вас здесь?

— А что? — глупо спросила Настя. — Что вы такого особенного должны были подумать?

— Говори-говори, Вася, — подзадорил его Заточный, — не тушуйся, выкладывай все как есть.

— Я и подумал, что Иван назначил вам тут свидание.

— А хоть бы и так, что в этом дурного? Чего-то ты намудрил, Василий. Или не все сказал?

— Погоди, конечно, не все, — живенько откликнулся Турьялов. — Я ведь как рассуждал? Как нормальный среднестатистический мужик, всю жизнь активно любивший женщин, в том числе и замужних. Мы с тобой, Иван, не виделись четыре года, вот как раз с тех пор, как я к тебе в управление приезжал. Старым друзьям всегда есть о чем поговорить, что вспомнить, кому косточки перемыть. На такие встречи обычно с женами и подругами не приходят. Ведь так? Так. И вдруг я вижу, что ты, кроме меня, назначил здесь встречу еще и даме, про которую мне намекали в соответствующем контексте. Почему? Зачем она при нашем разговоре? Совсем ей тут нечего делать. На банкет ее не приглашали, я точно знаю, мне списки гостей показывали. Объяснение тут может быть только одно: между вами, друзья мои, такая страстная любовь, что вы используете любую свободную минутку, чтобы увидеться, побыть вместе, хоть парой слов перекинуться. И, опираясь на свой богатый жизненный опыт, я делаю вывод, что я в этой ситуации совершенно лишний. То есть вы будете наслаждаться обществом друг друга, а я вам буду мешать со своими дурацкими разговорами и воспоминаниями. Как я должен себя чувствовать, придя к такому выводу?

— Плохо, — со смехом констатировал Заточный. — Чувствовать ты себя должен — хуже некуда, аналитик ты хренов. Но теперь-то успокоился?

— Уж конечно. Как увидел, что Анастасия ручку выронила и рот открыла от изумления, когда ты появился, так и понял, что она тебя не ждала.

— Ну и слава богу. А кстати, Настенька, с нами-то все понятно, а вы какими судьбами здесь оказались?

— У меня в двух шагах отсюда свидетели живут, надо было с ними побеседовать. Сижу здесь и жду сигнала, может, возникнут новые вопросы и придется возвращаться, поэтому решила далеко не уезжать.

— Понятно. Как вам с новым начальником работается?

— Да ну его, — Настя махнула рукой. — Если человек — не Гордеев, то это навсегда. Придется терпеть.

— Уж потерпите, дорогая моя, я вам больше помочь ничем не смогу. Чуть раньше предложил бы вам снова уйти ко мне, а теперь и я сам без должности.

— Как?! — ахнула Настя. — И вы тоже?

— Вы очень удачно выразились, я воспользуюсь вашей же формулировкой: если человек не из Петербурга, то это навсегда. К сожалению, я коренной москвич, а у нового министра в моде выходцы из Питера. Так что я отправлен пока в распоряжение управления кадров. Сами знаете, что это означает.

— Знаю, — грустно кивнула она. — Но как же так, Иван Алексеевич, вы же такой специалист, вы же главк на ноги поставили... Разве можно так обращаться с кадрами?

— Все к лучшему, Настенька, все к лучшему, нельзя слишком долго сидеть в одном и том же кресле, от этого происходит застой в мышлении. Вот осмотрюсь и найду себе занятие по душе. Пенсия у меня генеральская, выслуга — тридцать пять лет, так что не пропаду. Кстати, а у вас-то какая выслуга?

— В чистом виде девятнадцать лет, плюс половина срока учебы в университете — еще два с половиной года, получается двадцать один с половиной.

— О, так вы тоже можете уходить на пенсию! Не на полную, конечно, но все-таки.

— Кто? Я? — Настя от души расхохоталась. — Да вы что, Иван Алексеевич, какая из меня пенсионерка. Я еще поработаю, если вы не возражаете.

Из сумки донесся вальс Чайковского, Настя поднесла к уху маленький аппарат.

— Ты где? — Голос Зарубина был напряженным и отнюдь не игривым.

— В центре, возле «Смоленской».

— Можешь подъехать на Покровку?

— Могу.

— Ресторан «Ходжа Насреддин в Хиве».

— Знаю. Что у тебя случилось?

— В машине Ганелина обнаружен пистолет. Ганелин клянется, что в первый раз его видит. Я уже следователю позвонил, он сейчас будет вместе с дежурной группой.

— Какой пистолет, Сережа?

— «Макаров». Сечешь расклад?

— Сейчас приеду.

Она быстро попрощалась с Заточным и его говорливым другом, оставила на столе деньги за кофе и сок и выскочила на Садовое кольцо. Машину удалось поймать почти мгновенно. Настя забилась в уголок на заднем сиденье и вытащила из сумки блокнот, куда записала выдержки из заключения экспертов по пулям, извлеченным из трупа Тимура Инджия. «На ведущей поверхности пуль наблюдается минус металла размерами... Форма и размеры минуса металла для обеих пуль одинаковы, что позволяет сделать вероятный вывод о том, что данные пули могли быть выстреляны из оружия, снабженного ствольной насадкой, которая может быть устройством для глушения звука выстрела... Обе пули, изъятые при проведении судебно-медицинской экспертизы трупа гр.Инджия Т.Г., являются составными частями девятимиллиметровых пистолетных патронов к пистолетам Макарова и Стечкина. Данные пули могли быть выстреляны из пистолета конструкции Макарова, калибр 9, или иного оружия, имеющего аналогичные признаки».

Что за пистолет Макарова нашел Зарубин в машине Андрея Константиновича Ганелина? Неужели тот самый, из которого был убит водитель Тимур? Но почему в машине? Зачем Ганелин возил его с собой? Почему не избавился от оружия? Не полный же он идиот... Нет, на кого, на кого, а на идиота муж Натальи Вороновой совсем не похож. Наверняка пистолет другой, просто совпало. Ганелин — бизнесмен, не самый, конечно, богатый в нашей стране, не олигарх, но и не бедный. Личную охрану не завел, а оружие на всякий случай носит с собой, мало ли что. Разрешения у него, надо полагать, нет, но это грех небольшой, во всяком случае по сравнению с убийством. А приобрести пистолет сегодня — пара пустяков, надо только знать, куда идти и что сказать.

А если все-таки пистолет тот самый?

Глава 12

— Мне очень жаль, Андрей Константинович, но придется вас задержать, — следователь Гмыря был непреклонен.

Настя прекрасно его понимала. Какое еще решение он

мог принять, получив в руки человека, в машине которого обнаружен пистолет той же марки, какая обозначена в заключении эксперта? Понять, тот ли это пистолет или просто такой же, можно только после еще одной экспертизы, а это за пять минут не делается. Кроме того, нужна и дактилоскопическая экспертиза, которая сможет ответить на вопрос, держал ли данный пистолет в руках господин Ганелин. Если на оружии будут обнаружены следы его рук, то все разговоры о том, что Андрей Константинович в первый раз видит этот пистолет, окажутся разговорами в пользу бедных. Но самое смешное, что даже если таковых следов обнаружено не будет, это все равно не снимет подозрений с мужа Натальи Вороновой, потому что протереть поверхность — задача не из самых сложных.

В кабинете следователя было душно, окна выходили на запад, и с трех часов дня солнце щедро отапливало небольшое помещение.

— Бред какой-то! — возмущался Ганелин. — Я все понимаю, вы изъяли у меня оружие, с этим надо что-то делать, но почему я должен сидеть при этом в камере? Отпустите меня домой, я никуда не денусь, не убегу. Ну хотите, я вам подписку дам?

— Какую подписку? — устало спросил Гмыря.

— О невыезде, или как это у вас там называется.

— Андрей Константинович, подписку о невыезде можно брать с подозреваемого или обвиняемого. Для этого я обязан вынести постановление о привлечении вас в таком качестве, а для постановления требуются основания, которые у меня появятся только после экспертизы.

— А я кто?

— Вы пока задержанный. Я вас задерживаю в порядке статьи сто двадцать второй Уголовно-процессуального кодекса как лицо, у которого обнаружен пистолет, по внешним признакам сходный с разыскиваемым в связи с совершением убийства.

— Но я же вам объясняю, я в первый раз вижу этот чертов пистолет! Мне его подбросили.

— Когда? При каких обстоятельствах?

— Не знаю...

— Вот видите, я тоже не знаю. Вы требуете, чтобы я верил вам на слово, но я не ваш товарищ и не ваша жена, я — следователь. Я не могу верить на слово, мне нужны доказательства. Я понимаю ваше негодование, но сделать ничего не могу. Вы мне сказали, что открывали бардачок сегодня утром, положили туда складной зонт и вытащили панель от автомагнитолы. Верно?

— Верно.

— И никакого пистолета вы там не видели.

— Не видел.

— Стало быть, либо он там был, но вы его не заметили, либо его подбросили, пока ваша машина стояла на стоянке возле Коломенского.

— Я не мог не заметить пистолет. Я вам уже объяснял, что утром положил в бардачок зонт, а потом еще копался в нем, искал кассету, которую хотел послушать по дороге. Если бы пистолет там был, я бы на него обязательно наткнулся.

— Хорошо, значит, пистолет вам подбросили, пока вы с Яной Геннадьевной гуляли по парку. Если, конечно, допустить, что вы говорите правду.

— Я говорю правду! И потом, почему обязательно в Коломенском? Его могли с таким же успехом подбросить, пока машина стояла на Покровке.

— Андрей Константинович, наши сотрудники опросили швейцара и охранника ресторана, возле которого вы поставили машину. К ней никто не подходил, вскрыть не пытался, и сигнализация не срабатывала. Значит, остается только Коломенское. Чтобы подтвердить ваши слова, необходимо получить показания от тех, кто работает на парковке в Коломенском. Только в этом случае я, может быть, смогу отпустить вас домой.

— И когда это случится?

— Трудно сказать, как повезет. Вы уж наберитесь терпения.

Этот диалог с небольшими вариациями повторялся уже как минимум в третий раз. Ганелин не понимал (или делал вид, что не понимает?), почему его в чем-то подозревают.

Следователь терпеливо объяснял, почему не может отпустить его домой. Андрей Константинович поведал, что на его «Мерседесе» установлена система «Аллигатор-990», включающая в себя сигнализацию и иммобилайзер. При несанкционированном вскрытии машины сигнализация срабатывает, и в течение примерно 40 секунд раздаются хорошо всем известные звуки. Потом наступает блаженная тишина. Если удачно выбрать момент, когда парковщики отлучились, можно вскрыть машину и засунуть туда все, что угодно, потом закрыть дверь и спокойно удалиться. Орущий благим матом автомобиль, возле которого никто не крутится, обычно подозрений не вызывает, все знают, что сигнализация часто срабатывает от удара и даже от проехавшего мимо многотонного грузовика. Владелец же машины легко может понять, что его сокровище кто-то потревожил, потому что при отключении сигнализации должен раздаться двойной сигнал. Если же он вдруг окажется тройным, это будет свидетельством того, что машину кто-то открывал без ведома хозяина. Кроме того, установленный на приборной панели светодиод начнет мигать, и по количеству световых сигналов можно тоже определить непорядок. Беда, однако, состояла в том, что ни Ганелин, ни Яна Нильская не могли с точностью ответить на вопрос, сколько звуковых сигналов, два или три, издал белый «Мерседес», когда его снимали с сигнализации на парковке в Коломенском. Яна вообще не знала о таких тонкостях и на сигналы внимания не обращала. Андрей же Константинович, по его собственным словам, вытащил брелок и нажал на кнопку, находясь метрах в сорока от машины, при этом был увлечен беседой со своей спутницей, а тут как раз и автобус мимо проезжал, заглушая вокруг себя все, что можно. В машину Ганелин тоже сел не сразу, к нему подошел служитель парковки, и Андрей Константинович расплачивался с ним. К тому времени, когда приборная панель оказалась перед его глазами, световой сигнал уже сказал все, что хотел, и мирно отдыхал.

Допрошенные по очереди Ганелин и Яна Нильская дали абсолютно одинаковые показания, но ни следователя, ни оперативников это ни в чем не убедило. Во-первых, они могли быть в сговоре. Во-вторых, Ганелин мог лгать, пистолет в бардачок положил он сам и прекрасно знал о его существовании. Пролить свет на ситуацию должны были парковщики.

К ним и отправились Настя и Сергей Зарубин. Вообще-то Насте совсем не хотелось тащиться в такую даль, тем более она понимала, что работать ей все равно придется одной, Зарубину надо заскочить домой за вещами и мчаться в аэропорт. Но тут появился Афоня... Уж какими путями он узнал об обнаружении пистолета Макарова у мужа Натальи Вороновой, неизвестно, но факт остается фактом: возле «Ходжи Насреддина» остановилась машина, и из нее вылез Вячеслав Михайлович собственной персоной. Лицо его сияло довольством и уверенностью в благополучном исходе всех мыслимых жизненных передряг.

— Молодец, — он снисходительно похлопал Настю по плечу, — можешь же, когда захочешь.

«Я тут совершенно ни при чем», — хотела она ответить, но не смогла произнести ни слова: челюсти словно свело оскоминой. Конечно, примчался, родимый, едва запахло реальной возможностью прищучить Ганелина. И что он ему дался? Хотя Андрей Константинович — фигура неоднозначная, спору нет. Об этом свидетельствует и то, что рассказал ей Сережа Зарубин, и то, что узнала она сама, и наличие пистолета, по поводу которого Ганелин ничего вразумительного пояснить не может. Но так явно, так зашоренно переть в направлении одной версии и без всяких оснований отвергать другие может только недалекий человек, в этом Настя была убеждена. Все версии имеют право на существование, пока они не опровергнуты железными аргументами, этому всегда учил ее Гордеев. И именно так она за много лет привыкла работать.

Начальник между тем поздоровался с Гмырей, и по тому, каким небрежно-презрительным кивком Афанасьев указал на стоящего в двух шагах Ганелина, стало понятно, в каком тоне он собирается разговаривать с ним. Настя почувствовала, что еще чуть-чуть — и она сорвется и поведет себя совсем уж неправильно. Нет уж, она немедленно поедет в Коломенское, разыщет всех парковщиков, заставит их вспомнить все по минутам, в малейших деталях. И назло Афоне найдет свидетелей, чьи показания будут в пользу Ганелина. Ей Андрей Константинович безразличен, она не собирается защищать его из личных симпатий. Но как же она ненавидит Афоню...

— Сережа, — шепотом проговорила она, отводя Зарубина в сторонку, — попроси эксперта потихоньку сфотографировать Ганелина «Полароидом».

— Зачем?

— Ты все равно не успеваешь со мной в Коломенское. Давай-ка я поеду одна, а ты возьми снимок и смотайся на проспект Мира, покажи фотографию той тетке, которая видела Яну в ресторане с мужчиной.

— Думаешь, это был не он?

— Зачем лишний раз думать, когда можно узнать точно? — улыбнулась Настя. — Мозги надо беречь, нечего их попусту амортизировать.

Через десять минут они вдвоем удалялись от места, где продолжала работать дежурная группа. Где-то на полпути к метро телефон в Настиной сумке начал издавать звуки, напоминающие Токкату ре-минор Баха.

— Это Коротков, — сказала она, щелкая замком сумки и доставая трубку. — Юр, это ты Афоне стукнул?

— А что, он уже явился?

— А то. Снизошел до похвалы, так что у нас сегодня праздник.

— Вот черт, я как раз хотел тебя предупредить, что он едет. Как же он так быстро долетел?

— Вероятно, на крыльях любви. Зачем ты ему сказал?

— Ася, я должен был доложить, он же начальник всетаки. Ты сейчас там?

— Уже нет, двигаюсь в сторону метро. Еду в Коломенское.

— Я с тобой. Жди меня на Лубянке, у выхода из метро, я через пятнадцать минут подскочу.

Настя довольно улыбнулась. Вот и хорошо, вдвоем и легче, и веселее, а на машине, пусть и на такой старенькой и разболтанной, все равно удобнее, чем на метро, особенно когда придется возвращаться после нескольких часов, проведенных на ногах.

— А как ты догадалась, что это Коротков? — не сдержал любопытства Зарубин. — Ты его нюхом чуешь?

— Я его ухом слышу, — рассмеялась она. — На номера, с которых звонит Юрка, у меня запрограммирована определенная музыка. Когда работаешь, важно понимать, кто тебе звонит, муж из Америки, начальство с умными указаниями или родители с вопросами о том, что я ела на обед.

— Умно! — восхитился Сергей. — Значит, и на Чистякова у тебя есть отдельная музыка?

— Обязательно. На Чистякова, на Юрку, на родителей и даже на Афоню. Все остальные звонят вальсом Чайковского. Хочешь, на тебя тоже отдельную музыку сделаю?

— Валяй. Из чего можно выбирать? Мне бы что-нибудь повеселее, чтобы отражало мою душевную сущность.

— Идет. Будешь мне звонить песенкой Герцога. «Сердце красавицы склонно к измене...» Годится?

— Вполне.

* * *

Настя и Коротков как раз выходили из машины, когда позвонил Зарубин.

— Слушай, Пална, — голос его был озадаченным, — тетка-то моя Ганелина не признала. Говорит, тот мужик, который был с Яной, совсем по-другому выглядел. Вообще ничего общего.

— Отлично! Спасибо, Сержик.

— Да за что спасибо-то... Если б она его признала, мы бы точно знали, что у Яны роман с Ганелиным. А так ищи теперь ветра в поле. Ладно, — он вздохнул в трубку, — я помчался, на самолет бы не опоздать. Если что — позвоню.

Значит, наша маленькая Яночка проводила время в компании неизвестного мужчины средних лет, крупного, полного. Кто бы это мог быть? И почему об этом ничего не знает ее муж Руслан? Собственно, он и не должен знать, если у Яны образовался роман. И понятно, что сама она вовсе не рвется об этом рассказывать каждому встречному. Но ведь это может оказаться и случайный знакомый. Увидел в ресторане хорошенькую молодую женщину, подсел к ней, поболтал, попытался поухаживать, может быть, даже оставил ей свой номер телефона, но это и все. Или встретил на улице, заговорил с ней, познакомился, пригласил пообедать. А она не отказалась. Ей скучно, она впервые в Москве, душа жаждет развлечений и приключений, так почему не пообедать с новым знакомым? Особенно если он представился крупным бизнесменом, банкиром или еще кем-нибудь не менее «престижным» для молодой провинциалки. Для раскрытия преступления эта информация ничего не дает, а отношения с мужем может испортить весьма существенно, вот Яна и молчит.

Парковку возле усадьбы «Коломенское» обслуживали два парня лет двадцати восьми — тридцати. У обоих были синие от наколок руки, короткие стрижки и небритые лица. По дороге Коротков предупредил Настю, что все парковки на Юге Москвы стоят под авторитетом по кличке Гога Сухумский, поэтому работает на них соответствующий контингент. Ни в коем случае нельзя вести разговор таким образом, чтобы выходило, будто парковщики халатно относятся к своим обязанностям, не смотрят за машинами, отлучаются надолго и не обращают внимания на срабатывание сигнализации на тех автомобилях, за стоянку которых они берут деньги. Это, конечно, не платная охраняемая стоянка, а всего лишь парковка, и за безопасность и сохранность машины они ответственности не несут, но есть вопросы конкуренции. Платная стоянка находится в трехстах метрах отсюда, она менее удобна, потому что от нее намного дальше до входа в парк, зато, как считается, более надежна. Ну и, соответственно, она более дорогая. На охраняемой стоянке по этим причинам машин куда меньше, чем на дешевой парковке. Однако если пройдет слушок, что с машинами, оставленными на парковке, случаются неприятности, то автомобилисты перестанут экономить время, деньги и собственные силы и отдадут предпочтение охраняемой стоянке, которая находится уже в ведомстве не Гоги Сухумского, а совсем других людей.

— Здорово, мужики!

Коротков уверенным жестом сунул руку сначала одному, потом другому парковщику. Тем ничего не оставалось, кроме как ответить на рукопожатие.

— Мужики, помогите бабки отбить. С корешем поспорил на сто долларов...

Дальше Юра выдал какую-то небылицу о сигнализациях, срабатывающих по каким-то совершенно немыслимым причинам. Настя, абсолютно неискушенная в технических тонкостях электронных устройств, обеспечивающих сохранность автомобилей, сначала понимала его через слово, потом через фразу, а потом и вовсе утратила нить повествования. Синерукие парковщики, однако, понимали Короткова очень хорошо, согласно кивали головами и всем своим видом показывали, что прониклись серьезностью проблемы. Между ними завязалась оживленная беседа, в ходе которой то и дело мелькали слова «Клиффорд», «Лазер-лайн», «Престиж», «Экскалибр», «светодиод». И наконец, минут через двадцать, Настя услышала текст, целиком состоящий из знакомых ей слов:

— Да вот сегодня на белом «мерине» срабатывание было, помнишь?

— Это когда мы бабки сдавали?

— Ну. Мы вышли, глянули — все чисто, никого вокруг, а машина ревет как нанятая.

— Точно, помню. Я тогда подумал, может, взяли что из машины, хозяин придет — орать будет. А он — ничего.

— Верно, так и было. Я все смотрел, когда хозяин придет. Машина на глазок вроде в порядке, двери закрыты, стекла целы. Но мы-то знаем, что если машину вскрывали, то хозяин сразу увидит, когда будет сигнализацию снимать. Хипиш поднимет! А он — ничего, представляешь? Спокойно так расплатился, даже глазом не моргнул. Это значит, что сигнализация сработала как обычно. Так что туфта это все — «два бипа», «три бипа». Никакой разницы, вскрывали машину или нет. Небось китайскую подделку за итальянскую фирму выдают. Поэтому она и срабатывает как попало, то ничего не показывает, то включается, когда птица мимо пролетит.

— Это плохо, — загрустил Коротков, — значит, сто баксов отдавать придется. Хотя... слушайте, а может, этот мужик, на «мерине», просто не заметил, внимания не обратил, а?

— Легко мог, — тут же отозвался один из парковщиков. — Он с бабой был, моложе себя лет на двадцать, а то и на тридцать.

— Ага, — подтвердил другой, — точно. Идут и чирикают, как голубки. Я тогда еще подумал, хорошо, что он с бабой, даже если что не так, все-таки меньше возникать будет.

Коротков поблагодарил за подробную консультацию, подхватил молча стоявшую в сторонке Настю под руку и потащил к машине.

— Ну что, подруга, похоже, не врет твой Андрей Константинович, все так и было, как он рассказывает. Бери телефон, звони Гмыре.

Борис Витальевич Гмыря выслушал Настю спокойно, не перебивал, задал несколько уточняющих вопросов, а потом так же невозмутимо заявил, что не склонен отпускать задержанного Ганелина до получения результатов баллистической экспертизы. Сигнализация на его машине могла сработать вовсе не оттого, что кто-то открывал дверь, а по совершенно другим причинам. Пистолет же лежал в бардачке именно потому, что сам Ганелин его туда и положил. И до тех пор, пока с этим вопросом не наступит полная ясность, Андрей Константинович побудет в изоляции.

— Все понятно, — уныло констатировала Настя, поговорив со следователем, — чувствуется мощная длань нашего Афони. Наверняка это он давил на Гмырю. Интересно, что он ему напел?

— Могу поделиться, — Коротков завел двигатель и вырулил с парковки. — Я от него уже сегодня слышал эту скорбную песнь. Все крутится вокруг завода по изготовлению лекарственных препаратов. Та часть Подмосковья, на которой расположен завод, контролируется азербайджанской группировкой Эдика Юсубова по кличке Старший. Специально придумали, чтобы с Эдиком Вахрамовым не путали. Вахрамов у них Младший, а Юсубов — Старший. И вот якобы у Старшего возникли кое-какие непонятки с Ганелиным. Не то Ганелин недоплатил за «крышу», не то вообще не заплатил, когда очередной срок подошел, не то попросил отсрочку, а потом отказался выплачивать процент по счетчику — короче, какая-то такая хренотень. А Эдик Старший знаешь чем славится в своем кругу?

— Расскажешь — буду знать, — ответила Настя, напряженно вслушивавшаяся в слова Короткова.

— Эдик Старший славится тем, что никогда не режет курочек, несущих не то что золотые, а даже самые обыкновенные яйца, потому как обыкновенные яйца тоже имеют свою цену. У него, кстати, раньше и кличка была другая, Бухгалтер. Все подсчитывал, вплоть до расходов на автобус. И Старший рассудил, кстати вполне здраво, что если человек не может заплатить наличными, то пусть отработает эквивалентную сумму услугами.

— Ну да, — кивнула Настя, уже догадываясь, к чему ведет Коротков,— зачем платить десять тысяч долларов киллеру, когда можно поручить все то же самое сделать должнику. И чем Эдику Старшему помешал Тимур Инджия? Ведь ребята разрабатывали это направление, Инджия ни к какой группировке причастен не был.

— Не был-то не был, но ухитрился переспать с любимой любовницей Эдика. И не просто переспал, но еще и заразил ее чем-то неприличным. Разумеется, Эдика это глубоко возмутило. Якобы Эдик приятно проводил время в ресторане в компании близких и соратников по борьбе, сняли целый зал. А в соседнем зале с парой дружков гулял Тимур. Любовница Старшего вышла, пардон, в туалет, для чего ей пришлось пройти через соседний зал в аккурат мимо столика, за которым сидел Тимур. Тот испытал сильнейший укол стрелы Амура в самое сердце и помчался в холл следом за девушкой своей мечты. Уж в каком таком подсобном помещении они совокуплялись — мне неизвестно, но вернулись оба не скоро. Не через час, конечно, но и не через минуту. Девица своему патрону что-то такое наплела, чему он спьяну поверил, не то у нее понос случился, не то золотуха. А через пару дней Старшему кто-то стукнул, что видели его зазнобу вместе с Тимуром как раз в то самое время, когда она, по легенде, должна была плотно сидеть на горшке. Дальше все и размоталось. Девице Эдик физиономию расквасил, но не капитально, с умом, чтобы можно было еще попользоваться, я ж говорю, он расчетливый. А обидчика вполне мог заказать, это в его характере.

— Погоди, Юра, *он мог* заказать, или ты точно знаешь, что заказал?

— Я, подруга, вообще ничего не знаю, кроме того, что Эдик Старший действительно существует, действительно контролирует ту часть Подмосковья, где расположен завод Ганелина, и действительно имеет такой характер, как я тебе описал. Все остальное мне поведал наш с тобой общий и горячо любимый начальник. У него тоже есть свои источники.

— Но ты можешь это перепроверить? — настаивала Настя.

— Быстро — нет, не могу. У меня к Эдику нет прямых подходов.

— А у Афони, выходит, есть... И откуда только? Он в Москве без году неделя, а обзавелся источниками в такой мощной группировке. Юра, как ты думаешь, может быть, Афоня действительно неплохой агентурист, а? Может, он сыщик от бога, и чутье у него безошибочное. Просто я из-за своей неприязни к нему стараюсь видеть только плохое, а достоинств его не замечаю.

— Это что-то новенькое, — хмыкнул Коротков. — Вчера ты осваивала новое блюдо, а сегодня в голове появились новые мысли. Как говорил один из наших лидеров, главное — начать. Что это с тобой, подруга?

Настя помолчала. Прошло совсем немного времени с того момента, как она разговаривала сегодня с генералом Заточным, а мышление уже изменилось.

— Представь себе, что тебя привели в квартиру и сказали: хочешь — оставайся, живи, не хочешь — уходи. И оставили там одного. О чем ты будешь думать? — задала она вопрос.

— Это что, тест? — в голосе Короткова в равных пропорциях смешались опасение, недоверие и любопытство.

— Нет, обычный вопрос.

— Я осмотрюсь, пригляжусь и буду решать, оставаться или уходить.

— А если подробнее? Что может заставить тебя уйти или, к примеру, остаться?

— Ой, Аська, да что угодно! Чего ты пристала? Мне цвет стен может не понравиться, или мебель, или вид из окна. Или соседи слишком шумные, спать мешают. Или телевизора нет, а я без него жить не могу.

— Ясно. А теперь представь себе, что тебя привели в это помещение и ушли, заперев дверь. Уйти ты не можешь. О чем ты будешь думать в первую очередь?

— А уйти никак нельзя?

— Никак, — Настя покачала головой, пряча улыбку. — Таково условие эксперимента.

— Тогда я буду думать о том, как мне выжить в этой запертой хате. Проверю, есть ли продукты, работает ли телефон. Если что-то сломано — буду думать, как починить имеющимися подручными средствами.

— А если мебель не нравится или обои не того цвета?

— Да и хрен с ними! Все равно же я уйти не могу, так чего внимание обращать на ерунду. Ну и что из всего этого следует? К чему эти вопросы?

— Юра, — она сделала паузу, доставая сигареты из сумки, — я сегодня виделась с Заточным. Ты знаешь, что его снимают?

— Слышал, что вроде собираются, но приказа пока нет. А что?

— А то. До сегодняшнего дня я была уверена, что в любой момент могу уйти к нему, если Афоня меня уж совсем достанет. Дверь была не заперта, понимаешь? А сегодня я вдруг узнала, что все не так. Дверь, оказывается, заперли, никуда уйти я не могу, и мне придется думать, как выжить в этой запертой хате.

— Вот только не надо меня цитировать, — ехидно заметил Юра. — Я пока еще не классик. Стало быть, ты, подруга, меня обманула? Клялась, что никуда не уйдешь в ближайшее время, не бросишь меня одного, а сама стреляла глазками по сторонам в поисках теплого местечка. А я-то, дурак, поверил тебе, понадеялся!

— Юрик, я никуда не собиралась уходить, я же дала тебе слово. Но умом-то я понимала, что мне есть куда уйти. Ты вникни! Пока человек думает, что дверь не заперта, что он в любой момент может ее открыть, как только захочет, он видит в окружающем больше плохого, чем хорошего. У него взгляд критический, он не боится выискивать недостатки, потому что знает: если количество недостатков превысит некую критическую массу, он встанет и уйдет. Ты вспомни свои слова, вспомни! Я спросила, что может заставить тебя принять решение уйти или остаться, а ты мне что ответил? Что тебе может одно не понравиться, другое, третье... Ты же не назвал ни одной причины, по которой ты можешь захотеть остаться. Ты даже не подумал о том, что в помещении могут оказаться какие-то достоинства, нет, ты заговорил сразу о недостатках. Юрочка, человек так устроен, понимаешь? Когда есть осознание собственной свободы, свободы выбора, обостряется критичность, это нормально, это естественно. Когда свободы нет, человек вынужден приспосабливаться, и критичность ему мешает. Чтобы выжить, он должен стараться не замечать недостатков и акцентировать достоинства, может быть, даже придумывать их или сильно преувеличивать. Вот примерно то же самое происходит сейчас с моим отношением к Афоне.

— Ладно, я понял. Смотри только не переборщи, а то у тебя Афоня, не ровен час, лучше Колобка окажется.

— Не беспокойся, — рассмеялась Настя, — Афоне это не грозит. И все-таки мне страшно интересно, откуда у него такие источники. Прямо завидно, честное слово! Даже у тебя таких нет, а ты в Москве двадцать лет проработал.

— Двадцать три, — поправил он.

— Тем более. Между прочим, куда мы едем?

— К тебе.

— А ужинать что будем?

— Сейчас купим чего-нибудь по дороге.

Настя посмотрела на часы — почти восемь вечера. День еще не кончился, а у нее такое ощущение, что уже должен быть вечер понедельника, ведь утро воскресенья было так давно...

* * *

При плотном графике съемок каждый выходной день был у Ирины Савенич наполнен массой обязательных мероприятий. Надо убрать квартиру, выгладить белье, которое в течение недели стиралось в машине, сделать закупку продуктов, которых должно хватить до следующего выходного, посетить массажиста, косметолога и парикмахерскую. Это было программой на каждый выходной, но, кроме того, накапливались и другие долги — перед друзьями, с которыми надо было повидаться, поздравить с днем рождения и вручить подарок или просто обсудить что-нибудь животрепещущее; перед покойными родственниками и близкими, за чьими могилами Ирина ухаживала уже много лет; даже перед машиной — красным «Фордом», который тоже требовал внимания и ухода, а порой и ремонта, особенно после нанесения очередных боевых шрамов, регулярно появляющихся на сверкающих боках и крыльях.

От природы безалаберная и несобранная, Ирина распоряжалась своим временем по меньшей мере нерационально. Но выходные дни — это святое, выходные она полностью посвящала тому, чтобы в остальные дни не думать ни о чем, кроме работы и удовольствий. Она даже свидания на выходные не планировала, ухитряясь втискивать личную жизнь в недолгие часы между съемками и сном.

Сыщик из МУРа после проведенной вместе ночи нравился ей еще больше, и Ирине пришлось сделать над собой немалое усилие, чтобы не поддаться на его предложение провести это воскресенье вместе. Он загодя знал, что в воскресенье съемок не будет, и, видимо, очень рассчитывал на славно проведенный день где-нибудь на природе. Ей было жаль его разочаровывать, но принцип есть принцип. Обязательные мероприятия потому и называются обязательными, что пропускать их нельзя. Для актрисы внешность не самое последнее дело, а выкроить два часа на косметолога, столько же на парикмахера и еще час на массаж в дни съемок ей никак не удается.

Покончив к полудню с уборкой и неглаженым бельем, Ира отправилась в поход за красотой. Около семи вечера она, выйдя из салона красоты, снова села в машину, каждой клеточкой отмассированного тела ощущая свежесть и бодрость, не без удовольствия взглянула в зеркало на порозовевшее и подтянутое лицо, прикоснулась руками к густым упругим кудрям и подумала, что день проведен правильно. Сейчас она поедет по магазинам, заполняя багажник низкокалорийными продуктами, которыми ей приходится питаться, дабы не растолстеть. Плохо, когда свободный от съемок день приходится на воскресенье, в воскресенье далеко не во все магазины завозят товар, и приходится тратить на поиски того, что нужно, куда больше времени, чем в будни. Но ничего не поделаешь. Ирина бодро улыбнулась своему отражению, спрятала в сумочку зеркало и повернула ключ в замке зажигания.

Поиски продуктов шли с переменным успехом, но к девяти часам ей удалось найти все, что она планировала, включая немецкий черный хлеб грубого помола, макароны из обдирной муки, печенье и конфеты для диабетиков и зеленый салат нескольких сортов. Сейчас самое время позвонить Наташе, если у них с Русланом готовы диалоги для ближайших съемочных дней, то можно заехать и забрать текст. При всем своем легкомыслии к работе Ира относилась очень серьезно, особенно если снималась у Вороновой. Она еще не была настоящей звездой и, стоя на площадке рядом с известными на всю страну актерами, не могла себе позволить плохо знать роль, иначе это немедленно сказалось бы на репутации Натальи: тут же нашлись бы охотники поговорить о том, что Воронова снимает Иру исключительно по дружбе, потому что эта Савенич слова доброго не стоит как актриса и работать совсем не умеет. Такого Ирина допустить не могла. Если все остальные актеры, занятые в сериале, получали текст роли накануне съемки, а иногда и перед самым ее началом, то Ира, пользуясь своей близостью к режиссеру и сценаристу, старалась получить новый кусок сценария раньше всех, чтобы как можно лучше подготовиться и не ударить в грязь лицом.

— Натулечка, — защебетала она, когда в трубке послышался голос Натальи, — это я. Как дела?

— Где ты?

— В машине. Проезжаю метро «Парк культуры».

— Можешь приехать?

— Уже еду. А что у тебя голос такой странный? Что-нибудь случилось?

— Все в порядке. Приезжай быстрей.

Наталья бросила трубку, оставив Иру в полном недоумении. Почему Наташа так с ней разговаривает? Разве Ира чем-то провинилась? Да нет же, внезапно поняла Ирина, это все из-за Андрея и Янки. Опять на целый день уехали вдвоем. В пятницу отрывались, в субботу, а теперь и в воскресенье тоже. Совесть же надо иметь хоть какую-нибудь! Какой жене это понравится, когда муж целые дни проводит с молоденькой милашкой. Конечно, на Наташу это совсем не похоже, она такая разумная, выдержанная и с бухты-барахты ревновать не кинется, но вот Руслан — этот может и сам завестись, и Наташу завести. Наверняка он начал психовать и Наталью этим заразил. Ничего, сейчас Ира приедет и всех их построит, сначала Руслана — за то, что не справляется с эмоциями и дергает Наташу, потом саму Наташу — за то, что слушает этого психованного дурака, а потом, когда Янка явится домой, и ей мозги вправит.

Вот и знакомый дом. Дом, где она родилась и прожила большую часть жизни. А вот Наташины окна на втором этаже, свет горит, створки открыты. Ира два раза нажала на кнопку в центре руля, машина издала два отрывистых сигнала. В окне появилась взлохмаченная голова Наташиного сына Алеши. Ира помахала ему рукой:

— Открывай дверь, я уже иду!

Она вихрем взлетела на второй этаж, дернула на себя тяжелую дверь, ворвалась в квартиру. Первое, что она увидела, был бледный, как полотно, Руслан с плотно сжатыми губами, стоящий посреди холла с большой сумкой в руках.

— Что у вас тут? — Ира нахмурилась и пытливо посмотрела сначала на Руслана, потом заглянула в открытые двери, ведущие в комнаты.

Откуда-то доносились Наташины шаги, твердые, чуть тяжеловатые, быстрые. Хлопали дверцы шкафов. Такое впечатление, что кто-то срочно куда-то уезжает. Но кто и куда? Неужели Янка дожала Руслана, и они собираются возвращаться в Кемерово? Вот мерзавка!

— Андрей Константинович в милиции, — произнес Руслан.

— Почему? Что случилось?

— У него в машине нашли пистолет, такой же, из какого убили Тимура. Следователь сказал, что не выпустит его до тех пор, пока экспертиза не скажет, тот это пистолет или нет. Если не тот, тогда его отпустят.

— А если тот?

— Тогда арестуют. Пока его только задержали, следователь сказал, что можно до десяти дней...

Вышла Наташа, сосредоточенная, серьезная. Но никакой паники в ее лице Ирина не увидела. Наташа даже не побледнела, во всяком случае, выглядела она куда лучше, чем Руслан. Ира решила, что Руслан, наверное, что-то не так понял, и лучше спросить у Натальи. Сейчас она все внятно объяснит, и окажется, что ничего страшного не произошло.

— Натулечка, что происходит? Руслан сказал...

— Все правильно, Ириша, — Наталья поцеловала ее в щеку, как целовала всегда при встрече. — Андрюша в милиции. У нас много дел, и без тебя мы не справимся. Сейчас надо ехать к следователю, взять у него ключи от машины, потом передать Андрюше вещи, его же задержали в брюках и светлой рубашке, я приготовила ему спортивный костюм, кроссовки и теплый свитер на тот случай, если в камере сыро и холодно. Туалетные принадлежности, еда... Я уже все собрала. Потом надо будет поехать туда, где осталась машина, и перегнать ее сюда. Руслан поедет с нами, он пригонит машину. И еще по дороге надо будет обязательно заехать к Гольдманам, у них сегодня годовщина свадьбы, двадцать пять лет, я должна непременно поздравить их. Это ненадолго, максимум на полчаса.

— Господи, Наташка! — ахнула Ира. — У тебя мужа арестовали, а ты про какую-то годовщину говоришь! Что, твои Инна с Гришей без тебя не перебьются?

Наталья быстро оглядела содержимое сумки, что-то мысленно прикинула и кивнула:

— Все, можно ехать. Пошли. Алеша, мы уехали! Закрой за нами!

Она буквально вытолкнула из квартиры Иру и Руслана и быстро пошла вниз по лестнице.

— Инна и Гриша Гольдманы — мои самые близкие друзья, — негромко говорила Наталья на ходу, не оборачиваясь и словно даже не интересуясь, идет ли следом за ней Ирина и слышит ли ее. — И то, что случилось с Андрюшей, не имеет к ним никакого отношения и не должно влиять на их праздник. Это случилось у меня, у Руслана, отчасти — у тебя, но никак не у Инны с Гришей. Портить им серебряную свадьбу я не собираюсь. А оттого, что я начну рвать на себе волосы и устраивать всеобщий траур, ситуация с пистолетом быстрее не разрешится.

Ира молча открыла машину, завела двигатель. Только сейчас до нее стало доходить, что Наташино видимое спокойствие, ее собранность, четкость и ясное понимание того, что нужно делать, куда ехать и что везти, — все это результат многочисленных тренировок. Сколько раз она точно так же ездила в милицию, когда Иру задерживали и запихивали в «обезьянник» вместе с алкашами, бродягами, наркоманами и буйствовавшими хулиганами... Сколько раз возила ей теплые вещи и еду, объяснялась с милиционерами, просила, унижалась, носила им водку, сигареты и дефицитные продукты, которые умел доставать Андрей Константинович. Да, это было давно, больше десяти лет назад. Но ведь было же, было...

* * *

С утра настроение у Виктора Слуцевича было отменным. Еще накануне он убедился, что трюк сработал и соглядатай отстал от него. В воскресенье в первой половине дня он тоже не появился, и сей факт еще раз подтвердил Виктору, что его расчет оправдался. На четыре часа дня было назначено свидание с Юлей, и он с удовольствием предвкушал совместный обед в любимом ресторане «Трюм» и последующие за ним интимные утехи у себя в квартире.

Однако после полудня удачное течение дня дало сбой. Встреча с Юлей была назначена в «Трюме», и Виктор специально пришел на час раньше, чтобы не спеша и со вкусом выпить пива с крупными сочными креветками. Каково же было его разочарование, когда его встретили закрытые двери и пустой зал. Ни столов, ни официантов... Вывешенное в окне объявление извещало о том, что ресторан прекратил свое существование и в скором времени на этом месте откроется новый бутик.

Стараясь заглушить раздражение, он решил пройтись по магазинам, чтобы убить оставшееся до свидания время. Но злость на рестораторов, лишивших его возможности регулярно потреблять хорошее нефильтрованное пиво, оказалась такой сильной, что мешала Виктору получать удовольствие от созерцания дорогих элегантных вещей. Промаявшись до четырех часов, он снова подошел к «Трюму», чтобы встретить Юлю. Девушка опоздала на двадцать минут, и это только добавило раздражения.

Следующий удар Виктор получил примерно через час, когда приступил к поеданию феттучини в «Пицца-Хат» на Тверской, рядом с гостиницей «Националь».

— Если мы собираемся ехать к тебе, то ешь быстрее, — заметила Юля, отказавшаяся от горячего и ограничившаяся только салатом. — У нас сегодня мало времени.

— Почему? — нахмурился Виктор. — Разве ты не останешься?

— Сегодня не могу. У родителей серебряная свадьба, я обязательно должна быть дома.

— Могла бы еще вчера предупредить! — вспыхнул он. — Что я тебе, мальчик, которого можно ставить перед фактом в последнюю минуту?

Юля сидела с непроницаемым лицом. Она, казалось, даже внимания не обратила на его вспышку.

— Тебя что-то не устраивает? Если ты не хочешь, мы можем вообще к тебе не ехать. Я ни на чем не настаиваю.

— Я хочу, чтобы ты осталась, — зло сказал Виктор. — До утра.

— Зачем?

Он растерялся. Вопрос был совсем простым, но именно в силу своей простоты не имел ответа.

— Я так хочу.

Ничего лучшего он придумать не мог.

— Витя, ты, конечно, не мальчик, с этим я не спорю. Но и я не девочка по вызову, которую ты можешь держать у себя столько, сколько ты сам захочешь. Я не лезу в твою жизнь и не задаю тебе никаких вопросов, так и ты, будь любезен, считайся с тем, что у меня есть своя жизнь. Я не отказываюсь ехать к тебе, но я пробуду у тебя ровно столько, сколько смогу. И ни минутой дольше.

Виктор постарался взять себя в руки. Он ведет себя как полный идиот или, точнее, как Юрка Симонов, бесшабашный самодур, огребавший шальные деньги, руководствовавшийся только собственными сиюминутными желаниями, не знавший отказа у женщин и не считавший нужным думать о них как о самостоятельных личностях. Виктор Слуцевич, успешный менеджер риэлторской фирмы, прочно стоящий на ногах в финансовом отношении, свободный от брачных уз, элегантный поклонник классического стиля, никогда не вел бы себя подобным образом.

— Извини, — примирительно буркнул он, торопливо орудуя ножом и вилкой. — Не сердись, детка, у меня сегодня что-то настроение паршивое. Кофе будешь?

Юля улыбнулась и лукаво подмигнула:

— Кофе можно и у тебя выпить. Не будем терять время.

Через час, лежа в постели и судорожно сжимая горячую узкую девичью спину, Виктор напрочь забыл и о своем плохом настроении, и об обиде на Юлю, которая не захотела остаться на ночь. Он думал только о том, что судьба послала ему идеальную подругу в лице этой малоразговорчивой и нелюбопытной девушки. Виктору Слуцевичу, человеку без прошлого, нужна именно такая любовница: ничего не спрашивает, ничем не интересуется, ни во что не лезет и не пытается вникать. А живущему внутри Слуцевича Юрке Симонову до головокружения, до озноба и дрожи в руках хочется обладать этим тонким худощавым телом с длинными ногами, смугловатой кожей, изящной талией и неожиданно пышной грудью. Ему всегда нравились именно такие женщины, он заводился от одного взгляда на них. Особенно если у них были длинные темные волосы.

Тренькнул будильник — Юля завела его на двадцать минут десятого. Девушка тут же высвободилась из объятий Виктора и направилась в ванную.

— У тебя любовь по часам? — он снова попытался обидеться.

— У меня любовь по уму, — спокойно откликнулась Юля. — Если мои родители будут знать, что моя личная жизнь не нарушает жизнь нашей семьи, они, в свою очередь, не будут нарушать мои планы. Хочешь жить мирно — не провоцируй агрессию. Закон сосуществования.

Виктор откинул простыню и тоже встал. Нужно одеться и отвезти Юлю домой. Собственно, она на этом не настаивала, просто сказала, что должна быть дома не позже десяти, и если поедет на метро, то выходить из дома Виктора ей придется в девять. Если же он отвезет ее на машине, то можно выйти без двадцати десять. Разумеется, он тут же предложил свои услуги. Удивительная девчонка! Такая юная, а если пристально понаблюдать за ней — настоящая старушка. Все-то у нее по графику, по все расписанию, всегда точно знает, что можно и что нельзя. Никакой романтики, никакого порыва. Просто механизм какой-то в потрясающей сексуальной упаковке.

— Детка, а ведь я даже не знаю твоей фамилии, — неожиданно сказал Виктор, когда они уже ехали в машине.

— Ну и что? — она равнодушно пожала плечами. — Я твоей фамилии тоже не знаю.

— Слуцевич. Виктор Анатольевич Слуцевич, — церемонно представился он, одной рукой держа руль, а другой изображая жест, которым при знакомстве снимают шляпу.

— А я — Гольдман, Юлия Григорьевна, — уголки Юлиных губ слегка дрогнули в скупой улыбке. — И что теперь?

Нам будет слаще спать вместе, если мы будем знать паспортные данные друг друга?

Ее слова показались ему слишком уж циничными для девушки двадцати одного года от роду. Впрочем, Виктор уже не в первый раз ловил себя на том, что современные столичные девицы как небо от земли отличаются от тех девушек, с которыми он имел дело лет восемь-десять назад у себя на родине.

— Просто представил себе, что будет, если мы поженимся. Ты станешь Юлией Слуцевич. Красиво звучит, правда?

— Юлия Гольдман тоже звучит красиво. Почему ты решил, что мы поженимся?

— Ну... я так просто, предположил. А что, это совсем невозможно?

— Все возможно, — она вздохнула. — Только вопрос — зачем? Зачем мне выходить за тебя замуж? Какой резон?

— Как это «какой резон»?

Виктор не знал, удивляться ему или возмущаться. Он слышал в телевизионных передачах и читал в газетах, что нынешние женщины не рвутся замуж и предпочитают свободу и самостоятельность, но полагал, что это пустые домыслы социологов и психологов. Сам он никогда не встречал до сей поры девушек, которые не хотели бы обзавестись мужем. А вот, оказывается, они все-таки существуют...

— Женщина должна выйти замуж, рожать детей, — убежденно произнес он. — Так всегда было, есть и будет.

— Не спорю. Я обязательно выйду замуж и буду рожать детей. Я только не понимаю, почему моим мужем должен стать ты. У тебя есть какие-то невероятные достоинства, которые дают тебе преимущества перед другими?

Вот теперь Виктор по-настоящему обиделся и разозлился. Выходит, он нужен этой пигалице только для обедов в ресторанах и постельных забав, ни на что большее он в ее глазах не годится. Она его использует как самца, поэтому и не интересуется его жизнью, не спрашивает ни о чем. Он ей не интересен, вернее, интересен только в качестве секс-машины. Она относится к нему точно так же, как он сам относился к проституткам, которым платил за интим и с которыми ему и в голову не приходило поговорить «за жизнь». С той лишь разницей, что платит за эти радости не Юля, а он сам, он водит ее в рестораны, а не она его.

Стоп, стоп, куда это его несет? Опять Юрка Симонов со своим жизненным опытом вылез. Нет, Виктор Слуцевич не может обижаться на такие слова, не должен, права не имеет. Юрка — игрок на удачу, ловец фарта, отчаянный и самоуверенный. Виктор — бизнесмен, который все просчитывает и который точно знает, что все продается и все покупается. Юлькины слова не несут в себе ничего обидного, ее родители — деловые люди, и мышление у девочки тоже должно быть деловым. Это торг, обычный торг. Вот есть девушка Юля, внешние данные такие-то, образование такое-то, характер такой-то, сексуальные привычки такие-то. Сколько ты можешь предложить за это? Что ты готов отдать взамен? Называй свою цену, ее сравнят с другими предложениями и сделают выбор. Ничего обидного, ничего оскорбительного, все очень по-деловому.

— Детка, ты права, вряд ли у меня есть большие преимущества перед другими мужчинами. Давай рассмотрим мою кандидатуру внимательно. Мне тридцать три года. Я старше твоих придурков-ровесников на целых двенадцать лет, у меня больше ума и жизненного опыта. Согласна?

— Пока да.

— Но в то же время я намного моложе стариков, которые пускают слюни при виде твоей аппетитной попки. У стариков больше опыта и больше денег, но у них меньше сил и меньше лет впереди. Согласна?

— Да. Еще что?

— Я никогда не был женат, у меня нет детей, и я никому ничего не должен. Все мои деньги будут твоими. Где ты найдешь сегодня такого, как я, в хорошем возрасте и без алиментов?

— Да, действительно, нигде не найду. «Трюм» закрыли, а больше такие ценные кадры, как ты, нигде не водятся, — усмехнулась Юля. — Еще какие у тебя достоинства?

— Мои родители давно умерли, и тебе не придется решать такую страшную проблему, как отношения со свекровью.

— Весомый аргумент. Это все?

— Пока все. Но я еще подумаю, — пообещал Виктор. — Может, что и вспомню. Кстати, есть еще один нюанс в мою пользу. Если тебе так нравится твоя фамилия, я готов стать Виктором Гольдманом. Оцени, детка. Не всякий мужик на это согласится. Муж и жена должны носить одну фамилию, иначе это не брак, а фикция. И я ради тебя готов пожертвовать своим именем.

Юля фыркнула, но ничего не ответила. Остаток пути до ее дома они молчали, и Виктор думал о том, что неплохо было бы и в самом деле жениться на этой девочке, а потом уговорить ее подать документы на выезд. Изменить еще раз фамилию, стать Гольдманом и свалить на фиг в Израиль, а потом еще куда-нибудь, в Голландию, например, или в Германию, или даже в Южную Америку. Там его Богомолец хрен найдет.

Остановив машину возле подъезда дома, где жила Юля, Виктор помог девушке выйти, обнял ее. Юля сделала слабую попытку отстраниться.

— Мне пора бежать.

Она быстро набрала код на панели домофона, открыла дверь. Виктор проскользнул за ней следом.

— Еще без десяти десять, — прошептал он, жадно шаря руками по ее бедрам и пытаясь залезть под юбку.

Через несколько минут Виктор в последний раз поцеловал Юлю и открыл дверь подъезда. Рядом с его машиной стоял красный «Форд», из которого вышли две женщины и мужчина.

— Ой, тетя Наташа, здравствуйте! — радостно воскликнула Юля. — Привет, Иринка.

— Здравствуй, Юлечка, — старшая из двух женщин расцеловала девушку. — Ты уходишь?

— Нет, я пришла. Скажите маме, что я уже здесь, через пять минут поднимусь.

Все трое прошли мимо Виктора к лифту. Старшая вежливо кивнула ему, та, что помоложе и покрасивее, окинула его изучающим и оценивающим взглядом. Мужчина даже голову не повернул в его сторону.

— Витя, да что с тобой!

Голос Юли прорвался сквозь тяжелый туман оцепенения.

— А? Что? — растерянно пробормотал он.

— Ты что, не слышишь меня? Что с тобой? Тебя Иркина красота так поразила, что ли?

— Иркина? — он с трудом приходил в себя. — Нет, просто голова закружилась. Мне нельзя приближаться к тебе, если рядом нет койки. Видишь, какие последствия...

Он пытался шутить, понимал, что получается коряво, но ничего остроумного придумать не мог.

— Это друзья твоих родителей?

— Почти. Тетя Наташа — мамина школьная подруга, они с первого класса дружат. Иринка — ее воспитанница, ну почти как младшая сестра, моя мама ее всю жизнь знает, с самого рождения. А ты что, не узнал их?

— Почему я должен был их узнать?

— Да ты что! Тетя Наташа — это же Воронова, знаменитый режиссер, а Иринка — актриса, ты наверняка ее по телевизору видел. Ирина Савенич. Ну, вспомнил?

Он не вспомнил, но на всякий случай кивнул.

— А мужичок-с-ноготок? Он кто? — спросил Виктор, стараясь, чтобы голос не выдал его.

— Это Руслан. Он написал роман, по которому тетя Наташа сейчас снимает многосерийный фильм. Ты наверняка в газетах читал про убийство, которое там у них произошло.

— Какое убийство? Я ничего не читал.

— Ну ты что! Вся Москва обсуждает. Во время съемок убили водителя, а жену Руслана похитили. Потом жену вернули, а убийцу пока не нашли. Ты что, правда не читал?

— Я криминальные новости не читаю, я все больше про недвижимость... Ладно, детка, беги, тебя там ждут. Завтра позвоню.

Дождавшись, когда за Юлей закроется дверь подъезда, Виктор сел в машину, достал сотовый телефон, набрал нужный номер.

— Как дела? — начал он как можно спокойнее.

— Все по плану, — услышал он уверенный голос. — Ни о чем не беспокойся.

— Я только что видел его.

— Кого?

— Нильского. Он до сих пор в Москве. Почему он не уехал?

— Непредвиденные обстоятельства. Но мы над этим работаем.

— Почему вы не сказали мне про водителя?

— Мы не обязаны перед тобой отчитываться. У нас есть задание, мы работаем над его выполнением. А почему, что и как — не твоя забота. Ты понял, Витя?

— Нет, моя забота! Потому что речь идет о моей жизни! И я имею право знать, почему вы отступаете от плана и творите хрен знает что! — он начал срываться на крик. — Вы должны были только увезти жену, а потом отпустить ее. Что это за самодеятельность с водителем? Ментов разбудить захотели? Пока они спят, вам скучно? Хуже работается?

— Остынь, — голос в трубке был по-прежнему ровен и невозмутим. — Это был эксцесс исполнителя. Если тебе от этого легче, то знай: виновные наказаны. У нас очень жесткая дисциплина.

— Да плевать я хотел на вашу дисциплину! Люди Богомольца уже висят у меня на хвосте, я сделал, как вы мне советовали, навел на ложный след, но это же только временная передышка, временная, понимаете? Они в любой момент могут появиться снова. Я буду морочить им голову, подставлять фальшивки, но это все не понадобится, если они узнают то, что знаем мы с вами. Тогда мне никакие спектакли не помогут, они в пять минут все выяснят. И мне конец.

— Не паникуй. Выпей сто граммов коньяку и ложись спать.

Первую половину дороги домой Виктор кипел от негодования. Ну каким же надо было быть козлом, чтобы убить водителя! Сказано же было предельно ясно: похитить жену Нильского, через три дня отпустить. И все. По такому делу никакая ментура не станет задницу рвать. Подумаешь, большое дело, молодая баба ушла гулять — и загуляла на целых три дня. Нашлась же? Нашлась. Живая и невредимая. А уж что там она рассказывает — мало кому интересно, да и чего только не расскажешь, лишь бы грех прикрыть и с мужем отношения не обострять. А теперь у ментов труп, теперь им в тишине отсидеться не удастся, хочешь — не хочешь, а работать придется.

Однако примерно на середине пути в голову Виктору пришла мысль, заставившая его похолодеть. Сегодняшняя встреча с Нильским... Случайной ли она была? Вернее, до какой степени случайной? Руслан, кажется, не узнал его, во всяком случае, ничем не выдал своего интереса. Ну и немудрено, пластику-то Виктору сделали на славу, самые лучшие врачи работали за огромные бабки. Но как же так вышло, что он случайно знакомится с девушкой, а оказывается, что девушка связана с Нильским? Неужели такое возможно в многомиллионном городе? Или все это с самого начала было не случайностью, а тщательно спланированной игрой? Богомолец спелся с Нильским, забыл о старой вражде, и Руслан теперь помогает ему вычислить Юрку Симонова. Когда в его жизни появилась Юля? Совсем недавно, после того, как он слетал в Кемерово. Иными словами — после того, как люди Богомольца получили возможность вычислить три имени: Слуцевича, Гусарченко и Ремиса. Вычислили — и подставили под каждого своего человека. Под него — Юльку. Надо попробовать выяснить, не появилась ли у Гелика Ремиса в последние дни такая же знакомая...

О черт, а он всего полчаса назад всерьез подумывал о том, не жениться ли ему на Юльке! Вот идиот! Совсем, видно, башню снесло.

Глава 13

Вячеслав Михайлович Афанасьев глядел в список и по очереди поднимал каждого сотрудника отдела с вопросом: «В каком состоянии работа по раскрытию преступления?» Убийств, в раскрытии которых принимали участие его подчиненные, было, как всегда, больше, чем самих подчиненных, и это арифметическое обстоятельство, как правило, нравилось начальникам, потому как если человек делает одновременно несколько дел, то наверняка не может заниматься ими одинаково результативно, с полной отдачей и без упущений и проколов, а это означает, что всегда есть к чему придраться и за что поругать. Свою порцию начальственного гнева получили все, в том числе и Настя, которая, мысленно усмехаясь, припомнила вчерашнюю похвалу полковника и пожурила саму себя за глупую надежду хотя бы сегодня обойтись без выволочки. Кроме убийства в Сокольниках, на ней висело еще три преступления, по которым она за минувшую неделю успела кое-что сделать, но, видимо, недостаточно для получения хорошей оценки на оперативном совещании. Особенно много нареканий вызвало ее «бездействие» по делу о тройном убийстве, случившемся в ходе очередной разборки внутри одной из группировок, контролирующих рыночную торговлю. Преступление было совершено в конце мая, и самая активная работа велась, как обычно, в первые несколько суток, а потом потихоньку слабела, чтобы к концу истечения месяца с момента убийства и вовсе сойти «на нет». Так было всегда и везде, ибо преступники имеют неприятное обыкновение «работать» по собственному графику и не брать в голову проблемы сыщиков и следователей, у которых и без того куча нераскрытых дел. Вот если бы воры, грабители и душегубы относились к милиции по-человечески, уважительно и по-доброму, они бы непременно считались с их непомерной нагрузкой и, задумав очередное злодейство, первонаперво интересовались бы, а будет ли у оперативников и следователей время и силы заниматься тем, что они собираются сотворить. И, выяснив, что времени и сил не будет, приняли бы решение погодить маленько, дать «врагам» возможность распутаться со старыми долгами и только потом эдак бодренько, с пионерским задором взяться за новое дело. Но у криминалитета милицейские трудности отчего-то понимания не встречают, поэтому и приходится сыщикам хвататься за новые задания, не выполнив толком кучу предыдущих. А отсюда и результат: по «свежему» трупу работают в полную силу всего несколько дней, после чего переключаются на следующее убийство, капризно не захотевшее стоять в очереди, дожидаясь, пока у милиционеров руки и головы окажутся свободными.

Раздав всем сестрам по серьгам и объяснив личному составу, что так работать нельзя и он намерен требовать одинаково высокой активности в раскрытии всех преступлений, в том числе и столетней давности, Афанасьев принял вид озабоченный и скорбный.

— На днях в городе произошло убийство на межнациональной почве. Есть указание руководства забрать это дело на Петровку. Вы должны понимать, что это вопрос политический. Москва — город многонациональный, и нельзя допустить, чтобы здесь одни люди убивали других из-за национальной принадлежности, иначе дойдет до погромов и массовой резни.

— А в мононациональном городе по этой причине убивать можно? — спросила Настя, делая наивные глаза. — А я думала, что убивать вообще нельзя, нигде и никого. Меня так в университете учили.

В глазах начальника коротко полыхнул недобрый огонек.

— Правильно, Каменская, тебя учили. Вот и займись этим. Поезжай в окружное управление, возьми все материалы, с руководством вопрос согласован.

Настя открыла было рот, чтобы ввязаться в дискуссию, но перехватила предупреждающий взгляд Короткова и остановилась. Она хотела напомнить Афоне, что на сегодня у нее запланирована отработка версий, связанных с содержанием романа Руслана Нильского, а также с личностью депутата Государственной думы Евгения Фетисова, подозреваемого в организации угроз и давления на журналиста. Еще она собиралась сказать Вячеславу Михайловичу, что убийство на межнациональной, равно как и на религиозной, почве — это не новость, что такие убийства случались и раньше, и синагогу взрывали, и азербайджанцы с армянами в период карабахского конфликта тоже не из-за девушек друг друга убивали. Но очень уж сердито глянул на нее Коротков, и Настя решила промолчать.

— Ну кто тебя за язык тянет? — выговаривал ей Юра минут через двадцать, когда после окончания оперативки зашел к ней выпить кофе. — Вот и натянула новые проблемы на свою голову. Сидела бы тихо — глядишь, дело кому другому поручили бы.

— Да ладно, какая разница, — Настя обреченно махнула рукой, — не это дело, так следующее мое было бы. Все равно нагрузка у всех одинаковая. Это Колобок всегда думал, прежде чем задания раздавать, прикидывал, кто что умеет и у кого что лучше получается. А у Афони — чистый расчет, распределение нагрузки, чтобы никому легко не дышалось. Ты про это межнациональное убийство что-нибудь слышал? С какой такой радости его на Петровку забрали?

— Объясняю. — Коротков шумно отхлебнул кофе из чашки и захрустел печеньем. — Один молодой мужчина застрелил другого молодого мужчину. Про первого, который убийца, почти ничего не известно, кроме того, что он среднего роста, среднего телосложения и волосы у него не то светлые, не то каштановые, то есть средненького такого цвета. А вот про второго, который жертва, известно чуть больше. Он, видишь ли, подруга, является членом группировки Валеры Липецкого.

— Ничего себе! — протянула Настя. — Этот тот Липецкий, который стоит за двумя банками и десятком фирм?

— Тот самый.

— Тогда я не понимаю, из-за чего такой сыр-бор. У Липецкого одна из лучших в Москве служб безопасности, они этого убийцу сами найдут, без нашей помощи.

— Ага, — кивнул Юра, — найдут сами и убьют тоже сами. И получим мы уже три трупа, с которыми нам же и разбираться придется.

— Погоди, а почему три? — не поняла она. — Первый труп есть, второй будет, а третий где?

— Третий уже был, если верить сомнительным данным, полученным оперативным путем. Ты ж меня не дослушала, а торопишься вопросы задавать.

— Извини. Возьми еще печеньица, а то ты злой какой-то с утра. Голодный, что ли? Я же тебя завтраком кормила.

— Ну вот, уже куском хлеба попрекаешь... — вздохнул Коротков. — Короче, ты права, конечно, никакого шума не было бы, если бы не одно пикантное обстоятельство. В группировке Липецкого народ все сплошь небедный, банки и фирмы приносят большой доход, так что все кореши вплоть до самых шестерок имеют хорошие хаты в престижных домах и ездят на дорогих иномарках. Вот и убиенный наш жил в приличном доме. А в доме этом, кроме него самого, проживает немалое количество достойных и обеспеченных граждан, и некоторым из них как-то не очень нравится, когда под их окнами стреляют. Вот один такой привередливый услышал выстрелы и выскочил на балкон с острым желанием всенепременно покрыть отборным матом негодяя, который нарушает его покой. И что же он там увидел?

— Догадываюсь, — усмехнулась Настя. — Он увидел лежащее тело и убегающего мужчину со средними приметами.

— Вот и ошиблась, — Коротков скорчил ей злорадную мину, залез всей пятерней в банку с печеньем и несколько секунд с наслаждением жевал. — Он увидел только убегающего мужчину. Без тела. А поскольку вышеозначенный жилец не только привередливым оказался, но еще и старомодным, он почему-то решил, что милиция существует для охраны покоя и безопасности населения. И кто только ему такую глупость сказал? Все уже давно знают, что милиция существует в нашей стране исключительно для отчетности перед мировым сообществом, дескать, у нас она тоже есть, так что все как у больших. Но жилец, видимо, этого не понимал и кинулся звонить дежурному по отделу милиции. Мол, у нас тут стреляют. Дежурный пообещал прислать сотрудника. Жилец наш ждет-пождет, спать не ложится, готовится группу встречать и показания давать. А никто не едет. Он давай опять звонить, минут через сорок. Дежурный ему снова обещает людей прислать. Время, заметь себе, половина двенадцатого ночи, нормальным людям утром на работу идти, так что самое время баиньки, но наш бдительный борец за справедливость считает нужным до конца исполнить свой гражданский долг.

— Вот бедолага, — посочувствовала Настя. — И сколько он в общей сложности прождал?

— Три с половиной часа. В дежурку звонил раз пять. Стрельба была около одиннадцати вечера, в половине третьего ночи он плюнул на свой гражданский долг и лег спать. А поутру проснулся, на балкон вышел гантельками помахать, глядь — а внизу милиция, криминалисты, собака бегает с проводником под ручку. Оказывается, человека застрелили как раз в тот момент, когда он открыл дверцу, чтобы выйти из машины. Так он в машине и остался, на сиденье упал, снаружи в темное время его и не видно было, утром только заметили. Убийца молодец, ума хватило дверь снова прикрыть, чтобы внимания к машине не привлекать. Но дальше, подруга, начинается самое интересное.

— Да куда уж интересней-то?

— А ты послушай. Этот дядька, который наивный и привередливый, кинулся вниз, к милиции поближе, чтобы показания дать. Он же точно помнит, когда стреляли, и убегающего человека видел. Так с ним даже разговаривать не стали, представляешь? Он им говорит: я, мол, свидетель, могу показания дать. А его отфутболили. Ни имени его не записали, ни адреса, ни телефона. Вот у него ретивое и взыграло. Покипел он негодованием, покипел до вечера, а вечером возьми да и позвони своему приятелю из нашего с тобой родного министерства. Нажаловался ему от всей души. А приятель-то, не будь дурак, на следующее же утро доложил кому надо. Время нынче в министерстве смутное, новый министр всю команду меняет, и любая информация о том, что у кого-то в подведомственной отрасли не все налажено и имеются недочеты в работе, используется по прямому назначению: в качестве компры.

— Все ясно. Дело оказалось на контроле в министерстве, и его для пущей важности передали на Петровку. А с какого боку тут национальный вопрос?

— Опять же объясняю. Слушай, у тебя, кажется, печенье кончилось, — Коротков растерянно посмотрел на круглую жестяную коробку, в которой еще совсем недавно серебристое донышко даже не проглядывало. — Его же так много было...

— Было, — согласилась Настя, — пока ты все не съел. Ты же как удав, метешь все подряд и не глядя, особенно когда рассказываешь. Не отвлекайтесь, гражданин начальник, повествуйте дальше.

— Да, так вот. По первости, как только дело на контроль

попало, задействовали все силы, сети раскинули широко, и выудили такую информацию: дескать, убили нашего потерпевшего за то, что он незадолго до этого сам убил какого-то кавказца, причем исключительно из-за ненависти к кавказцам вообще. Так что второе убийство у нас получается в порядке мести или наказания, а вот первое — именно из-за межнациональной розни. Так что на тебя Афоня повесил фактически не один труп, а целых два.

— Весело, — она уныло покачала головой. — Получается, искать исполнителя второго убийства надо среди лиц несуществующей в природе кавказской национальности. А первое убийство у нас вроде как раскрыто, преступник известен, поскольку уже убит. Вот только первая жертва — неизвестно кто. Лихо! Тебе хотя бы примерно не сказали, кого он там убил? Грузина, армянина, азербайджанца, чеченца, ингуша, осетина? А может, аварца или даргинца? В какой этнической группе мстителя-то искать?

— Извини, подруга, — развел руками Коротков, — чего нет — того нет, врать не стану. Поднимай сводки за последние четыре недели, анализируй национальный состав потерпевших, думай, прикидывай. Это же твое любимое занятие. Дерзай.

— А с убийством Инджия что делать? Бросить?

— Ну, не надо так кардинально вопросы решать. По убийству Инджия работа и без тебя идет, я человечка зарядил, который может найти ходы, чтобы проверить сведения об Эдике Старшем, Зарубин в Кемерове информацию собирает, эксперты изъятый у Ганелина пистолет исследуют, все своим чередом. У следователя три человека в клетке парятся, так что ему тоже есть чем отчитаться.

Да, Юрка прав, в бездействии их упрекнуть не смогут. Когда же это случилось с ними со всеми? С какого момента они перестали работать на поиск преступника и начали ориентироваться только на показатели и мнение начальства? Уровень преступности, процент раскрываемости... Вроде бы эти отчетные показатели были всегда, и всегда ругали за высокий уровень и низкий процент, ничего же не изменилось, и все-таки стало по-другому. Что-то сломалось в милицейских душах, стержень какой-то треснул, развалился, и следом стала разваливаться вся система вокруг этого стержня. У Гмыри трое задержанных по одному делу, причем совершенно ясно, что если первые двое виновны, то уж точно невиновен третий, и наоборот, если есть серьезные основания подозревать третьего, то первых двоих надо отпускать. Почему же они все продолжают находиться в камере? Потому что веских улик, настоящих, стопудовых, нет ни против одного из них, а видимость активной работы по делу должна быть. И никого уже давно не интересуют вопросы законности задержания и прав человека. Посадили — и будешь сидеть, ничего с тобой не сделается. Борис Витальевич Гмыря — хороший следователь, хваткий, жесткий, опытный, но закон он никогда особо не чтил, может быть, еще и потому, что раньше много лет проработал оперативником. Хотя... возможно, она и не права, обвиняя Гмырю в равнодушии к людям. Если информация Афони о конфликте Ганелина с Эдиком Старшим — не пустой звук, если Ганелину действительно предложили «отработать» долг, то вряд ли Андрей Константинович сам пошел в Сокольники убивать любвеобильного Теймураза Инджия. Скорее всего, он нанял кого-то, так все делают, не самим же мараться. Так что он вполне может оказаться организатором убийства, а кто-то из двоих знакомых Тимура — исполнителем. На роль организатора Ганелин более чем подходит, он хорошо представляет себе обстановку на съемочной площадке, он наверняка со слов жены знает, что Тимур подружился с Яной и развлекает ее в свободное время, и много чего другого, полезного для убийцы, тоже знает. Другой вопрос: как Андрею Константиновичу удалось найти среди приятелей Тимура тех, кто готов был бы свести счеты с парнем? Но это проблема вполне решаемая, например, люди того же Эдика Юсубова помогли. Правда, при таком раскладе сильно мешает обнаруженный в машине Ганелина пистолет. Как он там оказался, если муж Натальи Вороновой из него не стрелял и вообще водителя убил совсем другой человек? Неужели Андрей Константинович дал исполнителю оружие, а потом забрал обратно? Что ж, бывает. Бережливость — качество не такое уж редкое. Приобрел оружие, заплатил собственные деньги, чего ж теперь добру пропадать? Не выбрасывать же, жалко...

Нет, не получается. Человек, который выбрасывает такие огромные деньги на съемку фильма без всякой надежды их вернуть в полном объеме, не станет мелочиться и рисковать из-за нескольких сотен долларов, потраченных на пистолет. Или все-таки станет? Попробуем просчитать все еще раз: Ганелин сумел организовать не только убийство Тимура Инджия, но и похищение Яны. Само по себе похищение имело только одну цель — запутать следствие, подкинуть ложные мотивы преступления. Эту же цель преследовали и подметное письмо с цитатой из Марка Твена, и коробка с обезглавленными крысами. Умно, сложно, обстоятельно. И что же, человек, который так все продумал и предусмотрел, рискнул оставить у себя находящееся в розыске оружие, и не просто оставить, а еще и возить с собой в машине, в бардачке, куда в принципе может заглянуть любой, кто сядет на переднее сиденье — Яна, Наталья Александровна, Руслан? Нет, теперь уж точно не получается.

Настя просматривала сводки за последние тридцать суток, выискивая нерусские фамилии, другой половинкой мозга снова и снова возвращаясь к убийству Тимура Инджия и примеряя все, что было известно по делу, к личности Андрея Ганелина. Процесс примерки шел туго, костюмчик, скроенный из фактов, никак не хотел налезать на фигуру бизнесмена.

Вот в сводке за 9 июня промелькнула фамилия «Инджия», и Настя машинально, отреагировав на нерусское имя, поставила карандашом галочку на полях страницы. А что? По формальным признакам вполне подходит, потерпевший — грузин, преступление не раскрыто, так что она не имеет права с ходу вычеркивать его из перечня фактов, подлежащих проверке. Хорошо бы назло Афоне установить, что это именно Теймураза Инджия убили на межнациональной почве! И ни Ганелин, ни его коллеги по бизнесу, ни телевизионщики, ни политик Фетисов и его дружок Богорад по кличке Богомолец не имеют к этому ни малейшего отношения. Вот классно было бы! Утерся бы Афоня со своими конъюнктурными порывами!

Интересно, могло ли и в самом деле так получиться? Настя попыталась представить себе убийство на межнациональной почве. Как оно может выглядеть? Воображение сразу нарисовало бытовую картинку: смуглый человек с крупным носом торгует на рынке красивыми фруктами, к нему подходит покупатель, выясняет цену, пытается торговаться, между ними разгорается перепалка, покупатель вытаскивает пистолет и стреляет в несговорчивого продавца со словами: «Всех вас, черных, ненавижу! Понаехали! Всю Россию заполонили! Из русских людей кровь пьете, последние деньги вытягиваете!» Могло быть, могло. Но днем и на глазах у десятков людей. Еще вариант: живет в Москве состоятельный (чтобы не сказать — богатый) кавказец, купил себе шикарную квартиру, в гараж рядом с домом поставил две-три машины одна другой дороже. И живет в этом же доме обнищавший вследствие перестройки славянин, доведенный до ручки постоянным ростом цен на все, обманутый родным государством и потерявший свои сбережения. Ненависть к соседу растет, копится и в конце концов выплескивается... Вполне возможно, поздно вечером, и вполне возможно, возле подъезда дома, в котором оба живут. Но в таком случае убийца не может быть членом группировки Валеры Липецкого. Люди Липецкого живут хорошо и богатого кавказца ненавидеть не станут. Жизнь, кстати, показывает, что члены криминальных группировок чаще всего люди благодушные, и чувство классовой ненависти им чуждо. Что же должно было произойти между Тимуром Инджия и рядовым боевиком Антоном Плешаковым (а именно так звали человека, застреленного в собственной машине возле подъезда собственного дома), чтобы вышеназванный Антон вдруг воспылал неукротимой злобой в адрес веселого грузинского парня? Зависть? Да завидовать особо и нечему, денег у Плешакова, судя по квартире и машине, куда больше, чем у Тимура. Кроме того, Тимур родился в Москве, в Грузии никогда не жил, только ездил, когда был ребенком, в гости к бабушкам и дедушкам, да и эти поездки прекратились в связи с войной. По-русски говорил почти без акцента и вообще из всего грузинского имел только внешность, имя и указанную в паспорте национальность, во всем остальном был типичным среднестатистическим москвичом.

Но самое главное даже не в этом. Сотрудники уголовного розыска, отрабатывавшие связи и образ жизни Тимура Инджия, не включили имя Антона Плешакова в перечень контактов убитого водителя. Не было в этом длинном списке такого имени. Что же, знакомство Тимура с Плешаковым осталось тайной для всех окружающих? И это возможно, если, например, их отношения строились вокруг чего-то очень не располагающего к огласке. Но тогда речь не может идти о межнациональной ненависти. Если уж Плешаков вступил в такие законспирированные отношения с Тимуром и проворачивал вместе с ним какие-то засекреченные гешефты, то он с самого начала знал о национальной принадлежности своего партнера, и с чего бы это ему на ровном месте вспоминать о своей глобальной нелюбви к выходцам с Кавказа? Если уж у него эта нелюбовь действительно глобальна, то он не стал бы с самого начала связываться с Тимуром, вот и все.

Пойдем с другой стороны. Антон действительно терпеть не мог кавказцев. И он действительно не был знаком с Тимуром. Плешаков совершил убийство не на почве личной неприязни, а просто так, из хулиганских побуждений. Увидел красивого молодого грузина, идущего поздно вечером по парку и при этом обнимающего красивую русскую девушку, и убил. Возможно? Запросто! Но куда при этом девать похищение Яны? И как оценивать показания самой Яны о том, что из кустов их позвали, назвали по именам? Нет, межнациональную рознь к этому делу никак не припаяешь. А жаль... Красиво могло бы получиться. И главное — Афоня огорчился бы.

Что ж, будем работать дальше. Первым делом надо обзвонить все окружные управления, на территории которых совершены убийства лиц «кавказской национальности», и выяснить, какие из них раскрыты, а какие — пока нет. Потом ко всем нераскрытым примерить личность Антона Плешакова из группировки Валеры Липецкого. Настя достала из стола телефонный справочник, нашла номер телефона заместителя начальника управления Западного округа, протянула руку к телефонной трубке, но пальцы будто помимо ее воли стали нажимать совсем другие кнопки. Она звонила своему приятелю из регионального управления по борьбе с организованной преступностью и коррупцией.

— Саня, я решила, что с сегодняшнего дня буду любить Валеру Липецкого. Как ты считаешь, у меня есть шансы?

— Навалом, — хохотнул в трубку приятель по имени Саня. — Тип премерзкий, бабы его терпеть не могут, так что твоя любовь без ответа не останется.

— Расскажешь?

— Что смогу. Давай вечерком подъезжай, часиков в восемь — полдевятого, только перезвони предварительно.

Получить информацию от опера «за просто так» — задача высшей категории сложности. Информация — это ключ к раскрытию преступления, причем совсем не обязательно уже совершенного. Каждый опер в ходе повседневной работы получает огромное количество сведений, которые на данный момент могут оказаться совершенно бесполезными, но пригодятся завтра, или через месяц, или через год, когда будет совершено новое преступление. Информацией дорожат, берегут как зеницу ока и стараются ни с кем ею не делиться, даже с собственным начальником, особенно если это информация с прицелом на будущее. Ведь неизвестно, как жизнь повернется, может, тебе самому придется раскрывать преступление, на которое эта информация проливает свет. А ты ею, как последний болван, поделился, и кто-то успел получить результат раньше тебя самого. Он на коне, а ты в дураках. Галочка о раскрытии — ему, а не тебе. При подведении итогов процент раскрываемости оказался выше у него, а не у тебя. Так что подсунь ценные сведения себе под задницу и сиди на них крепко и уверенно, зорко оберегая от посторонних глаз. Короче говоря, охраняй аки границу государственную.

Поэтому, собираясь на встречу с приятелем из РУБОПиКа (так в последнее время стали именовать РУБОП, добавив в название наряду с организованной преступностью еще и коррупцию), Настя на особые откровения не рассчитывала. Ей нужно было получить самую общую информацию о Валере Липецком и его людях, не более того. Мысль о возможном убийстве Тимура Инджия по мотивам межнациональной розни зудела, как назойливый комар вокруг носа, и постоянно отвлекала от работы. В конце концов, это преступление — всего лишь одно из списка нераскрытых, где жертвами стали выходцы с Кавказа, и она обязана провести по нему такую же работу, как и по всем остальным.

* * *

Неделя, миновавшая с момента ухода Короткова из семьи, жилищную проблему Юры так и не разрешила, обещанная ему квартира в общежитии все еще была занята, видно, родственникам хозяина в Москве понравилось, и они решили здесь подзадержаться. Возвращаясь домой после встречи с приятелем, целенаправленно борющимся с оргпреступностью, Настя позвонила Короткову, чтобы сообщить, что он уже может двигаться в сторону дома.

— Только сначала дозвонись до Зарубина и попроси, чтобы он нам попозже перезвонил, когда ему будет удобно разговаривать, — сказала она.

— Зачем? Есть что-то интересное? — вскинулся Юра.

— Не столько интересное, сколько любопытное. Но разговор интимный, давай дома обсудим.

Настя слишком хорошо знала про управление «Р» и остерегалась вести служебные разговоры по мобильному телефону. Она, конечно, не преступница, а даже совсем напротив, но мысль о том, что ее разговоры могут в любой момент начать прослушивать, была ей глубоко неприятна и вызывала чувство здоровой брезгливости. Она знала, что записывающие устройства включаются при попадании в зону контроля кодовых слов, и примерно представляла себе, что слова эти должны бы, по идее, относиться к сфере терроризма, но, во-первых, конкретного перечня слов-сигналов никто не знал, во-вторых, перечень этот должен быть невероятно длинным, и в-третьих, в управлении «Р» сидят точно такие же люди, какие вообще живут в Москве, служат в органах внутренних дел и ходят по улицам. Иными словами, люди, которым вовсе не чужды здоровое и нездоровое любопытство и, что намного хуже, желание подзаработать какой-никакой приварок к скудной зарплате. И нет никаких гарантий, что эти люди не сотрудничают с преступными группировками.

Настя хотела попросить Сережу Зарубина срочно съездить в Камышов, город в Кемеровской области, откуда родом был Руслан Нильский. Она не знала точно, зачем Сережа туда должен ехать и что выяснить, просто чувствовала, что из этой поездки может выйти толк. Дело в том, что у Валеры Липецкого был опытный и толковый начальник службы безопасности. Некто Петр Степанович Дыбейко. В прошлом — начальник городского отдела внутренних дел в Камышове. Такая вот метаморфоза...

* * *

Яна раздражала ее все больше, но Ирина знала: ради Наташи, ради ее спокойствия она будет терпеть эту капризную девчонку, более того, не просто терпеть, а делать вид, что все замечательно, просто отлично, и лучше и быть не может.

Начать хотя бы с того, что в воскресенье вечером Янка принялась изображать мировую скорбь и даже отказалась заехать вместе со всеми к Гольдманам. Когда Наташа и Ира приехали к следователю и забрали Яну, сиротливо сидящую в коридоре под дверью кабинета, та потребовала, чтобы ее отвезли домой. Якобы она так переволновалась и перенервничала, что ни в какие гости идти не собирается. Можно подумать, Наташка меньше переволновалась! Андрей все-таки ей муж, а Янке — никто. Пришлось делать лишний крюк и завозить ее домой, к Наташе. Руслан дергался, то и дело виновато поглядывал на жену, и было понятно, что он тоже хотел бы остаться с ней дома, утешать и успокаивать, но не мог: он должен был помочь Наташе отогнать машину Андрея Константиновича с Покровки к дому в переулке Каменной Слободы.

В понедельник Яна отправилась вместе со всеми на

«Мосфильм». Ирина снималась во второй половине дня, с пяти часов, и когда она появилась на площадке, то увидела все ту же картину: мрачная Яна сидит в сторонке одна, ни с кем не разговаривает, ни на кого не смотрит и всем своим видом показывает, какая она несчастная, ей столько пришлось пережить, перестрадать, а никто не кидается ее утешать, не машет над ней крыльями и не стремится бросить все дела, чтобы отвлечь ее от страшных воспоминаний. Руслан нервничает, это видно невооруженным глазом, чувствует себя виноватым перед женой, хотя в чем его вина? В том, что не плюнул на съемки и не увез ее в Кемерово? Наташа тоже нервничает, потому что жалеет и Янку, и Руслана. Она вообще такая: всех жалеет и всем старается помочь.

Во вторник эпизод с участием Ирины снимался прямо с утра, к двенадцати она уже освободилась и решительно подошла к Яне, с хорошенького личика которой так и не сошло выражение обиды на весь мир.

— Хочешь принести пользу обществу? — громко спросила она.

Яна медленно подняла на нее серые глаза, скорбно улыбнулась:

— Какую пользу?

— Поехали со мной. Сделаем что-нибудь полезное для Наташи, она целыми днями работает, ни на что времени не остается. Заодно развеешься. Чего тебе тут сидеть?

— Не хочу, — тихо ответила Яна.

Не хочет она! Ира с трудом удержалась, чтобы не схватить ее за плечи и не тряхнуть как следует, чтобы вытрясти из ее головы всю дурь. Но она же актриса, в конце концов, а не базарная торговка.

— Яночка, послушай меня, — ласково заговорила Ира. — От твоего сидения на площадке никакого толку, тебе скучно, и ты все время копаешься в своих грустных мыслях. Руслан занят, он не может уделять тебе много внимания, но он видит твое состояние и очень переживает. Это мешает работать и ему, и Наташе, потому что у них обоих за тебя душа болит. Давай поедем вместе, поболтаем, пообедаем где-нибудь вкусненько. И Наташке поможем, она еще вчера говорила, что собрала вещи для химчистки и уже вторую неделю не может отнести — времени нет. Вещей много, ей одной их не дотащить, а Андрей Константинович все последние дни сначала тобой занимался, а теперь вообще... А, Яночка? Поехали?

Яна тяжело поднялась со стула и кивнула:

— Ладно, поедем. Может, так и правда будет лучше.

Они вдвоем подошли к Наташе, которая с сердитым лицом что-то объясняла актерам, готовящимся к съемке следующего эпизода.

— Натулечка, мы с Яной решили вместе уехать, — бодро начала Ира.

Наталья подняла на них непонимающий взгляд, сняла очки.

— Куда это вы собрались?

— Твои вещи в химчистку отвезем, хочешь? Подумай, что еще нужно сделать, мы все сделаем. Мне одной будет скучно, и Янке скучно тут сидеть, а вдвоем будет веселее.

— Хорошо, — коротко кивнула Наташа, — спасибо, ты меня очень выручишь.

Она отошла на несколько шагов, подняла с пола сумку, достала ключи и деньги.

— Вот, возьми. Вещи для химчистки в прихожей, в стенном шкафу, три большие сумки. Имей в виду, они тяжелые, там, кроме легких вещей, все наши куртки, две дубленки, пальто и Андрюшин плащ. На кухне найдешь пакет с лекарствами, он стоит на столе рядом с холодильником, его надо отвезти Люсе. Сможешь?

— Смогу, — буркнула Ира. — Если твоя сестрица такая больная и не может жить без этих лекарств, то могла бы свою ненаглядную доченьку за ними прислать, а не ждать, когда ты сама их привезешь.

— Ира, это не обсуждается. Люся — моя сестра, какая бы она ни была. Ей шестьдесят три года, она нездорова, и давай будем с этим считаться.

— Ладно, — вздохнула Ира. — Что еще сделать?

— Я бы хотела, чтобы ты съездила к Андрюшиной маме. Он уже неделю у нее не был и теперь неизвестно когда сможет ее навестить. Посмотри, что там с продуктами, купи все необходимое, она же ничего тяжелее буханки хлеба поднять не может. Да, и еще: если будешь проезжать мимо какой-нибудь кулинарии, купи пару салатиков и кусок жареной рыбы, я Алешке утром не успела ужин приготовить, только с обедом управилась. И смотри, чтобы салаты были без картошки, ладно?

— Есть, мой генерал! — шутливо отрапортовала Ира. — А где Руслан?

— Пошел куда-то уединяться и думать.

— Мы не будем его искать, ты сама ему скажи, что Яна со мной уехала, хорошо?

— Хорошо, — рассеянно откликнулась Наталья, мгновенно переключаясь мыслями на предстоящую съемку.

По дороге Ирина беспрестанно болтала, пытаясь растормошить и разговорить Яну, но безуспешно. Яна сидела молчаливая и угрюмая, обхватив себя руками за плечи, словно отгородившись от всего мира. Она немного оживилась только тогда, когда они сдали вещи в химчистку и направились к Наташиной сестре на одну из дальних окраин Москвы.

— Ты сестру Натальи Александровны за что-то не любишь? — спросила она Ирину.

— А за что ее любить? — ответила Ира вопросом на вопрос. — Самовлюбленная эгоистка с непомерной самооценкой. Да еще и графоманка в придачу. Уже сто лет пишет роман-эпопею, считает себя гениальным писателем, всем окружающим печень выедает своей гениальностью и непонятостью. Та еще штучка! Вот погоди, сама увидишь.

Ира сестру Натальи ненавидела люто, но старалась по мере возможности этого не демонстрировать, ограничиваясь лишь колкими и едкими замечаниями в ее адрес. Впрочем, столь же люто она ненавидела всех, кто посмел когда-либо огорчить или обидеть Наташу. А уж больше, чем Людмила, Наталью не обижал никто, в этом Ира была стопроцентно уверена.

— А маму Андрея Константиновича ты любишь? — продолжала Яна свой странный допрос.

— Зачем мне ее любить? Я же ей никто. Но она мне жутко

нравится. Она классная тетка, веселая, жизнерадостная, ни к кому не пристает и свои проблемы старается ни на кого не вешать, в отличие от Людмилы. Только она очень больная. Старенькая уже.

— А Наталью Александровну? — не отставала Яна.

— Люблю. Она для меня — всё, понимаешь? Всё и все. И мать, и отец, и старшая сестра, и подруга. Я даже своих двоих мужей так не любила, как Наташку. Мужья у меня были — полные козлы, между прочим, — весело сообщила Ира. — Один меня бил, другой изменял по-черному. И оба пили. Вот повезло мне!

— Зачем же ты за них замуж выходила?

— Зачем, зачем... В первый раз — дура была, девятнадцать лет всего, хотелось свободы, хотелось от Наташки оторваться, она же меня в ежовых рукавицах держала, то нельзя, это нельзя... Ну, сама понимаешь. Через несколько месяцев я от него сбежала, к Наташке вернулась.

— А второй муж?

— Со вторым мужем другая история. Но это неинтересно. И вообще это все в прошлом, чего сейчас обсуждать?

— Но ты его любила, когда замуж выходила за него?

Любила ли? Ира мысленно усмехнулась. Когда находишься внутри ситуации, чувствуешь одно, а потом, когда проходит время и оглядываешься назад, видишь все совсем по-другому.

— Конечно, любила, — уверенно ответила она.

— А потом что? Разлюбила или как?

— Это он первым меня разлюбил, по бабам начал таскаться. Я терпела какое-то время... Знаешь, у него родители были очень хорошие, мне с ними так славно жилось! Они все видели, все понимали насчет своего сыночка, поэтому всегда были на моей стороне. И потом, мне уходить-то особо некуда было, мою комнату в коммуналке к тому времени заняли, там Людмила с дочкой поселилась. Незаконно, конечно, но не выгонять же их на улицу, правда? Вот и терпела.

— Почему же ты ушла? Другого нашла?

— Да нет, какого там другого... Ушла, когда поняла, что дальше терпеть бессмысленно. К этому времени нашу коммуналку как раз расселили, мне досталась отдельная квартирка, так что было куда уйти.

— Когда это случилось?

— Чуть больше года назад, в апреле. Я как раз в Кемерово приезжала, ты знаешь об этом. Вернулась, собрала вещи и ушла. А с чего это тебя моя личная жизнь так интересует?

На самом деле Ира была убеждена, что Яна задает свои вопросы с одной-единственной целью: прощупать, насколько обоснованна ее собственная ревность. Ведь вбила же себе в голову, дурашка, что между Русланом и Ирой что-то есть, и носится со своей ревностью как курица с яйцом.

Яна последний вопрос проигнорировала, ничего не ответила, но через некоторое время снова вернулась к интересующей ее теме:

— Ира, а ты влюбчивая? Легко влюбляешься?

— Я-то? Еще как легко! За пять минут. Из-за этого все мои беды.

— Какие? — голос Яны стал настороженным.

— А! Я вечно влипаю в какие-то отношения, с которыми потом не знаю как развязаться. Я же не только влюбляюсь быстро, но и обратно развлюбляюсь с такой же скоростью. А отношения-то уже возникли... В общем, у меня с любовью одна морока получается.

— И пока замужем была, тоже влюблялась?

— Естественно. От собственной натуры ведь не убежишь никуда.

— И как?

Напряжение в голосе Яны возросло, и Ире стало смешно. Вот дурочка, небось сопоставила две даты — приезд Иры в Кемерово, ее встреча с Русланом и уход от мужа. И решила, что это неспроста.

— Ну что — как? Тебя интересует, изменяла ли я мужу, когда влюблялась? Нет, не изменяла.

— А почему?

Господи, да что она пристала! Хочет выяснить, было ли у Иры с Русланом что-нибудь? Ведь они, строго говоря, встречались тогда, когда она еще была замужем...

— Случая не было, — сердито отпарировала Ира. — Для

супружеской измены нужны три условия: чтобы я хотела, чтобы он хотел и чтобы было где. Все три условия не каждый день складываются, их надо целенаправленно создавать, а у меня на это запала никогда не хватало. Еще вопросы будут?

— Да, я еще хотела спросить...

— Ну валяй, спрашивай.

— А вот если бы эти три условия сошлись, ты ушла бы от мужа?

— Я? — Ира от души расхохоталась. — Я что, больная? Да ни за что на свете! Отношения с любовником — это одно, а желание или нежелание жить с мужем — совсем другое. От мужей уходят не потому, что заводят любовника, а потому, что жить с ним больше не хотят.

— Но это же безнравственно.

— Да что ты говоришь? Спасибо, просветила, а то я не знала. Вот влюбишься в кого-нибудь, изменишь своему Руслану, тогда я готова эту проблему обсудить с тобой еще раз.

Они подъехали к дому, где жила сестра Натальи.

— Ну как, со мной пойдешь или в машине посидишь? — спросила Ира.

— Я, пожалуй, лучше останусь здесь, — неуверенно ответила Яна. — Если сестра Натальи Александровны такая неприятная женщина, то зачем мне...

— И это правильно, — одобрила Ира. — Лишние отрицательные эмоции тебе совершенно ни к чему. Я быстро, даже в квартиру заходить не стану, только лекарства отдам — и бегом назад. Мне от общения с Людмилой тоже радости мало.

Людмила, похожая на высохшее дерево, с высокомерной снисходительностью на некогда красивом, а сейчас покрытом глубокими морщинами лице приняла от Ирины пакет с лекарствами, царственно кивнула и захлопнула дверь прямо перед ее носом, не удостоив ни словами благодарности, ни предложением зайти. И слава богу, думала Ира, спускаясь в лифте вниз, — чем меньше с ней общаешься, тем меньше гадости оседает на дно души.

Теперь они двинулись в ту часть города, где жила мать Ганелина. По пути зашли пообедать, Яна постепенно оживилась и набросилась на Иру с вопросами об известных актерах, с которыми той довелось сниматься, об их личной жизни, привычках и особенностях характера, об их поведении во время съемок и вне съемочной площадки. Кто на ком женат, кто с кем спит, кто много пьет, а кто «зашился» или закодировался, у кого какие квартиры и загородные дома. Ира не любила сплетничать о собратьях по профессии, но чего не сделаешь, лишь бы Янка перестала быть мрачной!

К матери Андрея Константиновича Яна тоже решила не заходить, дождалась, пока Ира выйдет со списком покупок, и весело зашагала рядом с ней по проходам между прилавками огромного супермаркета, находившегося в пяти минутах езды. Они доверху нагрузили продуктами и разными хозяйственными мелочами две тележки, распихали все по фирменным магазинным пакетам и, сгибаясь под тяжестью покупок, побрели к машине.

— Теперь бы еще кулинарию найти — и можно считать, что программу мы полностью выполнили, — с удовлетворением произнесла Ирина.

Она опустила пакеты на асфальт, полезла за ключами от машины и в этот момент заметила какой-то белый листок на лобовом стекле, подсунутый под стеклоочиститель.

— А вот и любовное послание от парковщиков. — Она вытащила листок в полной уверенности, что увидит на нем проставленное время парковки автомобиля.

Это была фотография, сделанная на кладбище. Ухоженная могила, красивое надгробие с надписью: «Бесчеревных Николай Филиппович, 1965 — 1999 гг.».

Глава 14

— Детка, ты в бога веришь?

— Умеренно, без фанатизма. А что?

— В церковь ходишь?

— Нет.

Н-да, девушка оказалась несовременной в религиозном плане. Нынче модно кичиться своей верой, знать все религиозные праздники и непременно посещать храмы. А Юля подкачала.

— Но ты хотя бы крещеная?

— Да нет же, Витя, — в ее голосе зазвучало усталое нетерпение. — Я же еврейка, какие могут быть крестины?

— Жаль, — он непритворно огорчился, — я хотел сегодня в церковь сходить.

— Ну так сходи, в чем дело?

— А ты как же?

— Домой поеду, нет проблем.

— Нет, я так не хочу, — возразил Виктор. — Я хочу побыть с тобой. Давай вместе поедем, прогуляемся, там место очень красивое. И, кстати, есть неплохое заведение со столиками на улице. Посидим, поужинаем. Потом я зайду в храм, а ты меня на улице подождешь, будешь пить кофе со своими любимыми пирожными.

— Хорошо, — Юля повела хрупкими плечиками, что на ее языке жестов означало недоумение. — Только я не понимаю, почему надо ехать куда-то. Рядом с твоим домом полно церквей, зайди в любую, помолись, свечку поставь. Или у тебя именно в том храме какое-то дело?

Вопрос Виктору не понравился. Вот уже третий день он присматривался к своей новой подружке, пытаясь выискать в ее поведении признаки, свидетельствующие о том, что их встреча и знакомство не были случайными. Порой ему казалось, что какая-то реплика Юли выдавала ее с головой, и сердце у него обрывалось, но уже через секунду она произносила слова, которые говорили об обратном. Та встреча с Русланом произошла в воскресенье, сегодня уже среда, а он так и не разобрался в Юле. Подстава это или нет? Проще всего было бы спровоцировать ссору, разругаться с девушкой и расстаться с ней навсегда, избавив себя тем самым от возможного соглядатая. Но Виктор не мог. Не хватало силы воли отказаться от ее гибкого горячего тела, от ярких темных глаз, прожигающих его в самые острые моменты насквозь, от ее прохладных гладких волос, приятно освежающих его разгоряченную грудь. Он мучился подозрениями и страстно хотел ее.

Вопрос же Юлин, на первый взгляд совершенно обычный и вполне оправданный, не понравился ему потому, что выбор храма действительно был обусловлен не религиозными, а деловыми соображениями. В этот храм ходит Гелик Ремис. Причем ходит каждый день, если находится в Москве. Если кому-то нужно найти Гелика, то достаточно лишь занять пост возле церкви, и Гелик обязательно пройдет мимо. Либо утром, либо днем, либо вечером, но он обязательно появится.

— В этом храме есть одна икона... Ладно, не буду тебя грузить, ты от этого далека, все равно не разбираешься. Короче, я раз в месяц хожу туда и ставлю свечку именно этой иконе. Она удачу приносит. Я давно заметил: как схожу в храм, постою перед иконой, так ближайшие несколько сделок удачно пройдут. У меня на днях большая сделка намечается, одну квартиру, кажется, удастся толкнуть, она на нас уже три года висит — дорогущая, никто покупать не хочет. Теперь вот покупатель появился, если не сорвется — я прилично заработаю. Поэтому мне обязательно надо сегодня к иконе сходить, поняла?

Из всего сказанного ровно половина была ложью, но вторая половина была все-таки правдой. Квартира — трехкомнатная, с евроремонтом, в доме, расположенном внутри Садового кольца, — была выставлена на продажу еще три года назад и с тех пор существенно подешевела, но желающих ее купить все равно не находилось. Беда была в том, что хозяева вложили огромные деньги в евроремонт, сделали полы с подогревом, напичкали квартиру встроенной мебелью и дорогой техникой, увешали эксклюзивными светильниками, дополняющими замысел дизайнера. Естественно, что в продажную цену входила не только стоимость жилплощади как таковой с учетом престижности района, но и цена ремонта и оборудования. Но оказалось не так-то просто найти покупателя, которому понравился бы такой дизайн и который захотел бы выложить такие бешеные бабки — фактически тройную цену квартиры. А переплачивать за чужой вкус, потом все выбрасывать и переделывать по-своему желающих отчего-то не было. Вторая же беда состояла в том, что эта роскошная хата находилась в невзрачном доме старой постройки, с убогим подъездом, обшарпанными лестницами, без мусоропровода, без консьержа и даже без собственной охраняемой автостоянки. И люди, в принципе готовые жить в такой квартире, совершенно не хотели жить в таком доме. И самим противно, и гостей стыдно приглашать.

Два дня назад, в понедельник, кажется, дело стало налаживаться. Виктор показывал квартиру покупателю, тот долго пристально изучал каждый предмет, начиная от мебели и заканчивая укрепленным в специальном углублении феном, одобрительно хмыкал, задавал массу вопросов, потом сказал, что завтра придет с женой. Во вторник с десяти утра до пяти вечера Виктор снова торчал в этой квартире. Покупатель обещал приехать к десяти, но появился только около часа дня в сопровождении капризной дамы с визгливым голосом, и все началось по новой. Полки, дверцы, краны, ковровые покрытия, стеклопакеты, светильники, ручки... И уже уходя, покупатель заявил, что его все устраивает, но ему нужно показать квартиру еще раз. Дело, видите ли, в том, что эта квартира — подарок их сыну к свадьбе. Половину подарка оплачивают родители невесты, и потому они тоже должны принять участие в выборе. Сегодня, в среду, Виктор снова показывал злосчастную «трешку». Покупатели взяли тайм-аут — два дня на размышления, и в пятницу обещали дать окончательный ответ. Виктору очень хотелось, чтобы квартира наконец продалась. Его интерес был понятен и поддавался нехитрым арифметическим обсчетам: хозяева давно уже жили за границей, после двух лет попыток получить за квартиру полную цену, они махнули на все рукой и заявили в агентстве, что их устроит сто двадцать тысяч долларов вместо первоначальных двухсот пятидесяти. Агентство же выставляло квартиру за двести тысяч, надеясь восемьдесят тысяч положить в карман. Поскольку за двести квартира тоже не продавалась, объявленная цена плавно сползла до ста семидесяти. Виктору же сказали, что в принципе можно идти на торг и снизить цену еще тысяч на десять-пятнадцать, лишь бы сбыть этот лежалый товар с рук. Агентство должно получить не меньше тридцати тысяч долларов чистого навара, то есть цену можно опускать максимум до ста пятидесяти, а если Виктору удастся спихнуть квартиру дороже, то разница — его. Вот за эту разницу он и бился, желая непременно довести переговоры с покупателем до стадии оформления сделки.

Но к посещению храма все это не имело никакого отношения.

С того места, где они сидели с Юлей, отлично просматривался вход в церковь и даже часть улицы, по которой должен был идти Ремис. Виктор изо всех сил тянул время, мучительно долго изучал меню, потом обстоятельно обсуждал его сперва с Юлей, потом с официанткой, потом неторопливо ел. Ремис появился в тот момент, когда Виктор доедал последний кусок молочного поросенка. Виктор постарался запомнить всех, кто следом за ним вошел в храм, и поднялся.

— Я пойду, детка, а ты закажи себе кофе со сладким и подожди меня. Я недолго.

В церкви он быстро отыскал глазами Ремиса и начал изучать всех, кто оказывался в непосредственной близости от него. Да, так и есть, вот этот парень шел за Геликом по улице, а теперь стоит метрах в двух от него, сзади, чтобы не попадаться на глаза, и протирает взглядом дыру на спине Ремиса, обтянутой синей рубашкой из тонкого вельвета. Народу в храме много, вот Гелик, помолившись перед иконой, стал медленно пробираться вглубь, парень так же медленно просачивается за ним следом. Ремис поставил свечи еще двум иконам, перекинулся несколькими словами с проходившим мимо священнослужителем и двинулся к выходу. Парень шел за ним как приклеенный, но четко соблюдая безопасную дистанцию. Виктор злорадно ждал, когда Гелик спустится с крыльца. Он знал, что Ремис обязательно обернется и осенит себя крестом, стоя лицом к храму, так делают все верующие. И окажется лоб в лоб со своим преследователем. Но парень, видно, был опытным, либо сам верующий и порядки знает, либо следит за Геликом не первый день. Он чуть замешкался при выходе, дал Ремису возможность перекреститься на храм и только потом продолжил движение.

Стоя возле забора, огораживающего территорию храма, Виктор задумчиво смотрел вслед удаляющимся фигурам Гелия Ремиса и того, кто за ним следил. Все сработало. Они подумали именно так, как заставил их подумать Спилберг.

Не зря этот человек имеет такую кличку, Спилбергом его окрестили за любовь к сложным инсценировкам и за страсть к режиссуре криминальных спектаклей. Люди Богомольца на все пошли, чтобы выманить Юрку Симонова. И как только они узнали, что он не погиб при взрыве на шахте? Кто-то сдал, видно. Они, падлы, даже сестренку Аню не пожалели, убили, надеялись, что он на похороны приедет. Самое паскудное — они точно знают, что в Камышове у кого-то есть с ним связь, иначе как бы он вообще узнал о смерти младшей сестры? Но Богомолец был уверен, что Симонов про сестру узнает. И он узнал. Однако на трюк не купился, на похороны не поехал. А поехал позже, через полтора месяца. К этому времени Спилберг разработал комбинацию и подыскал нужных людей, возрастом, фигурой и цветом волос схожих с Виктором. Главная трудность была не столько во внешних данных, сколько в биографиях и образе жизни. Эти двое, без которых задуманная Спилбергом комбинация не могла состояться, должны были быть людьми либо с сомнительным прошлым, либо с таким, которое трудно проверить. Ранее судимый Эдик Гусарченко, не проживающий по месту прописки и редко появляющийся на своей съемной квартире, был идеальным вариантом. Странноватый Гелий Ремис тоже прекрасно вписался в отведенную ему роль осторожного и запуганного человека, боящегося собственной тени. Им были предложены хорошие деньги за сущую малость: поехать вместе с Виктором в Кемеровскую область, помочь организовать материальную и социальную помощь одинокой женщине, потерявшей всех близких, а по возвращении в Москву спокойно всем рассказывать о том, где были и зачем ездили, но напрочь забыть о том, что были они втроем и что им за это заплатили. И имена двух других спутников по поездке выкинуть из памяти. Больше ничего не требовалось. Эдик Гусарченко купился на легкие деньги, Гелик Ремис — на благотворительную, а стало быть, угодную господу помощь одинокой несчастной женщине. Одним словом, уговаривать их долго не пришлось. Спилберг сказал, что, может, ничего и не будет, и у Богомольца ума не хватит проверить в аэропорту списки вылетающих в Москву. Но рассчитывать на это особо не следует, у Богомольца мозги устроены как надо и сбоев пока не давали. Таким образом, правильно построенная комбинация даст возможность убить сразу двух зайцев: Виктор съездит в родной город и организует там все для матери, а заодно, если Богомолец просечет ситуацию и клюнет на приманку, запудрить ему мозги и подставить Гелика Ремиса вместо Виктора. Для этого нужно только в соответствующий момент услать Эдика Гусарченко из Москвы и разыграть соответствующий спектакль, чтобы Богомолец поверил: Виктор Слуцевич — это совсем даже не Юрка Симонов, а всего лишь вторая личина ловкого афериста Гусарченко. Стало быть, Симонов — это Ремис.

Ремиса должны убить, полагая, что он и есть Симонов. Перед этим его будут долго пытать и задавать разные вопросы, а Гелик, конечно же, будет говорить, что это недоразумение, что он ничего не знает и вообще они обратились не по адресу. Но все его слова будут как мертвому припарки. Ему никто не поверит. Даже если он начнет ни с того ни с сего рассказывать о том, что ему заплатили за поездку в Камышов, это его не спасет. Богомолец таким байкам не верит, комбинация Спилберга слишком сложна для того, чтобы в нее можно было поверить. На это, собственно говоря, и был расчет.

Да, на вопросы, которые ему будут задавать люди Богомольца, Гелик ответить не сможет и, скорее всего, умрет даже раньше, чем у них иссякнет терпение и они решат его прикончить. И вот тогда на истории с Юркой Симоновым будет поставлен крест, окончательный и жирный. И Виктор сможет дышать и жить спокойно. Если только этот пронырливый журналист не законтачит с Богомольцем и не вспомнит... Вот здесь комбинация Спилберга, которая казалась Виктору такой изящной и простой, почему-то засбоила. Что-то не складывается, как он задумал, не связывается, и дело по-прежнему стоит на месте. А время идет, и каждый день люди Богомольца могут прийти к Нильскому. Для этого нужна всего-то ничтожная малость: выяснить, что Нильский и Симонов родом из одного города. И тогда все выплывет.

И даже смерть Гелика Ремиса, святого и простодушного человека, ни в чем не замешанного и ни к чему не причастного, Виктору не поможет.

* * *

Накануне, во вторник, Коротков приехал вечером к Насте злой и раздраженный.

— Опять у меня свидание сорвалось! Какой-то роман получается с самого начала неудачный, — пожаловался он. — Ирина сказала, что Яна бьется в истерике, и она останется ночевать у Вороновой, чтобы быть буфером между Натальей Александровной и Нильскими.

— Не переживай, — с улыбкой утешала его Настя, — зато у тебя, а заодно и у меня есть возможность получать новости горячими, прямо с места событий.

— Что да — то да, — согласился Юра. — Я попросил Иру немедленно позвонить, если Яна или Руслан все-таки вспомнят, кто такой этот Николай Бесчеревных, снимок могилы которого им подсунули.

Настя уже знала, что и Руслан, и его жена без колебаний опознали кладбище как кемеровское: в кадр на заднем плане попал известный каждому жителю города надгробный памятник группе подростков, погибших в автокатастрофе. Но фамилия Бесчеревных супругам Нильским ни о чем не говорила. Так, во всяком случае, они заявляли.

В семь утра в среду раздался звонок от Ирины Савенич. Дрожащим и звенящим от гнева голосом она сообщила Короткову, что Яна ни за что не соглашается больше оставаться в Москве, она боится, и сегодня же Руслан вместе с ней улетает в Кемерово.

Еще через полчаса позвонил Зарубин. Его голос тоже звенел, но не от гнева, а от деловитости, смешанной с торжествующим лукавством.

— Здорово, Пална! — поприветствовал он Настю. — А чего я зна-а-аю! А чего я тебе расскажу-у-у!

— Говори, — нетерпеливо потребовала Настя.

— Ну да, прям-таки, разбежался с простого телефона. Вот

придешь на службу и узнаешь. Если твое начальство тебе передаст.

— Сережа, ты маленький подлый клоп, — возмутилась она. — Кровопивец, одним словом. Будешь говорить или нет?

— Не, Пална, и не проси, — голос Зарубина внезапно стал серьезным. — Тут дело такое — сама понимать должна. Подожди пару часиков — и все узнаешь.

— Зачем же ты мне позвонил сейчас?

— А подразнить. Интересно же. И потом, меня тоже распирает удачей поделиться. Пусть рассказать не могу, но похвастаться-то хочется! Кстати, наш общий горячо любимый шеф с тобой?

— Куда ж он денется, — усмехнулась Настя. — Дрыхнет как сурок. Полчаса назад поговорил по телефону и давай снова спать. У него подъем минут через сорок по графику. Сережа, я вот о чем хочу попросить. Сегодня Нильские собираются возвращаться в Кемерово. Я бы хотела, чтобы ты там понаблюдал за ними на всякий случай. И еще: поспрашивай у местного народа насчет Николая Филипповича Бесчеревных, родился в шестьдесят пятом, умер в девяносто девятом, места рождения не знаю, а похоронен в Кемерове. Мне надо знать о нем все, что можно.

— Зачем? — неосторожно спросил Сергей и тут же нарвался:

— А я тебе потом скажу, если начальство разрешит, клопик ты мой ненаглядный.

— Сколопендра, — огрызнулся Зарубин.

— А ты — каракурт, — тут же отпарировала она. — Сержик, ты со мной в эти игры не играй, я всю жизнь кроссворды разгадываю и потому знаю нужных слов раз в сто больше, чем ты.

— Жужелица! — отчаянно кинулся в бой Сергей, но тут же испугался и повесил трубку.

Настя с улыбкой погладила телефон, щелкнула по нему указательным пальцем, мысленно представляя себе при этом зарубинский курносый нос, и принялась за приготовление завтрака.

Вечером того же дня она сидела в своей квартире одна-одинешенька. Коротков поехал к Ирине и, трогательно смущаясь, предупредил Настю, что ночевать не придет, но к завтраку непременно будет.

— Это еще зачем? — удивилась она. — Ты что, не можешь прямо от нее на работу приехать?

— Ира завтра снимается с девяти утра где-то у черта на рогах, за городом. Подъем у нее в шесть, выход из дома — в семь. Я, конечно, могу изобразить трудовой порыв и приступить к несению службы в половине восьмого, но лучше я все-таки к тебе приеду, ладно? Ты меня покормишь не спеша и расскажешь, чего за ночь надумала.

— Ну конечно, — фыркнула Настя, — ты ночью будешь развлекаться, а я думать должна? Здорово придумал.

— На то я есть твой начальник, — строго ответил Юра. — И не смей огрызаться.

Готовить еду для себя одной Насте не хотелось, она скучно сжевала оставшуюся со вчерашнего дня холодную отбивную с куском хлеба, запила этот изысканный ужин чашкой некрепкого кофе и улеглась на диван, закинув руки за голову.

Сведения, добытые Сережей Зарубиным, были и в самом деле интересными, они будили воображение, но в единую картинку не складывались. По крайней мере сразу. Может быть, в спокойной обстановке, в тишине одиночества и уюте мягкого дивана мысли станут более стройными и упорядоченными? Во всяком случае, Настя очень на это надеялась.

В начале апреля неизвестные воришки проникли в дом матери Руслана Нильского, перевернули все вверх дном, вероятно, искали деньги и ценности, однако таковых не обнаружили и удовольствовались какой-то ерундой вроде дорожной сумки из кожзаменителя и дешевой бижутерией. Руслан в это время уже уехал в Москву показывать свой роман, и Ольга Андреевна Нильская решила сына не тревожить из-за ерунды, тем паче урон был нанесен совсем незначительный, бижутерию эту она все равно уже давно не носит, а сумка слова доброго не стоит, да и некуда с ней ездить. В милиции дело возбудили, но никаких преступников, естественно, не нашли, списали все на залетных наркоманов, которые тырят по мелочи, лишь бы на очередную дозу хватило.

Спустя примерно неделю после кражи у Нильской весь город Камышов был взбудоражен убийством Анечки Симоновой. Убийц опять же не нашли, но зато рассказали Зарубину о несчастной семье, в которой сначала при взрыве на шахте погиб старший сын Юрочка, потом скоропостижно скончался глава семьи, а теперь вот Анечку убили. И все за какой-то год с небольшим. Клавдию Савельевну Симонову все искренне жалели, пытались помочь кто чем мог, но народ в Камышове в основном небогатый, так что помощь получилась от всей души, но не очень существенная. И вдруг спустя месяца полтора после Анечкиной смерти появился в городке незнакомец. Что-то типа графа Монте-Кристо, который явился, чтобы помочь семье судовладельца Мореля. Все организовал, всем денег дал, всех на уши поставил, чтобы осиротевшей Клавдии ни в чем и нигде отказа не было. И исчез. Так же внезапно, как и появился. Кто он и что — никому не ведомо, ведь когда человек такие деньги наличными прямо в руки дает, у него документов обычно не спрашивают.

А кемеровские оперативники, занимающиеся борьбой с организованной преступностью, поведали Зарубину, что какой-то слушок нехороший прошел среди братвы насчет Юрки Симонова. Дескать, и не погиб он вовсе при взрыве шахты. Другие двенадцать человек — да, погибли, а вот тринадцатого промеж них не было, да разве по разорванным и обгоревшим кускам плоти точно скажешь, сколько их там было? Кто не поднялся наверх после взрыва, того и считают погибшим. Симонов не поднялся. И отчего-то братва стала поговаривать, что он жив. Но разговоры эти появились не сразу, а только много месяцев спустя. Не то видели этого Симонова где-то живым и здоровым, не то шепнул кто... Но даже если Симонов жив, то ходить ему по этой земле недолго, видимо, осталось, потому как сам Богомолец, главнейший кемеровский авторитет, его активно разыскивает.

История конфликта Богомольца и Симонова выглядела и в самом деле устрашающе в том смысле, что шансов выжить у псевдопогибшего не было никаких. И если он действительно инсценировал собственную смерть, то совершенно ясно, почему. Никому не дозволено запускать лапу в «общак». За это неминуемо следует самое жестокое наказание. Странность, однако, состояла в том, что Симонов ни к какой группировке не принадлежал и к «общаку» доступа иметь не мог. Так, во всяком случае, выходило по сведениям местных оперативников. Почему же его так настырно искал Богомолец и почему в этой информации постоянно мелькало слово «общак»?

* * *

Сергей Зарубин проклинал все на свете. Ну почему так получается, что как только ты соберешься сделать решительный шаг в собственной жизни, так тебя немедленно посылают в командировку? Еще в понедельник он позвонил в Москву своей девушке по имени Гуля и, прикрывая показной вежливостью собственное смущение, спросил, не согласится ли она выйти за него замуж. На что Гуля, тихонько засмеявшись, ответила, что сделанные по телефону предложения не рассматривает как серьезные. Она, мол, никуда не торопится и вполне может подождать, пока Сергей вернется из командировки и повторит эти слова при личной встрече. Не исключено, что за время пребывания вдалеке от Первопрестольной он одумается.

Зарубин знал, что не передумает. Но боялся, что за время его отсутствия случится что-нибудь непредвиденное, например встреча Гюльнары с двухметровым красавцем-богатеем, который выразит готовность бросить к ее ногам куда больше, чем может предложить скромный опер с Петровки. Ему всегда казалось, что он влюблен в Гулю куда сильнее, чем она в него, и оттого Сергей постоянно ждал вмешательства неожиданного соперника.

А перспектива отъезда домой с каждым часом выглядела все более неопределенной. Ведь первоначально его заданием было выявить связи Яны Нильской и поработать с информацией о группировке Богомольца. Потом выяснилось, что надо заниматься еще и каким-то Николаем Бесчеревных. А теперь вот Симонов, сведения о котором он нарыл на свою голову. С одной стороны, к убийству Тимура Инджия и похищению Яны Нильской история с Симоновым никакого отношения иметь не должна, но Каменская сказала, что Симонов по крайней мере двумя точками соприкасается с Русланом Нильским: городом Камышовом, где прошло детство обоих, и личностью Богомольца, который их обоих почему-то страшно не любит, одного пытался запугивать, а другого вообще собирается убить. И закрыть глаза на эти две точки соприкосновения она не считала возможным.

Город Камышов Сергею понравился, давно уже не доводилось ему бывать в таких спокойных уютных местах, заросших буйной зеленью, столь густой и щедрой, что и заборов вокруг домов зачастую не было: все равно сквозь ветки и листву ничего не видно, а если кто вознамерится забраться в дом, так ему никакой забор не помешает, разве что бетонный, метров пять-шесть высотой, но ставить такие ограды в Камышове никому и в голову не приходило, да и дорого.

Первой, с кем решил поговорить Зарубин, была мать Руслана Нильского Ольга Андреевна, моложавая приятная женщина с милым лицом и негромким голосом.

— Что-то с Русланом? — испуганно спросила она, услышав от нежданного гостя, кто он и откуда. — Или с Яночкой?

— С ними все в порядке, — Сергей решил прежде времени не волновать Ольгу Андреевну рассказом о похищении Яны. — Меня интересует один человек, с которым, возможно, ваш сын был хорошо знаком.

— Кто такой?

— Юрий Симонов.

— Юрка-то? — Брови Ольги Андреевны взлетели вверх и забыли вернуться на прежнее место, так и остались где-то под линией волос. — Ой, шалопут он был! Вот родители-то с ним намучились. Отец его порол нещадно за каждую провинность, а толку никакого.

— И какие же это были провинности? — поинтересовался Сергей.

— Подворовывал, хулиганил, патронами баловался. В милицию его уж сколько раз забирали, внушения делали — да все без толку. Потом, правда, остепенился немножко, после армии техникум закончил, на шахту работать пошел взрывником. Даже деньги родителям постоянно привозил.

— Руслан с ним дружил?

— Нет, что вы, Руслан младше был года на два или на три, я уж сейчас точно не вспомню. Но они оба в одной школе учились.

— А сами вы знали Юру?

— В лицо — знала, конечно, а так... Он к нам в дом никогда не приходил. Его мать, Клавдия, работала буфетчицей в исполкоме, я тоже в исполкоме тогда работала, вот я про Юркины подвиги от нее и узнавала.

— Скажите, Ольга Андреевна, а позже, когда Руслан уже переехал в Кемерово, он никогда вам не рассказывал, что, мол, Юрку Симонова встретил?

— Нет, — твердо ответила Нильская, — такого не было.

Выяснив, где находится школа, в которой учились когда-то Нильский и Симонов, Зарубин отправился искать учителей, которые могли бы припомнить что-нибудь интересное. Ведь часто так бывает, что родители и знать не знают, с кем их дети общаются на школьных переменках. Домой приводят одних друзей, а курить в школьный сад бегают совсем с другими, это Зарубин помнил еще по собственному опыту.

Директор школы сразу заявила, что сидит в этом кабинете всего третий год, посему о детях, учившихся полтора десятка лет назад, ничего сказать не может, и посоветовала Зарубину обратиться к тем учителям, которые работают давно. Например, преподавательницы химии или истории, они здесь старожилы, все остальные пришли позже.

Разыскав обеих, Зарубин не узнал ничего нового, оба педагога хорошо помнили и Юру Симонова (отпетого хулигана, с которым никто не мог справиться), и прилежного и воспитанного Русика Нильского, и категорически отрицали факт их дружбы.

— Да что вы! — преподаватель химии даже руками всплеснула, услышав вопрос оперативника. — Между ними не было ничего общего! И потом, Русик был младше, он общался только со своими ровесниками. Вы должны понимать, что в этом возрасте разница в три года — это очень много, это просто пропасть, через которую невозможно перепрыгнуть. Когда одному человеку тридцать, а другому тридцать три, они этого даже не замечают. Но когда одному мальчику десять, а другому — тринадцать, это совершенно разные миры, поверьте мне как старому учителю. В тринадцать уже начинаются сигареты, выпивка, скабрезные разговоры о сексе и о том, как заработать деньги, а в десять мальчики еще сущие кутята.

Учительница истории была не столь многословна, как ее коллега-естественница. Вопрос о Юрке Симонове вызвал на ее породистом гордом лице лишь брезгливую гримасу, видно было, что она и вспоминать-то о нем не хочет, зато Руслана она отрекомендовала самым лестным образом, сказала, что мальчик был очень способный, прилежный, ответственный. И удивительный. Этим словом она и зацепила внимание Зарубина.

— Почему удивительный? — спросил он.

— Знаете, он был таким худеньким, маленьким, в очках. Его, как я помню, даже от уроков физкультуры освободили из-за зрения. А его боялись.

— Как это? Кто боялся?

— Да все, как это ни смешно. И ученики, и учителя.

— Вот как? — встрепенулся Сергей. — Даже учителя боялись?

— Представьте себе. Странно звучит, правда? — она улыбнулась. — И тем не менее так оно и было.

— Но почему? Почему взрослые люди, педагоги, могли бояться мальчишку? Он что, задавал на уроках неправильные вопросы?

— Да что вы, — учительница истории рассмеялась, — Нильский никогда не задавал неудобных вопросов, он был правильно воспитан, мама — член партии, работник исполкома. В том и дело, что он ничего не спрашивал. Он только ставил в известность.

— О чем? — терялся в догадках Зарубин.

— О том, что знал. При этом давал слово никому не говорить об этом, и слово свое всегда держал, что и удивительно для такого мальчугана. Он уже в двенадцать-тринадцать лет вел себя совершенно по-мужски, очень честно и ответственно.

— Простите, — Сергей покаянно склонил голову, — но я

ничего не понял из того, что вы сказали. Можно как-нибудь попроще, как на уроке в пятом классе?

— Попроще?

Она вздохнула, поправила прическу, о чем-то задумалась.

— Не знаю, имею ли я право... Впрочем, прошло столько лет, и потом, эти педагоги здесь уже не работают... Одним словом, Руслан все про всех знал. Уж каким образом ему это удавалось — мне неведомо. И вот представьте себе такую картинку: приходит мальчик-семиклассник к учителю или даже к директору школы и заявляет, дескать, я знаю про вас то-то и то-то, но вы не беспокойтесь, я никому об этом не скажу.

— Вот это да! — восхищенно протянул Сергей. — И что такого страшного он знал про своих учителей?

— Да про кого что. Сейчас это все может показаться смешным и нелепым, а тогда все боялись. У нашей тогдашней директрисы муж частным извозом подрабатывал, например. Некоторые учителя принимали подношения от родителей учеников, а это тоже могло повлечь неприятности вплоть до исключения из партии и увольнения с работы. А супружеские измены? Ведь Руслан и о них каким-то образом узнавал. Он половину педколлектива в страхе держал, можете мне поверить. Но что самое удивительное — он слово свое всегда держал, информация дальше его ни разу никуда не просочилась.

— А зачем же он это делал? Неужели шантажировал учителей для получения хороших оценок?

— Я бы не стала этого утверждать, — историчка покачала тщательно причесанной головой. — Руслан хорошо учился и не нуждался в поблажках. Конечно, он не был круглым отличником, по одним предметам он успевал только на четыре и пять, по другим и троечки случались, но это совершенно нормально для ребенка, у которого есть собственная система ценностей и интересов. Какие-то предметы он любил и, соответственно, учился лучше, какие-то были ему скучны, и оценки были хуже. Я думаю, ему нравился сам момент разговора со взрослым человеком, который вдруг терялся, пугался и попадал в зависимость от него.

— Он наслаждался своей властью над взрослыми?

— И этого я бы утверждать не стала. Видите ли, если бы его интересовало только ощущение власти, он бы это как-то проявлял... Например, время от времени напоминал бы о том, что знает. Или требовал в обмен на свое молчание определенных поблажек. Он же ничего этого не делал. Один раз подойдет, скажет, улыбнется — и все. И больше ни слова. Потому я и назвала его удивительным мальчиком.

Зарубину очень хотелось спросить, не подходил ли в свое время Руслан и к ней с таким же разговором, но он воздержался. К характеристике отношений Симонова и Нильского ее ответ ничего не прибавит, а настроение у преподавателя истории может испортиться. Но последний вопрос он все-таки задал:

— Как вы думаете, откуда Руслан мог все это узнавать? Его информировал кто-то из взрослых?

— О нет! Он все узнавал сам. Ему доставляло удовольствие наблюдать за людьми — кто куда идет, с кем, когда, как одет, кто с кем поссорился, кто выносит с работы объемистые сумки, кто в рабочее время бегает по магазинам и парикмахерским. Потом он все это анализировал, обобщал и делал выводы. Он просто играл в Шерлока Холмса. Знаете, он ведь даже в школу носил с собой какие-то специальные книжки про расследование преступлений, на переменках читал и во время уроков физкультуры.

Поблагодарив любезную учительницу, Сергей вновь вернулся на поросшую сиренью улицу, где прошло детство Руслана и где до сих пор проживала его мать. Ольга Андреевна была не одна, вместе с ней на крылечке стоял немолодой мужчина, который, судя по всему, только что вытащил из дома очередную сумку. Похоже, Нильская куда-то собиралась. Хорошо, что Зарубин не упустил ее.

— Мы уезжаем, — торопливо пояснила она, запирая дверь, — у нас автобус через двадцать минут.

И добавила, ласково кивнув в сторону мужчины:

— Это Семен Семенович, мой муж.

— Далеко едете? — поинтересовался Зарубин.

— К моему брату, — пояснил Семен Семенович, — ему сегодня семьдесят исполняется, он аж за полгода нас приглашал.

— А когда следующий автобус?

Сергей все еще не терял надежды задержать Ольгу Андреевну и поговорить о странном увлечении ее сына чужими тайнами. Но разговор этот должен быть спокойным и серьезным, не на бегу, уж больно тонка сама материя и важны вытекающие отсюда выводы.

— Завтра, — ответила Нильская. — А что, у вас есть еще какие-то вопросы?

Семен Семенович легко подхватил три из четырех сумок, Ольга Андреевна взяла четвертую.

— Вы извините, но мы очень торопимся. Если хотите — проводите нас до автостанции, задерживаться мы не можем.

Зарубин покорно зашагал рядом.

— Ольга Андреевна, я был в школе, мне учителя сказали, что Руслан носил с собой какие-то специальные книжки о расследовании преступлений. Это правда?

— Конечно, — кивнула Нильская. — Он очень этим увлекался, с детства мечтал работать в милиции, хотел быть оперативником, как вы. Или следователем.

— Почему же не стал? Передумал?

— Медкомиссию не прошел, по зрению.

— А книжки эти специальные откуда? Их ведь в то время в обычном магазине купить было нельзя, я точно знаю.

— Ему участковый наш давал. Он тогда заочно на юридическом учился, вот и давал Руслану почитать свои учебники. Из библиотеки ему книжки привозил.

Участковый! Это уже что-то. Надо его найти обязательно, он может много интересного порассказать про отношения Руслана и Юрки Симонова. То, чего не знает мать, наверняка знает участковый. Обычно пай-мальчики из приличных семей со своими участковыми даже не знакомы и ни лица, ни имени его не знают, поэтому узнавать в милиции про таких мальчиков — дело тухлое и безнадежное. А тут такой редкий случай: пай-мальчик дружит с участковым, ходит к нему домой, книжки одалживает. Про воришку же и хулигана Юрку Симонова этот участковый должен знать все и даже больше. Таким образом, наметился уникальный источник сведений об обоих парнях.

— А как его зовут, этого вашего участкового?

— Петр Степанович Дыбейко, только он давно уже не участковый, — от быстрой ходьбы Нильская начала слегка задыхаться. — Он дорос до начальника нашей городской милиции, а теперь уже не работает.

— Адресочек не подскажете? — с надеждой спросил Сергей.

— Чего нет — того нет, — вступил в разговор Семен Семенович. — Он из Камышова уехал года четыре назад.

— Ну какие четыре, Сеня! — заспорила Ольга Андреевна. — Двух лет не будет, а ты говоришь: четыре.

— Да не может быть! — Семен Семенович не сдавался, и всю оставшуюся дорогу до автостанции супруги проспорили о том, как давно уехал из города Петр Степанович Дыбейко.

Зарубин из вежливости продолжал идти рядом с ними, хотя и понимал, что ничего интересного ему уже не узнать. Теперь следовало решить вопрос: начинать ли поиски бывшего участкового, тем самым еще больше затягивая свое пребывание на кузбасской земле, или плюнуть на него и придумать другие способы получения информации об отношениях не то погибшего, не то живого Юрия Симонова и журналиста Руслана Нильского.

К автобусу они подбежали минут за пять до отправления. Пока Семен Семенович затаскивал внутрь и пристраивал под сиденьями и на багажных сетках сумки, Ольга Андреевна опомнилась:

— Послушайте, а почему вы задаете эти вопросы? Сначала про то, дружил ли Русик с Юрой Симоновым, потом про книжки эти... Одно к другому отношения, кажется, не имеет. Да и Юрочки уже нет в живых. Вы от меня что-то скрываете? С Русланом беда?

— Ну что вы, — Сергей постарался улыбнуться как можно лучезарнее. — Я бы не посмел от вас скрывать, если бы с вашим сыном что-то случилось. Он жив и здоров, кстати, они с Яной сегодня вечером возвращаются из Москвы в Кемерово. Меня в основном Симонов интересует, вот я и ищу людей, которые с ним дружили.

— Но ведь он погиб! Зачем вам его друзья?

— Долго объяснять, Ольга Андреевна. Заходите в автобус, а то без вас уедут.

— А с Клавой вы говорили? Я имею в виду Клаву Симонову, Юрочкину мать? Она вам всех его друзей назовет.

— Видите ли, мне сказали, что с ней говорить бесполезно. После несчастья с дочерью...

— Верно, верно, — Нильская заторопилась, увидев, как водитель автобуса выбросил окурок и забрался в кабину, — Клава совсем плохая, я-то ее давно не видела, но мне говорили... Ну, счастливо вам, московский сыщик!

Сергей уныло побрел от автостанции к городскому отделу милиции, где оставил машину, которую ему по дружбе одолжили кемеровские коллеги. Вот уж точно говорят: чем меньше знаешь, тем меньше работы. Каждый новый вопрос может вызвать такой ответ, после которого работы прибавляется вдвое, а то и втрое. Теперь вот еще Дыбейку этого искать... А может, ну его к черту, милиционера по имени Петр Степанович? Ну был и был, и ладно. В конце концов, сегодня вечером Руслан и Яна Нильские прилетят в Кемерово, и можно будет все вопросы задать самому Руслану. Все равно придется с ними встречаться, чтобы определиться с таинственным Бесчеревных Николаем Филипповичем, вид могилы которого поверг Яну в такую истерику, что она даже в Москве оставаться не захотела. А ведь утверждает, что не знает, кто это такой...

Глава 15

Четверг, 21 июня, начался для Насти Каменской относительно спокойно и даже, можно сказать, удачно. За три предыдущих дня ей удалось довольно полно (как она надеялась) очертить круг людей, знакомых с рукописью Руслана Нильского, кое с кем из них поговорить, в частности с Натальей Вороновой и Ириной Савенич, а с остальными условиться о встрече как раз сегодня, в четверг. Депутата Евгения Фетисова она решила пока не трогать. Может так случиться, что беседы с людьми, читавшими роман Нильского, дадут ей в руки ниточки, тянущиеся к этому государственному деятелю, тогда можно будет подумать о том, как его разрабатывать. А пока рано, пока идти к нему не с чем.

Результаты баллистической экспертизы еще не пришли, Андрей Константинович Ганелин все еще томился в камере, и Настя с чистой совестью занималась не только делом об убийстве Тимура Инджия, но и остальными убийствами, которые ей отписал новый начальник, в том числе и «убийством на почве межнациональной розни». Поскольку место и время совершения всех нераскрытых убийств, жертвами которых пали кавказцы, было известно, оставалась «сущая малость»: примерить к ним убитого на прошлой неделе Антона Плешакова. Что это значит? А очень просто: путем опроса многочисленных свидетелей восстановить всю жизнь Плешакова за минувший месяц, дабы выяснить, на время каких убийств у него есть (вернее, было, поскольку он уже умер) твердое алиби, а на какие — нет. Иными словами, сузить круг поисков. Задачка для дураков. То есть понятно, что и зачем нужно делать, но совершенно непонятно, как. Человек сам про себя-то не всегда может с точностью сказать, что он делал и где был три недели назад между двадцатью часами и полуночью, а уж его знакомые... Хорошо еще, если человек не один живет, еще лучше — если у него ревнивая жена или не в меру заботливая мать, а если один? И самый главный фокус состоял в том, что неизвестно точно, когда именно Антон Плешаков совершил то самое «убийство на межнациональной почве» — в течение последнего месяца или все-таки раньше? Афоня твердо стоял на месячном сроке, вероятно, у него была какая-то информация на этот счет, но проверить ее достоверность Насте не представлялось возможным, новый шеф никогда не открывал своих источников и не говорил, откуда в его голове что берется.

И все-таки к вечеру среды удалось более или менее точно установить, что к восьми из двенадцати нераскрытых убийств Антон Плешаков, скорее всего, отношения не имеет. На Настино счастье, у него была любовница, которая так страстно следила за своей внешностью, что трижды в неделю посещала спортивный клуб, при этом на занятия ездила исключительно на такси, а домой ее отвозил Антон. Девушка, кроме клуба, исправно посещала также и автошколу и в скором времени собиралась приобретать машину, а пока пользовалась услугами таксистов или своего возлюбленного. Занятия у нее проходили с семи до десяти вечера, причем из этих трех часов два посвящались непосредственно телесному здоровью, а еще час — тому, чтобы угробить все достигнутое за предыдущие два часа путем поглощения пирожных и питья довольно крепких коктейлей в баре клуба. Любовница Плешакова утверждала, что в течение последних нескольких месяцев Антон всегда приезжал в клуб к девяти часам, сидел с ней в баре, болтал со знакомыми, после чего отвозил ее домой. В клубе его уже знали, поэтому найти людей, подтверждающих показания молодой спортсменки, труда не составило. И охранники, и бармены, и тренеры в один голос заявляли, что девушка ни разу за последние месяцы не сидела после занятий одна и не уезжала домой без Плешакова. Таким образом, по крайней мере пять убийств обросли алиби.

Еще три убийства пришлось вычеркнуть из списка после того, как эксперты сравнили следы рук, оставленные на местах преступлений, с отпечатками пальцев Плешакова. Рядом с этими трупами его не было.

Оставалось всего четыре нераскрытых убийства, которые, если верить оперативной информации, мог бы совершить Антон Плешаков. Среди них оставалось и убийство Теймураза Инджия. Проверка алиби на эти четыре случая тоже была запланирована на четверг, Настя уже примерно представляла себе, куда ехать и кого спрашивать... Одним словом, ранним утром 21 июня предстоящий день выглядел в ее глазах четко распланированным и наполненным множеством нужных мероприятий. Но по закону подлости все получилось не так.

Первую горькую пилюлю она проглотила с подачи Короткова, примчавшегося, как и было обещано накануне, с утра пораньше на завтрак.

— Что-то больно много народу у нас получается из маленького города Камышова, — философски заметил он, глядя в потолок и не забывая при этом жевать бутерброд с сыром, ветчиной и свежим огурцом. — Нильский, Симонов и еще этот... ну как его... с такой странной фамилией... У Липецкого главный спец по безопасности...

— Дыбейко, — быстро подсказала Настя и похолодела.

Ну какая же она идиотка! Вчера, разговаривая с Сережей Зарубиным, она так воодушевилась его историей про не то погибшего, не то живого Симонова, что совершенно забыла назвать ему имя Петра Степановича Дыбейко. Ну можно ли быть такой растяпой?!

— Юрасик, ты меня убьешь и правильно сделаешь, — расстроенно пробормотала она.

— Что еще ты натворила?

— Я забыла вчера сказать Зарубину про этого Дыбейко.

— Подумаешь! — фыркнул Юра. — Сегодня скажешь. Никуда он от тебя не убежит.

— А вдруг убежит? Ты же знаешь, как это бывает. Узнали бы вчера — успели бы, а сегодня уже поздно.

— Да брось ты, подруга, убиваться! Плачь не плачь — во вчерашний день все равно не вернешься. В другой раз будешь все умные мысли на бумажку записывать, а не в голове таскать, как в бездонной кошелке, в которой всего навалом и ничего вовремя не найдешь.

— Это ты только сейчас такой благодушный, потому что ночь интересно провел, — жалобно заныла она. — А потом, как настроение испортится, так будешь мне всякий промах припоминать, в том числе и этот.

— Не, — Коротков сделал выразительный жест, — зуб даю. Я ж не хуже тебя знаю, что если в первые трое суток убийство не раскроешь, так потом уже торопиться некуда. Закон жизни!

Вторую пилюлю, не слаще первой, преподнес ей начальник, вызвав к себе с самого утра и радостно объявив, что баллистическая экспертиза оружия, изъятого у Ганелина, показала: пули, которыми был убит Тимур Инджия, выпущены именно из этого «макарова» и ни из какого другого. Правда, дактилоскопическая экспертиза этого же пистолета следов рук Ганелина не выявила, но это ни о чем не говорит и Ганелина не оправдывает, поскольку пушку и протереть недолго.

— Я с самого начала тебе говорил, Каменская, что мне не нравится этот муж Вороновой. Говорил ведь?

— Говорили, — добросовестно кивала Настя.

— А ты мне не верила. У меня чутье! Я, знаешь, сколько в розыске отпахал?

«Столько же, сколько и я, — мысленно ответила ему Настя. — Мы же университет вместе заканчивали, забыл?» Но промолчала, изобразив на лице глубокомыслие.

— Так что плотно берись за разработку Эдика Старшего, найди доказательства того, что он заказал Ганелину убийство водителя. Больше от тебя ничего не требуется. А Зарубина я сегодня же отзываю в Москву.

— Подождите, Вячеслав Михайлович. Зарубин нужен мне в Кемерове, — решительно сказала она.

— Для чего? Все линии, связанные с личностью Нильского, никуда не ведут. Мы теперь точно знаем, что водителя съемочной группы убил муж Вороновой. А все эти фотографии кемеровских погостов — не более чем отвлекающий ход.

Спорить с начальником не хотелось, проще было обмануть. Впрочем, была ведь и настоящая причина для пребывания Зарубина в Кемерове, надо только подать ее так, чтобы она выглядела весомой.

— С вашими выводами по делу Инджия я согласна, но есть еще убийство Плешакова из группировки Валеры Липецкого. Вы же сами мне его поручали.

— Да. И что?

— У Липецкого начальником службы безопасности работает некто Дыбейко, который всю жизнь, кроме последних двух лет, прожил в Кемеровской области. Мне нужны данные о нем, чтобы спланировать разработку. Он должен знать, кто и за что убил Плешакова, а также кого убил сам Антон Плешаков. И я хочу заставить его поделиться этими знаниями.

Она не стала называть город и не пыталась акцентировать внимание начальника на том, что в этом же самом городе выросли и Руслан Нильский, и Юрий Симонов. Симонов Афоню вообще не интересовал, поскольку если тот что и натворил, так на чужой территории, и к убийствам, которыми сегодня занимается Петровка, он никакого отношения не имеет. Мало ли что он земляк Нильского! С Нильским все ясно, по нему больше не работаем, а версии, связанные с

Русланом, отметаются как мешающие идти по единственно верному пути — по пути засаживания в тюрьму Андрея Константиновича Ганелина. И никакой разработки Петра Степановича Дыбейко она планировать не собиралась, прекрасно понимая, что организованные преступные группировки, а тем более такие мощные и богатые, — не ее профиль. Если будет нужно — этим займется Коротков вместе с Зарубиным. Но отчего не соврать во имя благой цели?

— Хорошо, пусть пока работает, — неожиданно легко согласился Афанасьев. — Я смотрю, ты с этим межнациональным убийством лихо управляешься. Кстати, хочу тебе поручить еще одно дело.

«У него всегда новый труп кстати, — с внезапно прорвавшейся злостью подумала Настя. — Интересно, что на этот раз? Кинозвезда, политик или иностранный бизнесмен? Убийство рядового гражданина он никогда в жизни забирать не станет, ему только громкие дела интересны, чтоб если уж раскроют — так всенародную известность получить. И за что нашему отделу такая напасть?»

— Отнесись к нему со всей серьезностью, — продолжал между тем Афоня, — это очень важно. В Москве растет активность сатанистов.

Последние слова он произнес с такой интонацией, с какой в былые советские времена произносились слова из Отчетных докладов ЦК КПСС очередным съездам партии: растет империалистическая агрессия против стран мирного социалистического лагеря. С едва сдерживаемой внутренней тревогой и полным осознанием масштаба и важности проблемы.

— Сегодня рано утром обнаружен труп мужчины с явными признаками того, что убийство совершено на религиозной почве. Тело искромсано буквально на куски, видно, что его долго и изощренно пытали. А на груди ножом вырезали православный крест.

Ну точно, так и есть. Преступление по религиозным мотивам, совершенное сатанистами. Наш Афоня отбирает преступления не столько по личности жертвы, сколько по мотиву. Водителя Инджия убили — срыв съемок по коммерческим соображениям, совершенно новый мотив, все будут только об этом и говорить. Антона Плешакова убили на почве мести за межнациональную нетерпимость. Тоже красиво. Теперь вот сатанисты... Ну, Афоня! Можно подумать, что на «земле» этих сатанистов будут искать хуже, чем на Петровке.

Но спорить с начальником она не станет. С тех пор, как дверь оказалась запертой, Настя решила не ссориться с ним и не пытаться доказывать каждый раз свою правоту. Если деваться некуда, надо вырабатывать приемы совместного сосуществования. Лучше смолчать, схитрить, обмануть, в конце концов, и сделать по-своему.

— Хорошо, Вячеслав Михайлович, — она стояла перед ним с видом пионерки-отличницы, которой поручают важное и ответственное дело: за три дня до окончания учебного года подтянуть по русскому языку отпетого двоечника. Задание трудное, практически невыполнимое, но жутко почетное, от которого и в голову не придет отказаться. — Когда можно получить материалы?

— Часика через два мне их подвезут, тогда и возьмешь. Но сначала я сам ознакомлюсь.

Ой-ой-ой, можно подумать! Лично сам ознакомится, чтобы быть в курсе и впоследствии постоянно держать руку на пульсе.

— Конечно, Вячеслав Михайлович. Может быть, мне пока съездить побеседовать с Ганелиным более предметно?

— Поезжай, — согласился Афанасьев. — И пожестче с ним, пожестче. Без церемоний. Пусть этот жук почувствует, что ему теперь не вывернуться.

* * *

Вклинить разговор с Ганелиным в расписание заранее оговоренных встреч оказалось делом непростым. Следователь Гмыря, ехидно покашляв в трубку, согласился вызвать Андрея Константиновича в свой кабинет на время обеденного перерыва, а если до этого момента ее будет разыскивать Афанасьев, сказать ему, что Каменская беседует с задержанным в другом кабинете, и тут же отзвонить ей на мобильник.

Она плюнула на бюджет, мысленно возблагодарила судьбу за то, что Лешка Чистяков теперь много зарабатывает, обменяла пятьсот долларов и заказала по телефону такси на весь день. Голодной она не останется, эти пятьсот долларов Лешка перед отъездом в США дал ей в отдельном конверте, красочном, с виньетками, и велел от своего имени купить себе подарок на день рождения. День рождения состоялся на прошлой неделе, до покупки подарка дело как-то не дошло, и заветный конвертик уныло скучал в ее сумке рядом с электронной записной книжкой, набитой разнообразными лекарствами косметичкой, кошельком, сигаретами и россыпью зажигалок, из которых функционировала только одна, а остальные давно нуждались в заправке.

До обозначенных Борисом Витальевичем Гмырей трех часов дня Настя успела провести две встречи с разговорами по поводу романа Руслана Нильского и еще две — по поводу алиби Плешакова. Одна встреча ничего путного не дала, вторая же позволила вычеркнуть из списка еще одно убийство, совершенное в то самое время, когда пресловутый Антон Плешаков чинил в автосервисе свою машину. В сервис для проверки этих сведений Настя тоже успела заскочить, так что вместо четырех запланированных встреч получилось пять. Ровно в пятнадцать ноль-ноль она переступила порог кабинета следователя.

Ганелин уже сидел там. Взглянув на него, Настя почувствовала, как сжалось у нее сердце. Убийца он или нет, а все равно жалко человека, вынужденного находиться в таких нечеловеческих условиях, какие имеют место быть в изоляторах временного содержания. А уж если Гмыря вынесет постановление о заключении Ганелина под стражу и того переведут в следственный изолятор, где условия куда хуже, а нравы куда круче, тогда вообще...

— Беседуйте, — бросил Гмыря уже на ходу, гремя ключами, которыми запирал сейф, — я буду минут через сорок. Располагайся на моем месте.

Настя не стала усаживаться за стол, а придвинула стул и села напротив Ганелина.

— Я уже все сказал Борису Витальевичу, — измученно

произнес Андрей Константинович. — Ничего больше добавить не могу. Я не знаю, как этот пистолет у меня оказался.

— Андрей Константинович, — Настя слегка запнулась, подбирая слова, ведь она собиралась задать не совсем деликатные вопросы, — вспомните, пожалуйста, среди ваших знакомых есть люди, затаившие на вас зло? Вы не отвечайте сразу, потому что этот вопрос состоит из двух частей. Я понимаю, что такие люди наверняка есть. Меня интересует, есть ли среди них кто-нибудь, хоть как-то связанный с системой МВД или ФСБ? Подумайте как следует, я вас не тороплю.

— Откуда такой вопрос?

Голос у Ганелина мгновенно стал тверже, будто ожил. Даже рыхлое пухлощекое лицо словно подобралось и стало суше.

— Видите ли, Андрей Константинович, я не верю в то, что вы убили Тимура Инджия. Пистолет вам подбросили, в этом я не сомневаюсь. Но есть еще одна вещь... Понимаете, кто-то сливает моему начальству порочащую вас информацию, подталкивает к тому, чтобы вас подозревали.

— Какого рода эта информация?

— Извините, но пока я этого сказать не могу.

— Да, я понимаю... Вы хотите сказать, что эти люди подбросили мне пистолет?

— Не знаю. Может быть, и они. Но скорее всего, нет. Пистолет вам подбросили те, кто связан с убийством, чтобы увести следствие в сторону и навести подозрение на вас. Им на самом деле все равно, на кого бросать подозрение, лишь бы туману напустить, вы оказались просто наиболее удобной для них фигурой. А вот те, кто дает информацию моему начальству, действуют из каких-то других побуждений. Они от всей души хотят сделать вам гадость. Они хотят, чтобы вас подозревали, чтобы вас арестовали и держали в камере с уголовниками. Чтобы вам небо с овчинку показалось, понимаете? И пусть вас потом выпустят, потому что все это не подтвердится, но вы свое получите. Поверьте мне, Андрей Константинович, Бутырка — это страшная штука, особенно для вас, человека, простите, не очень молодого, неспортивного и незнакомого с обычаями и понятиями. Там кого угодно сломают и заставят любые чистосердечные признания подписать. И есть кто-то, кто хочет для вас такой «райской» жизни. Ваша задача сейчас подумать и сказать мне, кто это может быть. При этом прошу вас учитывать, что этот человек должен по роду своей работы либо иметь влияние на мое начальство, либо иметь доступ к информации, которую будут считать достоверной.

Ганелин слушал ее очень внимательно, сосредоточенно глядя прямо ей в глаза.

— Вы действительно верите, что я не убивал водителя? — напряженно спросил он.

— Верю, — искренне ответила Настя.

— И вы можете мне гарантировать, что моя жена не узнает...

— Нет, Андрей Константинович, гарантировать я вам ничего не могу, потому что не умею предвидеть будущее. Возможно, то, что вы мне скажете, попадет в материалы уголовного дела, и, возможно, дело все-таки дойдет до суда. Тогда все это будет предано огласке. Я могу только вам обещать, что, если этого не произойдет, я постараюсь сделать все возможное, чтобы ваша супруга ни о чем не узнала. Вы уже поняли, кто может быть этим человеком?

— Да, — тихо произнес Ганелин. — Я, конечно, не уверен, но других кандидатур у меня нет.

— Так я вас слушаю. Кто он?

— Муж моей бывшей любовницы.

— Где он работает? Кто по должности?

— Сейчас — не знаю, я... словом, я общался с его женой много лет назад. Тогда он служил в какой-то вашей структуре, названия не помню.

— Но хотя бы чем занимался?

— Техническим обеспечением. Кажется, это так называется? Всякие подслушивания, подсматривания и все такое.

— И его фамилия?..

— Щербина. Зовут Павлом, отчества не знаю.

Отлично. Павел Щербина из подразделения, занимающегося оперативно-техническим обеспечением. Найти будет несложно. Интересно, где он теперь обретается?

— Я понимаю, что вам неприятно об этом говорить, но придется, Андрей Константинович, — продолжала Настя. — Что произошло между вами? Он узнал, что у вас роман с его женой?

— К сожалению, все было не так банально, — вздохнул Ганелин. — Я в то время был холост, на Наталье я женился много позже. Уже занимался бизнесом и неплохо преуспевал. И эта женщина, жена Щербины, захотела устроить свою жизнь по-новому. Она решила уйти от мужа, чтобы выйти за меня замуж. А я совсем не собирался жениться ни на ней, ни на ком бы то ни было еще. Она приняла свое решение, не поставив меня в известность и не спросив моего согласия. Просто собрала вещи, объявила мужу, что уходит ко мне, и хлопнула дверью. И возникла с чемоданом на пороге моей квартиры. Мне пришлось долго и мучительно объяснять ей, что мы не можем быть вместе и никогда не будем. Поверьте, это был не самый радостный день моей жизни.

— И что было потом?

— Потом она взяла свой чемодан и ушла. Вернулась домой. Ей пришлось выдержать безобразную сцену, которую устроил ей муж. Можно только догадываться, что он ей говорил в такой ситуации... Конечно, ей пришлось нелегко — в один день оказаться униженной сразу двумя мужчинами, один из которых ее отверг, а другой оскорблял. Она впала в страшную депрессию, подсела на таблетки, многократно лечилась в клинике неврозов и в кризисных отделениях, у нее были даже суицидальные попытки... Только не думайте, что все это произошло от несчастной любви ко мне.

— А от чего же?

— От любви к себе скорее. Ну подумайте, какая женщина разрушит свою семью и явится без предупреждения к своему любовнику с твердым намерением остаться у него в качестве жены? Только абсолютно влюбленная в самое себя и уверенная, что мужчины всего мира спят и видят, как бы залучить ее в свои объятия. И мой отказ был для нее шоком. Ей никогда в жизни никто ни в чем не отказывал. Она, видите ли, была и в самом деле потрясающе красивой. И вдруг какой-то смешной толстяк, правда, богатенький, но, по ее меркам, старый и некрасивый, выставляет ее за дверь! Она-то шла к нему с намерением осчастливить и заставить валяться от восторга у ее ног, а ему, видите ли, она не нужна. Она не могла с этим смириться. Но деваться-то было некуда, она вернулась к мужу, а тот ей, по всей вероятности, высказал все, что думает о ней, и объяснил, что отныне она должна жить молча и покорно кивая головой. Он ее очень любил, если судить по тому, что она рассказывала о своем муже. И выгнать ее не мог, потому что любил, и измены простить не мог. Он прекрасно понимал, что она меня не любила и позарилась только на деньги, от этого ему было еще больнее. Эта ситуация разбудила в нем ненависть, а куда ее было девать? Жену-то он любил, поэтому оставалось ненавидеть только меня.

— Понятно... Вы с ним когда-нибудь встречались?

— Да, несколько раз. Она звонила мне еще примерно в течение года, предлагала возобновить отношения. Жаловалась на здоровье, я имею в виду состояние нервной системы, и я, как бывший врач, дважды устраивал ее на лечение. Я понимал, что платное отделение они финансово не потянут, а в бесплатном такие условия, что лучше не надо никакого лечения. Я платил за нее. Ее муж приходил ко мне на работу и пытался всучить какие-то деньги, кричал, что ни копейки от меня не возьмет, награждал соответствующими эпитетами. В общем, я от него наслушался о себе достаточно.

— В каком году это произошло?

— В девяносто третьем.

— И вы думаете, что спустя восемь лет он мог вспомнить о своей неприязни к вам? — Настя недоверчиво покачала головой.

— Нет, Анастасия Павловна, я не думаю, что он о чем-то вспомнил. Судя по тому, что я о нем знаю, он об этом никогда и не забывал. Скажите, что теперь должно произойти, чтобы меня выпустили?

— Очень многое. Мне нужно разыскать этого Павла Щербину и выяснить, мог ли он быть источником той информации, на основании которой мое начальство вас так уверенно подозревает. Если мог, тогда придется потратить еще какое-то время на то, чтобы доказать, что он злоупотребил доверием и оболгал вас. А вот если не мог, тогда дело плохо. Я вас попрошу на всякий случай как следует подумать, может, еще кого-нибудь вспомните.

— Но вы же доказали, что пистолет мне подбросили! — с отчаянием проговорил Ганелин.

— Нет, Андрей Константинович. Это не называется «доказали». Мы всего лишь установили оперативным путем, что это могло произойти, что на вашей машине действительно сработала сигнализация в тот момент, когда работники парковки отлучились. Но это ничего не доказывает, к сожалению. Сигнализация могла сработать от чего угодно.

— Но зачем, зачем мне было убивать этого водителя? Я ведь даже знаком с ним не был.

— Я знаю, — мягко ответила Настя. — Потерпите, Андрей Константинович, скоро все выяснится. Я понимаю, что для человека, сидящего в камере, понятие «скоро» имеет несколько иной смысл, чем для тех, кто находится на свободе. На свободе можно ждать годами, а в камере вы считаете каждую минуту и мучительно переживаете ее. Но я никому не могу объяснить, что не верю в ту информацию, которую получил мой начальник. У меня нет оснований так говорить.

— Послушайте, — Ганелин снова оживился, — а что говорит ваш начальник? Кто ему дал информацию? Откуда она у него?

— Он ничего не говорит.

— Но вы его спрашивали?

— У нас не принято это обсуждать.

— А что у вас принято? — он заметно возвысил голос. — Сажать людей в тюрьму по ложному навету, ничего не проверяя, как в тридцать седьмом году? Или у вас теперь разное правосудие для преступников и порядочных людей? Ваши воры в законе устраивают сходки в крупных ресторанах, вы их хватаете и через пять минут отпускаете, потому что вам нечего им предъявить, у вас, видите ли, доказательств нет. А для меня оказалось достаточно одного клеветнического заявления, чтобы упрятать за решетку.

— Андрей Константинович, вы не правы. Вас задержали, потому что в вашей машине оказался пистолет, из которого совершено убийство, и это четко и недвусмысленно доказано экспертизой. Если бы у тех воров в законе, о которых вы говорите, нашли такое оружие, они бы тоже давно уже сидели. А пока нам приходится только благодарить судьбу, если у кого-то из них окажется при себе наркотик, и у нас будет повод его задержать. Кстати, ваша супруга позаботилась об адвокате для вас?

— Да, — он грустно посмотрел на виднеющиеся за окном ветки деревьев, — Наталья наняла адвоката, сказала, что хорошего.

— Вы с ним уже встречались?

— Дважды.

— И как он вам показался?

Ганелин пожал плечами.

— Я же не разбираюсь, не могу определить, какой адвокат хороший, а какой — нет. Это будет видно только по результату.

Настя поднялась. Разговор окончен. Надо немедленно искать Павла Щербину.

* * *

Вернувшись на Петровку, Настя зашла к начальнику, взяла у него материалы по «сатанинскому» убийству и прямиком направилась к Короткову.

— Ты говорил с Зарубиным? — первым делом спросила она, едва переступив порог.

— А то!

Юра с довольным видом потянулся до хруста в костях и помотал головой, как облитый из шланга ньюфаундленд.

— С тебя товарищеский ужин с греческой рыбой, — заявил он. — Сережка долго хохотал, когда я назвал ему фамилию Дыбейко.

— И что в этом смешного? — Настя недовольно нахмурилась.

— А он в аккурат вчера, выполняя твое задание, посетил город Камышов на предмет изучения связи между Нильским и Симоновым и выяснил, что Петр Степанович Дыбейко тесно общался с мальчиком Русланчиком, приобщал его к детективному ремеслу и даже привозил ему книжки по криминалистике и расследованию преступлений. Дыбейко начинал с участкового и дорос аж до начальника горотдела. А некто Симонов, будучи отъявленным правонарушителем, постоянно подвергался приводам и воспитательным внушениям, так что мимо Петра Степановича ну никак пройти не мог. Получается у нас, что все трое были знакомы.

— Классно!

Настя плюхнулась на стул, схватила стоящую перед Коротковым бутылку минералки, сделала несколько жадных глотков.

— Будет тебе рыба, — торжественно пообещала она и тут же добавила на всякий случай: — Если времени, конечно, хватит.

— Погоди, подруга, это еще не все. Может, я и на пирожки с капустой хочу заработать. Серега истоптал все ноженьки по улицам славного города Камышова и убедился, что мальчик Русланчик с мальчиком Юрочкой никогда не дружил. Учились они в одной школе, но двоечник Симонов был на три года старше и водился с хулиганствующим элементом, а Нильский, совсем напротив того, был книжным червячком и старательным «хорошистом». Чуешь, какой треугольничек вырисовывается?

— Ага, — кивнула Настя. — Получается, что Нильский и Симонов друг с другом практически не связаны, зато каждый из них накрепко связан с участковым Дыбейко. И теперь этот Дыбейко засветился у нас как человек, с которым был связан Плешаков, а сам Плешаков, возможно, причастен к убийству Тимура Инджия и похищению Яны Нильской, жены Руслана. У тебя голова не болит?

— У меня? — Коротков на всякий случай потрогал голову и даже подергал себя за волосы. — Нет вроде. А что, у тебя болит? Дать таблетку? Сегодня, кажется, магнитную бурю обещали...

— Да при чем тут буря! У меня от этого дела голова на кусочки распадается! Что ни день — то новая информация, новые версии, и каждую проверять надо. Я же не могу растроиться или расчетвериться, я одна, а их — вон сколько... Ладно, не обращай внимания, это я для профилактики разнылась. Что нам Зарубин обещал в клювике принести?

— К вечеру обещал сведения о погребенном в Кемерове гражданине Бесчеревных. Он собирается сегодня встретиться с Нильскими, заодно поспрашивает Руслана о Симонове. Ну а ты мне чего принесла после трудов праведных?

— Вот! — она швырнула перед ним на стол папку, полученную у Афанасьева. — Убийство, совершенное сатанистами из религиозных соображений. Полюбуйся.

— Уже любовался. Прими мои соболезнования, чем смогу — помогу. А еще что?

— Еще я выяснила, кто мог бы попробовать утопить Ганелина, воспользовавшись удобным случаем. Тебе фамилия Щербина ничего не говорит?

— Абсолютно, — Юра с сожалением развел руками. — А что это за фрукт?

— Это человек, который в девяносто третьем году работал в службе оперативно-технического обеспечения и имеет веские основания не любить Андрея Константиновича. Юр, а Юр?

— Понял. Тогда к рыбе и пирожкам еще мясца поджарь, лады?

— Принесешь мне Щербину — получишь мясо.

— Принесу, куда ж деваться, не помирать же с голоду.

— Ой, можно подумать! — ехидно протянула Настя. — Между прочим, я и готовить-то не умею потому, что некогда этим заниматься. С такими начальниками, как ты, я раньше десяти домой не прихожу.

Коротков внезапно сделался серьезным.

— Аська, я вот все думал о том, что ты мне говорила насчет запертой и незапертой двери. Я, конечно, костьми лягу, чтобы ты из отдела не ушла, но в принципе, так сказать, теоретически... Почему ты считаешь, что, кроме как к Заточному, тебе некуда уходить? Мест навалом, и всюду некомплект, выбирай любое. Можешь даже в следователя переквалифицироваться.

— Юрик, я — женщина. Правда, я всегда повторяла тебе,

что я не женщина, а живой компьютер на двух ножках, и я в это, честно признаться, сама верила до последнего времени. Но чем старше я становлюсь, тем отчетливее понимаю, что я все-таки женщина.

— Что, на левый секс потянуло? — усмехнулся Юра.

— Нет, на правый бок, — отпарировала она. — У меня женское мышление. И женское отношение к работе. Я буду старательной и ответственной, но только при хорошем начальнике или рядом с хорошо знакомыми мне людьми. Мне, как нормальной бабе, нужен психологический комфорт, понимаешь? При Колобке мне было отлично. Теперь пришел Афоня, от которого меня воротит, но остался ты, остался Мишаня Доценко. Здесь я еще смогу работать. Но я ведь понимаю, что Колобок и Заточный — это штучные экземпляры, ручная работа. Таких начальников днем с огнем не найдешь. А с Афонями, да в незнакомом коллективе... Нет, Юра, я не выживу. Некуда мне уходить.

— Скажешь тоже! А если я уходить соберусь?

— С тобой пойду. Возьмешь?

— Возьму, — засмеялся Коротков, — если пирожки будешь печь. Давай-ка мы с тобой так сделаем: поезжай на свои встречи, о которых ты мне утром все уши прожужжала, а Афоне я скажу, что ты поехала на место, где был обнаружен труп вот этого дядечки, — он кивком указал на тоненькую папочку с материалами «сатанинского» убийства, — якобы осмотреться и подумать. Как освободишься — дуй в магазины и домой, готовь товарищеский ужин. На пирожках и рыбе не настаиваю, поскольку это и в самом деле долго, а вот мясо, уж будь любезна, обеспечь.

— Ты — настоящий друг! — с чувством сказала Настя, схватила со стола папку и умчалась.

* * *

Хорошо, что у нее хватило ума не отпускать такси. Грязно-белая «Волга» терпеливо ждала ее в Колобовском переулке. Расценки оказались вполне божескими, и Настя уже пожалела, что обменяла все пятьсот долларов. Такси обойдется ей дешевле, а курс постоянно растет.

Водитель — небритый парень лет тридцати — слушал радио и разгадывал кроссворды, которых у него было много, целая книжечка.

— Вот и я!

Настя распахнула заднюю дверь и забралась в салон. Водитель нехотя оторвался от увлекательного занятия, бросил сборник кроссвордов и ручку на пассажирское сиденье, потом обернулся и с любопытством взглянул на нее.

— Извините, а вы что, на Петровке работаете?

— Увы, — неопределенно ответила Настя, не желая вдаваться в подробности. Поди пойми, что это означает: «увы, да» или «увы, нет».

— Может, вы знаете это слово, — он потянулся за книжечкой, поискал глазами нужное место. — Вот: специальный термин, используемый в английском языке в качестве союза «и». Девять букв, вторая «м», шестая «с». Не знаете, случайно?

— Амперсенд, — рассеянно бросила она, доставая из сумки блокнот, куда успела быстренько выписать кое-какие сведения из материалов о новом убийстве.

— О! Точно! Подходит, — водитель радостно вписывал буквы в клеточки. — Ну все, полегчало. А то мне это слово за последнюю неделю уже в третий раз встречается. Новое какое-то, раньше его в кроссвордах не было.

— Там же сзади ответы есть, — удивилась Настя его недогадливости,— взяли бы да посмотрели, чего мучиться.

Водитель расхохотался.

— В самую точку зрите! Я раньше всегда подсматривал, когда что-то не получалось. А потом дочка увидела, как я в конец заглядываю, и сказала, что это нечестно. Теперь она из всех моих сборников последние страницы выдирает и к себе под матрасик прячет. Восемь лет всего, а уже принципиальная. Куда едем?

Она назвала адрес и уткнулась в блокнот. Гелий Григорьевич Ремис, уроженец города Харабали Астраханской области, тридцати пяти лет от роду, прописан в Москве по адресу... реально проживает на Вагоноремонтной улице, где снимает квартиру. Женат, но с женой не живет уже давно, официально брак не расторгнут. Жена ничего о делах мужа сказать не может, не видела его около года. Очень религиозен (об этом сказали соседи по дому, которых успели отловить и опросить с утра), ежедневно посещает храм. В быту тихий и скромный, шумных компаний к себе не водит, и пьяным его тоже никто не видел. Работает вроде бы переводчиком, по крайней мере он сам так говорил, проверить пока не успели. Тело обнаружили в пять утра в незапертом подвале жилого дома, куда местные бомжи забрели поспать.

Интересно, где находится эта Вагоноремонтная улица? Водитель наверняка знает, надо у него спросить.

— На Севере, почти у самой Кольцевой, — тут же отозвался любитель кроссвордов. — А что, туда тоже надо?

— Еще не знаю, посмотрим. Если время будет — заедем, хорошо?

— Легко! Мне-то что, деньги ваши.

Несмотря на утренние горькие, как стрихнин, пилюли, день в целом складывался на редкость удачно. Ни одна из запланированных встреч не была сорвана (что уже само по себе удивительно), никто не опоздал, не заболел и не отказался разговаривать с Настей, что было еще более странным и непохожим на обычный порядок вещей. Пессимистично настроенная Настя каждую минуту ждала какого-нибудь подвоха, который непременно должен случиться и свести «на нет» все ее усилия по раскрытию одновременно двух преступлений. Она по опыту знала, что заниматься нужно только чем-то одним, тогда будет толк, а если распыляться и пытаться делать несколько дел одновременно, то завалишь все, что делаешь сам, плюс все, что делают твои коллеги. Но знание того, как сделать лучше, редко находит себе применение в жестких условиях реальности, когда количество преступлений всегда превышает возможности личного состава.

Подвох пока не случился. Настя добросовестно занесла в блокнот еще несколько имен: этим людям либо давали прочесть рукопись Нильского, либо пересказывали ее содержание. Разумеется, смешно было бы надеяться, что в этом списке появится имя Евгения Фетисова, на это, собственно, никто и не рассчитывал. Но фамилия депутата могла всплыть при дальнейших опросах людей из списка, ведь они тоже могли дать кому-то прочесть роман или рассказать его интригу.

Что же касается проверки алиби Антона Плешакова, то здесь, несмотря на состоявшиеся встречи, сдвигов пока не было, и в списке нераскрытых убийств, к которым мог оказаться причастен член группировки Валеры Липецкого, по-прежнему оставались три незачеркнутые строчки.

Настя посмотрела на часы. Половина восьмого. Юрка отпустил ее в надежде на то, что она успеет купить продукты и приготовить ужин. Успеет, конечно, если поедет домой прямо сейчас, Коротков ведь раньше десяти — половины одиннадцатого с работы не уходит. Но ведь есть еще убитый Гелий Григорьевич Ремис, и завтра Афоня обязательно спросит ее, что сделано... А не сделано ничего. Она даже с розыскниками из Северного округа не встретилась.

— Теперь куда? — нетерпеливо спросил водитель.

Она даже не заметила, что давно уже сидит в машине.

— На Вагоноремонтную, — решительно скомандовала Настя.

Утром, когда оперативники после осмотра места происшествия и трупа установили место жительства Ремиса, большинство соседей погибшего убежало на работу. Сейчас все они должны уже быть дома.

* * *

В восемь вечера лестничная клетка была наполнена самыми разнообразными запахами — в каждой кухне готовили ужин. Настя без труда различила жареную картошку, мясо с чесноком и пригоревшую молочную кашу. И только тут поняла, насколько голодна, ведь за всеми сегодняшними разъездами она забыла пообедать, и единственное, что ей удалось перехватить, это несколько глотков воды из бутылки в кабинете Короткова.

Она постояла немного на площадке, оглядываясь. Четыре квартиры. Вот в этой жил Ремис, здесь уже побывали оперативники вместе со следователем, о чем красноречиво свидетельствует полоска бумаги с печатью и подписью. Настя покрутила головой, несколько раз мелко вдохнула, втягивая носом воздух. Пригоревшей молочной кашкой тянет из квартиры справа. Там, наверное, маленький ребенок. Почему-то ей показалось, что если Гелий Ремис действительно был набожным человеком, то общался он скорее с семьей, в которой есть маленькие дети, нежели с занятыми бизнесом или, как теперь модно говорить, «продвинутыми» соседями. Если, конечно, он вообще с кем-то общался.

Ей открыла миловидная женщина лет тридцати, поверх брюк и легкой маечки повязан вышитый льняной фартук, весь в пятнах и потеках. Из комнат доносился звук включенного телевизора и детский визг, причем, как Насте показалось, голос был не один.

— Я из уголовного розыска, — начала было Настя.

— Да-да, — торопливо кивнула женщина, — ко мне уже утром приходили. Какой ужас! Ну кому Гелик мог помешать? Такой добрый, тихий, слова худого никому не сказал, в бога верил. Детей любил очень, все переживал, что своих нет, так моих баловал, буквально с рук не спускал...

Глаза женщины наполнились слезами, и Настя поняла, что выбрала квартиру правильно. «Моих баловал». Стало быть, слух ее не подвел, малышей в этой семье действительно двое.

— Вы детей кормите? — осторожно спросила она. — Я вам помешала?

— Ничего, вы проходите, — женщина смигнула слезы и через силу улыбнулась. — Я буду их кормить, а вы спрашивайте, при них можно, они еще маленькие, ничего не понимают.

Женщину звали Верой, жила она с двумя детьми трех и пяти лет, не работала, поскольку бывший муж, бросивший ее, когда она была беременна вторым ребенком, много зарабатывал и щедро оплачивал содержание семьи, которую оставил ради большой и светлой любви. Из некоторых фраз и междометий Веры Настя поняла, что та всерьез рассматривала своего одинокого, хотя и не разведенного соседа как возможного будущего мужа. Гелий частенько заходил по вечерам, присоединялся к Вере, когда та гуляла с детьми, помогал по хозяйству, если нужно было что-то прибить или починить. Правда, дальше чисто соседских проявлений дружелюбия дело не зашло, но Верочка полагала, что это от набожности, а не от отсутствия симпатии к ней. Она не торопила события, тем более что боялась, как бы бывший супруг, узнав о ее новом замужестве, не отказал ей в материальной помощи.

— Гелий никогда не упоминал в разговорах с вами сатанистов? — наугад спросила Настя.

— Сатанисты? — удивилась Вера. — Нет. Я про них только в книжках читала.

— А эти книжки вам Гелий давал?

— Ну что вы! Гелий таких книжек дома не держит... то есть не держал, и не читал никогда. Это же детективы. Я их обожаю, — чуть смутившись, призналась Вера. — А почему вы спросили? Думаете, его эти сатанисты убили?

— Не знаю, — пожала плечами Настя. — Может, и они. А что читал Гелий?

— Он все больше философскую литературу предпочитал, историческую, мемуары, жизнеописания. Ну и религиозную тоже, конечно.

Вера впихнула сидящему у нее на коленях трехлетнему мальчугану последнюю ложку молочной рисовой каши.

— Вот так, — удовлетворенно промурлыкала она, — молодец, умничка. А теперь будем пить кисель.

Не спуская малыша на пол, она потянулась к рабочему столу, где стояла украшенная ярким детским рисунком чашка с киселем.

— А мне кисель? — капризно потребовала сидящая напротив кудрявая девчушка, без энтузиазма ковырявшаяся в тарелке с картофельным пюре и котлетой.

— Сначала съешь все, потом получишь, — строго ответила Вера. — Вот ведь напасть, совсем не едят, только десерты им подавай, — пожаловалась она Насте. — Сладкое будут есть хоть целый день, а все остальное силой приходится впихивать. Налить вам киселька?

— Налейте, — с благодарностью отозвалась Настя, чувствуя, что от голодных спазмов готова свалиться в обморок, а тут еще запахи такие аппетитные...

Вера, по-прежнему не отпуская маленького сына, дотянулась до сушилки, где стояли тарелки и перевернутые чашки, потом до кастрюли с киселем.

— Вот, пожалуйста, пейте.

Настя с любопытством посмотрела на чашку. Вернее, это была кружка с изображением какой-то архитектурной достопримечательности. И надписью, от которой ей буквально дурно стало: «Кемерово».

— Это...

Она бессмысленно тыкала пальцем в кружку и никак не могла сформулировать вопрос. Ей хотелось выплеснуть из себя истерическое: «Да вы что, сговорились все достать меня этим сибирским городом?»

— Красивая кружка, правда? — безмятежно улыбнулась Вера, и тут же снова на глаза ее навернулись слезы. — Это Гелик подарил. Господи, представить себе не могу... Ну кто же мог так с ним? И дети к нему привязались...

Гелик подарил. Очень интересно. И откуда же у него сувенирная кружка из Кемерова?

— Давно он вам ее подарил?

— Недавно совсем. Он в Кемерово ездил, вот привез...

Вера окончательно расстроилась, и сидящий у нее на коленях малыш, видно, почувствовав ее состояние, скривил губенки и собрался разреветься.

— Не знаете, зачем он туда ездил?

— Он сказал, что надо было одной женщине помочь, она всех близких потеряла, муж умер, дети погибли.

Еще интересней. Уж не Клавдии ли Савельевне Симоновой ездил помогать Гелий Григорьевич Ремис? И с какой это, позвольте спросить, радости? Может быть, он вовсе и не Ремис никакой, а самый что ни на есть Юрий Симонов? И люди Богомольца его все-таки достали. Только при чем тут православный крест, вырезанный на груди? А ни при чем. Вон как с крестом-то славно получилось! И сатанистов сюда приплели, и еще бог его знает кого приплетут завтра.

— А почему Гелий принял ее судьбу близко к сердцу? Это его родственница или знакомая?

— Не знаю, — покачала головой Вера. — Он не очень-то об этом распространялся, просто сказал, что надо было помочь. Я подробности не спрашивала.

— Почему? — настойчиво повторила Настя. — Вам было неинтересно, зачем и куда он ездит? Мне казалось, что вы стремились стать ему настоящим другом, близким человеком.

— Я боялась совершить ту же ошибку, что и с первым мужем, — грустно ответила Вера. — Я во все его дела лезла, про все спрашивала, пыталась советовать, что-то обсуждать с ним. А потом выяснилось, что его это безумно раздражало. Он говорил, что мужчина должен чувствовать себя свободным и независимым, поэтому женщина не должна лезть в его дела. Мне не хотелось оттолкнуть Гелия, отпугнуть его, поэтому я старалась сама ничего не спрашивать. Что скажет — то и скажет, а допытываться я не стану.

— Еще что-нибудь об этой поездке он говорил? Например, куда конкретно ездил, в Кемерово или куда-то в область?

— Говорил, я помню. Город называл... Господи, как же его... Нет, из головы вылетело. Если вы мне назовете, я точно скажу, тот город или не тот.

Нет уж, эксперимент должен быть чистым. Слишком невероятна удача, чтобы можно было рисковать.

— У вас есть географический атлас? — спросила она у Веры.

— Есть. Принести?

— Принесите, пожалуйста.

Настя быстро перелистала атлас, нашла карту Кемеровской области, положила перед Верой.

— Посмотрите на названия городов.

Вера долго всматривалась, близоруко щурясь, в мелкие буковки. Наконец ткнула пальцем в точку на карте:

— Вот. Камышов.

— Уверены?

— Совершенно уверена. Камышов. Я еще тогда ошиблась, подумала, что он говорит о Камышине, а Гелик засмеялся и сказал, что Камышин — это на его родине, в Астраханской области, а это Камышов, на Кузбассе.

— Припомните поточнее, когда он уехал и когда вернулся, — попросила Настя.

— Да чего вспоминать, я вам точно скажу. У меня двадцать седьмого мая был день рождения, это было воскресенье. Гелик с утра пораньше зашел, цветы принес, подарок. Извинился, что не сможет вечером зайти, уезжает, ключи оставил, просил цветы поливать. А вернулся в четверг, уже к ночи ближе. За ключами зашел, кружку вот эту подарил.

Настя полистала блокнот, в котором на первой странице был календарь. Четверг — тридцать первое мая. Уехал двадцать седьмого, вернулся тридцать первого. А Сережа Зарубин говорил, что в конце мая в Камышове объявился неизвестный, хлопотавший об осиротевшей Клавдии Симоновой. Все сходится. Только непонятно, как же его в городе никто не узнал, если Ремис — это все-таки Симонов? Так не бывает. Впрочем, почему не бывает? Заплати побольше, найди врача получше, и сам себя не узнаешь.

Но если предположить, что Симонов сделал пластическую операцию, то надо идти дальше в рассуждениях. Просто так никто этого не делает. Видно, обстоятельства сложились очень уж неблагоприятно для Юрия Симонова, если он сначала инсценировал собственную гибель от взрыва на шахте, а потом изменил внешность и приобрел новые документы. Чем же он так страшно провинился перед Богомольцем и его командой? Нет, Сережке Зарубину явно еще рано уезжать из Кемерова, там работы непочатый край.

— Вот теперь всё, — с облегчением сказала она, забираясь в машину. — Теперь едем домой.

— Это куда? — задал водитель совершенно справедливый вопрос.

— Щелковское шоссе. И если будем проезжать приличный супермаркет или кулинарию — остановимся, ладно? У меня дома — шаром покати.

— Сделаем, — водитель лихо заложил крутой вираж и выехал из грязного захламленного двора.

Глава 16

То, что условно можно было назвать жареными отбивными, было готово к приходу Короткова и стояло на блюде в центре стола в обрамлении отваренного молодого картофеля, посыпанного укропом и политого маслом. Пахло вкусно, но по всем остальным параметрам квалификационным требованиям вряд ли отвечало. Мясо оказалось жестким и ощутимо пересоленным.

— Несъедобно, да? — виновато спросила Настя, с трудом прожевав первый кусок.

— Ничего, сойдет, — великодушно откликнулся Коротков. — Главное — ты старалась. И потом, когда я голодный, я вкус плохо различаю. Вот сейчас первый голод удушу и расскажу тебе про Павла Щербину. Получишь массу удовольствия.

Процесс удушения голода много времени не занял, жевал Юра с невероятной скоростью, перемалывая крепкими зубами жесткие куски мяса и сдабривая их душистой картошечкой.

— Значит, так, подруга, — начал он, переводя дыхание. — У меня к тебе сообщение из трех частей. Часть первая: майор милиции Щербина Павел Петрович трудится в настоящее время в управлении «Р» и имеет неограниченные возможности прослушивать телефонные переговоры, особенно ведущиеся с мобильных телефонов. Иными словами, он может рассматриваться как источник любой, самой неожиданной информации. Часть вторая: вышеозначенный майор проживает в том же доме, в котором живет наш с тобой горячо любимый начальник Афанасьев, только в другом подъезде. Дом, понимаешь ли, наш, министерский, и в нем процентов семьдесят жильцов — наши сотрудники, очередники. Но в моей второй части еще есть параграф, который гласит: гараж-«ракушка», принадлежащий майору Щербине, стоит бок о бок с такой же «ракушкой» полковника Афанасьева.

— То есть двести процентов вероятности, что они знакомы, и знакомы неплохо, — оживилась Настя. — Теперь понятно, откуда у Афони эта информация. А третья часть?

— А третья — вот здесь, — Коротков с гордым видом полез в нагрудный карман рубашки и положил перед Настей сложенный вчетверо листок обычного формата. — Мне это сегодня принесли, с опозданием на несколько дней. Занятно, да?

— Занятно, — медленно согласилась Настя, пробежав глазами несколько скупых строк. — Похоже, наш дружок Щербина об этом даже не догадывался. Ну и чего теперь делать будем? Ты к Афоне пойдешь или мне самой с ним разговаривать?

— Как скажешь, — Коротков пожал могучими плечами. — Могу я, если ты боишься.

— Юра, я не боюсь, просто противно очень. И потом выслушивать такие вещи от зама все-таки легче, чем от рядового подчиненного. Конечно, было бы идеальным рассказать все Гмыре, пусть бы он сам объяснил Афоне, почему выпускает Ганелина. Со следователем ему спорить не с руки, следак сам принимает решения и у оперов согласия не спрашивает. Но тогда уж точно Афоня нам с тобой не простит, что мы еще кого-то посвятили в тайну его профессионального позора.

Есть мясо Настя так и не смогла, ограничилась одной картошкой, которую даже она не сумела испортить. Покончив с ужином, они еще долго обсуждали разбухающее от постоянно поступающей информации дело в ожидании звонка Сережи Зарубина.

— Может, он забыл, что обещал нам позвонить? — с беспокойством спрашивала Настя, глядя на часы. — Дело к полуночи, а от него ни слуху ни духу. В Кемерове вообще уже глубокая ночь, скоро светать начнет.

— Если забыл — убью, только сначала уволю, — спокойно пообещал Коротков. — Не дергайся. Еще полчаса ждем — и спать.

Зарубин позвонил без четверти час. Голос у него был усталый, он даже не ерничал, что свидетельствовало о полном упадке сил и духа. Руслан и Яна Нильские по его просьбе вместе с ним посетили кладбище, нашли могилу Николая Филипповича Бесчеревных, но ни на какие воспоминания их эта могила не навела. Ни эта, ни другие могилы, находящиеся в непосредственной близости от нее, ни само кладбище в целом.

Личность усопшего Николая Филипповича тоже на интересные мысли не наводила. Жил, учился по мере сил, долго и тяжело болел, с тринадцати лет переведен на вторую группу инвалидности, с девятнадцати — на первую, скончался в больнице в возрасте тридцати четырех лет. Ни о каком криминале и речи быть не могло, он почти не выходил из дома, самостоятельно жить не мог, за ним постоянно ухаживали родители и сестра, так что вся его жизнь протекала у них на глазах, они были в курсе каждого его телефонного звонка и знали в лицо и по имени каждого, кто приходил к нему в гости.

— Пока все, — завершил Зарубин. — Остальное завтра утром доложу. По-моему, между супругами Нильскими что-то происходит. Не то поссорились, не то взаимно недовольны друг другом. Ладно, пока, — он выразительно зевнул и положил трубку.

* * *

С утра Настя занялась необходимыми мероприятиями по установлению личности человека, имевшего документы на имя Гелия Григорьевича Ремиса. Запросы в Астраханскую область по месту рождения и месту жительства, запрос в институт, где он учился (диплом с названием института и факультета был обнаружен у него в квартире). Зарубин обещал найти и быстро переправить фотографии Юрия Симонова, чтобы можно было их сравнить с фотографиями Ремиса. Если эксперты посмотрят эти снимки и скажут, что это может быть один и тот же человек, только до и после пластической операции, то версию о сатанистах можно будет радостно похоронить. А пока следует довести до конца дело с межнациональным убийством, хотя Настя понимала, что чем дальше — тем будет труднее, ведь ей легко и быстро удалось собрать как раз ту информацию, которая была доступна и лежала на поверхности. А с последними тремя убийствами еще предстояло повозиться.

В середине дня позвонил Зарубин и попросил продиктовать ее электронный адрес.

— Фотки Симонова я достал, тут есть компьютер со сканером, я их сейчас отсканирую и тебе зашлю, — сказал он. —

Через полчаса получишь. Черт возьми, приятно жить в век технического прогресса.

Сгорая от нетерпения, Настя быстро завершила очередной разговор, на этот раз с официантом ресторана, где во время совершения одного из убийств якобы проводил время Плешаков. Официант Плешакова вспомнил с трудом — гуляла большая компания — и не мог с точностью сказать, был ли Антон все время в ресторане или отлучался. И снова ей не удалось зачеркнуть очередную строчку в списке.

Вернувшись на Петровку, она помчалась прямо к Короткову с требованием немедленно найти компьютер с выходом в Интернет. Когда такой компьютер был найден, она посмотрела свою электронную почту, обнаружила послание от Зарубина, распечатала фотографии, схватила папку, в которой лежали снимки убитого Ремиса, и побежала к экспертам советоваться. У экспертов была запарка, как, впрочем, и всегда, но они сумели уделить ей ровно три минуты, чтобы выслушать и ответить: «Поезжай на «Войковскую», там это умеют делать быстро».

Неподалеку от станции метро «Войковская», на улице Зои и Александра Космодемьянских располагался Экспертно-криминалистический центр МВД. Никакого постановления о проведении экспертизы у Насти не было, она считала преждевременным морочить следователю голову своими призрачными догадками, основанными только на одном-единственном (и то пока не проверенном) факте поездки Ремиса в Камышов. Эксперт, с которым она разговаривала на Петровке, пообещал организовать звоночек в ЭКЦ, чтобы ей там «все сделали по дружбе». Обещание свое он сдержал. Настю, конечно, не ждали как дорогого гостя, но к просьбе ее отнеслись вполне благосклонно, при помощи сканера загнали оба комплекта фотографий в компьютер и велели подождать.

Через какое-то время сидевшая за компьютером женщина лет сорока пяти со сварливым лицом и неожиданно мягким голосом обернулась и кивнула ей: мол, подходи.

— Это разные люди, — уверенно заявила она. — Даже с учетом возможной пластики. Они одного роста и практически одинакового телосложения, но форма черепа у них разная. Нет совпадений ни по одному параметру, который учитывается при идентификации.

Уф! Хорошо, что она не поделилась своими соображениями ни со следователем, ведущим дело об убийстве Гелия Ремиса, ни с Афоней. Но обидно... Так красиво все складывалось!

По дороге на Петровку Настя мучительно пыталась придумать какую-нибудь правдоподобную историю о том, как двое незнакомых друг с другом мужчин примерно одного возраста, роста и телосложения одновременно оказались в мало кому известном городке Камышове и с одной и той же целью: помочь женщине, потерявшей всех близких. Не исключено, что и женщина одна и та же. Во всяком случае, Сережа Зарубин, которого она попросила это проверить, сказал, что подобные трагические обстоятельства сложились только у Клавдии Савельевны Симоновой, о других похожих ситуациях в камышовской милиции не знают.

История, отвечавшая требованиям жизненного правдоподобия, у Насти никак не складывалась, и ей пришлось сделать вывод о том, что Ремис был знаком с Симоновым и ездил туда по его просьбе. Симонов действительно не погиб, но соваться в родной город не посмел и послал приятеля организовать помощь матери. Никаких двух мужчин не было, был всего один — Гелий Ремис. Но его появление не осталось незамеченным братвой Богомольца, и поскольку незнакомца никто не опознал, был сделан вывод о пластической операции. Логический ряд простой и безупречный: кто будет так истово заботиться об одинокой женщине и о памятнике ее недавно погибшей дочери? Конечно, только сын и брат, больше некому. А почему его никто не узнал в Камышове? А потому, что пластику сделал. Все понятно.

При таком раскладе у Симонова вполне может быть неизмененная внешность, а слухи о пластической операции — результат логических построений кемеровских бандитов. Если бы у него было новое лицо, он не побоялся бы ехать в Камышов сам и не стал бы привлекать к этому делу Гелия

Ремиса. А люди Богомольца приняли Ремиса за Симонова, выследили и убили. Тогда все сходится.

Теперь встает вопрос: а надо ли искать этого Симонова? Сам он, судя по всему, ничего противоправного не совершил, никого не убил. Правда, его имя всплыло гораздо раньше и связано с именами Руслана Нильского (см. дело об убийстве Тимура Инджия) и Петра Степановича Дыбейко (см. дело об убийстве Антона Плешакова), а теперь еще и с именем Гелия Ремиса, так что глупо отмахиваться от этого и закрывать глаза...

Чем ближе подходила она к зданию на Петровке, тем четче вырисовывалась схема. Нильский — Богомолец, Плешаков и Дыбейко — Валера Липецкий. Это два луча, исходящие из одной точки под названием «Юрий Симонов». Симонов чем-то страшно провинился перед командой Богомольца, но, поскольку сам он ни с какой криминальной структурой не связан, к кому он мог обратиться за помощью? Уж понятно, что не к милиции, ведь провинность перед Богомольцем наверняка карается Уголовным кодексом. Значит, к кому? К человеку, которого он давно знает. К человеку, имеющему хорошие связи в преступном мире. К человеку, у которого есть реальные возможности помочь. К Петру Степановичу Дыбейко, своему земляку.

А что должен сделать в ответ Петр Степанович? Разумеется, взять под крыло и помочь. Но не безвозмездно. Откуда у Симонова деньги на обустройство новой жизни? Даже если он не делал пластическую операцию, ему пришлось платить за новый комплект документов. Трудно предположить, что он живет со старым паспортом, нигде не прописанный и не зарегистрированный, на птичьих правах, ежедневно подвергая себя риску подвернуться под какую-нибудь проверку. В таких условиях он мог бы жить и без посторонней помощи. Если он обратился к Дыбейко, стало быть, хотел для себя участи более стабильной, безопасной и благополучной. И ежели добрый дядя Петр Степанович ему все это обеспечил, то за что? За какую мзду? На каких условиях? Эх, знать бы точно, делал Симонов пластику или нет! Хорошая операция стоит очень дорого, и если Валера Липецкий дал команду все это устроить для Симонова и оплатить, то, надо полагать, планы у него в отношении бывшего взрывника-шахтера были серьезными.

Нет, все-таки Симонов должен был позаботиться об изменении внешности, документы документами, а бьют, как говорится в старом анекдоте, по роже, а не по паспорту. Где гарантия, что люди Богомольца не обзавелись его фотографиями и не ищут его по всем улицам всех городов России? Нет такой гарантии. Воровское братство крепкое, и информационные связи в нем отлажены — милиция только от зависти вздыхать может. Как только кто Симонова увидит — через час Богомолец об этом узнает, это и к гадалке не ходи. Но если Симонов сделал операцию, то почему сам не поехал в Камышов, почему послал вместо себя Ремиса? Боялся, что мать узнает? Возможно. Недаром же говорят, что матери узнают своих детей не глазами, а сердцем. И потом, есть еще голос, манера говорить, привычные жесты, мимика, походка. Однако Сережа Зарубин утверждает, что незнакомец, приезжавший в город в конце мая, к Клавдии Савельевне не заходил, с ней не разговаривал и не встречался. Так мог бы повести себя только сын, опасающийся разоблачения. Ремису-то чего бояться? Его Клавдия Савельевна никогда прежде не видела. Зашел бы, поговорил с одинокой женщиной, спросил, какие у нее нужды, чем помочь... А он все сделал сам, распорядился, деньги оставил и уехал. Очень похоже на Симонова. Выходит, Ремис оказался в Камышове в это же время совершенно случайно? И цель его поездки тоже совершенно случайно оказалась такой же, как у Симонова? И тип внешности у них одинаковый тоже случайно?

Да нет же, нет! Не бывает так... Или бывает?

* * *

Больше всего на свете ей не хотелось сейчас столкнуться с начальником. Афоня наверняка начнет спрашивать, что сделано по сатанистам, а ей в ответ придется либо врать и нести всякие небылицы, либо признаваться, что работала она вовсе не по сатанистам, а по Симонову, и выслушивать потом все причитающиеся ей за самодеятельность нравоучения, плавно перетекающие в выволочку.

Она на цыпочках прокралась к себе, заперла изнутри дверь и набрала внутренний номер Короткова. Телефон не отвечал. Тогда она позвонила ему на мобильник.

— Ты где? — громким шепотом просипела она в трубку.

— На выезде, — коротко ответил Юра. — А ты чего сипишь? Простыла, что ли?

— Я от Афони прячусь. Не знаешь, он на месте?

— Уехал. Не вынес разговора со мной. Подробности письмом.

— А Гмыря? Ты с ним разговаривал?

— Да. Обещал подумать.

Настя повесила трубку, включила электрический чайник, насыпала в чашку растворимого кофе. Дожила! Вынуждена прятаться от начальника, вынуждена врать ему, выкручиваться. Как хорошо было с Колобком-Гордеевым, он все понимал, ему не нужно было пускать пыль в глаза, к нему можно было прийти с самой невероятной версией, и он с готовностью ее обсуждал, обсасывал со всех сторон, и ему совершенно неважно было, кто выдвинул ту версию, которая в конце концов привела к успеху, — он сам или кто-то из подчиненных. Он работал на результат, а не на собственную репутацию. А Афоня совсем другой, для него важно только его мнение и мнение руководства о нем самом, все прочее его мало заботит. И что же ей, подполковнику милиции на пятом десятке лет, отныне придется постоянно быть начеку, хитрить, недоговаривать, изворачиваться, как будто она — маленькая шкодливая девчонка, а не старший оперуполномоченный, проработавший в системе МВД девятнадцать лет, из них пятнадцать — в уголовном розыске? Уйти она не может, работа рядом с давно знакомыми людьми, которых она любит и которым доверяет, для нее настолько важна, что перевешивает нелюбовь к начальнику. Но работа под руководством Афони будет постоянно требовать от нее поступков, от которых она сама себе становится противна. А если уйти, на новом месте можно получить точно такого же Афоню, если не хуже, но рядом не будет ребят...

Снова и снова она мысленно утыкалась в эту запертую дверь, по двадцать раз на дню проделывая путь по длинному коридору рассуждений и логических выкладок, попыток убедить себя саму в том, что люди всюду работают, при любых начальниках и любых коллегах, и никто от этого не умирает. Она доходила по коридору до двери и понимала, что она заперта, что дальше пути нет.

Настя выпила кофе, написала несколько бумажек, которые в изобилии и с завидной регулярностью требовались от всех оперативников. Позвонила следователю Гмыре.

— Выпущу я его, выпущу, — недовольно проворчал Борис Витальевич. — Твой шеф у меня уже был.

— Неужели сам приходил? — ахнула Настя. — И что сказал?

— Что надо, то и сказал.

— А когда выпустите?

— Я сейчас занят, у меня дел невпроворот. Вот разгребу их немного, тогда напишу постановление.

Господи, сколько же документов приходится составлять в процессе раскрытия преступлений! Постановления, протоколы, справки, рапорты, отчеты, планы... Кто не работал в розыске и следствии, тому даже в голову не приходит, какая тьма-тьмущая бумажной работы наваливается каждый день. Человек сидит в камере, мается, минуты и секунды считает и даже не догадывается, что вопрос о его освобождении уже решен, но выпустят его не раньше, чем следователь напишет очередную бумажку. А бумажку он напишет еще очень не скоро, потому что у него допросы, очные ставки, опознания, выезды на место происшествия, следственные эксперименты... Руки до всего не доходят. Бедняга Ганелин! Пришлось ему натерпеться от ревнивца Щербины.

Но Афоня-то каков! Счел нужным сам поехать к следователю и опровергнуть оперативную информацию, которая подкрепляла подозрения в адрес задержанного Ганелина. Молодец, не стал отсиживаться в тенечке, не стал умывать руки, а сам поехал. Оказывается, Вячеслав Михайлович способен на поступок. Настя почувствовала, что в ее душе появилось даже что-то вроде уважения к начальнику. Может, он и в самом деле не так уж плох?

* * *

Сергей Зарубин уже второй час сидел на лавочке в скверике напротив дома, где живут Руслан и Яна Нильские. Ему нужно было задать Руслану несколько вопросов, но мать Яны сказала, что дочь с зятем ушли куда-то по делам и когда вернутся — неизвестно, но не позже восьми часов, это точно, потому что Яночка всегда сама укладывает девочек спать. Однако миновало и восемь, и половина девятого, а Нильских все не было. Пропустить их Сергей не мог — он глаз с подъезда не сводит.

Сидя на лавочке, молодой оперативник предавался приятной возможности посидеть, вытянув ноги, никуда не бежать и ни с кем не разговаривать. В сыщицкой жизни нечасто выпадают такие славные моменты, особенно когда погода теплая и лицо овевает слабый свежий ветерок.

Сегодня с утра ему удалось наконец встретиться с человеком, который знает о кузбасских группировках даже то, чего они сами о себе не знают. Нельзя сказать, чтобы человек, обладающий столь всеобъемлющими знаниями, охотно пошел на контакт с московским сыщиком, потребовалось немало времени и усилий, чтобы уговорить его на эту встречу. Но он наконец дал согласие и сегодня порассказал Зарубину немало интересного.

Первое и основное: группировка Богомольца пару лет назад пережила серьезный раскол по, так сказать, идеологическим мотивам. Сам Богомолец — человек патологически подозрительный и выше всего ценящий личную преданность и корпоративную лояльность. Он никогда не шел ни на какие сделки и компромиссы с ментами, предпочитая отдавать людей и отрезать их, как ломоть хлеба, от своей команды, но не допускать создания условий, при которых может случиться утечка информации. Из этих же соображений Богомолец был и ярым противником подкупа милиционеров и вербовки их в свои ряды, вполне справедливо полагая, что человек, продавшийся единожды, может впоследствии делать это сколь угодно много раз, и, доверившись купленному менту, никогда не можешь считать себя застрахованным от предательства с его стороны. Именно поэтому все проводимые Богомольцем операции характеризуются грубостью, жестокостью и прямолинейностью, ибо для тонкой и аккуратной работы требуется помощь все тех же ментов, от сотрудничества с которыми он истово открещивался.

Вторым человеком в группировке был в течение некоторого времени некто Валерий Лозовой, имевший опыт организации транзита наркотиков и твердо знающий, что без сотрудничества с правоохранительными органами криминальная структура обречена на скудное и скучное плавание на мелководье. Он пытался внедрить свое понимание жизни в упрямые мозги Богомольца, но каждый раз наталкивался на непонимание и отчаянное сопротивление главаря. В конце концов противостояние Богомольца и Лозового достигло такого накала, что группировка раскололась. Братки, преданные Богомольцу, остались в Кемерове, а сторонники более современного подхода ушли вслед за Лозовым и перебазировались в европейскую часть страны, осели сначала в Липецке, после чего двинулись на завоевание столицы под руководством своего предводителя, отныне называвшего себя Валерой Липецким.

Чуть больше года назад в группировке Богомольца произошло ЧП: в «общаке» обнаружена крупная недостача. «Общак» был региональным, предназначался для грева и поддержки всех группировок Кузбасса, но хранить его на воровском сходе было доверено именно Богомольцу. Богомолец терпеть не мог, когда ему пытались поставить в пример чей-то чужой опыт, он был твердо убежден, что весь мировой опыт не стоит его личного опыта и его чутья. Он сам решил, где будет хранить «общак» и как организует его сохранность. Купил квартиру в многоэтажном доме, поставил двойную стальную дверь, на окна — стальные решетки, оборудовал несколькими видами сигнализации и встроенным сейфом и приставил трех человек, которые должны были посменно охранять сокровище.

Когда обнаружили недостачу, потребовалось всего два часа, чтобы выяснить, кто из троих сторожей проморгал. Виновник, избитый и истерзанный до полусмерти, признался, что взял деньги для своего знакомого Юрки Симонова, который обещал удвоить сумму в казино за один — максимум два вечера. Юрка был везунчиком, играл много и удачно, и сторож «общака» поддался уговорам приятеля и рискнул. А Юрка проиграл. Испугался и смылся в неизвестном направлении, оставив своего кредитора отдуваться за обоих.

Правда, у этой некрасивой, в общем-то, истории была и своя подоплека. Истекающий кровью охранник в свое оправдание поведал, что подрядил Симонова на «мокруху». Заказчиком выступил один очень старый и очень уважаемый вор, настоящий вор в законе, который тяжело болел и перед смертью решил, что не может уйти в мир иной, не поквитавшись со всеми своими обидчиками. И когда Симонов стал жаловаться сторожу «общака» на нехватку денег, тот поинтересовался, а что, собственно говоря, умеет делать его приятель такого, чем можно было бы заработать бабки. Юрка сказал, что работает взрывником на шахте, а до этого служил в саперных войсках и обладает соответствующими навыками. Вот тогда сторож и предложил ему поискать заказчика. Симонов согласился, заказчик нашелся (при посредничестве все того же сторожа), и Юрка взялся за дело. Однако вот ведь какая напасть случилась: пока он готовился и приводил к осуществлению свой замысел, старый вор скончался. И когда Симонов выполнил заказ и пришел с этой радостной вестью к своему дружку-сторожу, выяснилось, что платить за работу некому. Помер заказчик-то. И сторож опять же внакладе, ему ведь тоже процент за посредничество полагался.

Симонов, по словам сторожа, был вне себя. Сторожу, со своей стороны, тоже было неловко. И когда Симонов предложил взять деньги из «общака» и «нарастить» их при помощи азартных игрищ, сторож колебался, но не очень долго, ведь он чувствовал себя отчасти виноватым в том, что Юрка не получил своих денег. Опять же свой процент хотел снять. Юрка был удачлив, катастрофических провалов у него не случалось, и сторож был уверен, что взятую из «общака» сумму он через два дня положит назад в сейф и никто ничего не узнает.

Положить деньги назад он не смог. А через очень короткое время все вскрылось. Сторожа долго пытали, выколачивая из него все обстоятельства происшествия и все детали, касающиеся личности Симонова, потом добили, чтобы не мучился. Впрочем, даже если бы он и не мучился, его все равно убили бы, потому что Богомолец предательства не прощал, а поступок человека, которому доверили охранять региональный «общак», оказался даже хуже с точки зрения воровской морали, чем предательство. Это было самое настоящее крысятничество, то есть кража у своих.

А убив сторожа, занялись поисками Симонова. Конечно, хорошо бы выколотить из него деньги и вернуть их в «общак», но надежда на это была слабой. Если человек проиграл деньги, то откуда ему другие взять? Правда, подозрительный и никому не верящий Богомолец заподозрил, что Симонов все наврал, что деньги он не проиграл, а банально присвоил, оставив своего приятеля-сторожа в дураках. Коль так — пусть вернет украденное. А за посягательство на святая святых он должен умереть, это в любом случае. Если не наказать того, кто покусился на «общак», то честь вора окажется запятнанной.

Поиски Симонова велись активно, но быстро прекратились. Симонов погиб при взрыве шахты, на которой он работал. История заглохла, но несколько месяцев назад снова ожила. Откуда-то просочилась информация о том, что Симонов жив, сделал операцию и благополучно проживает в столице нашей Родины под другим именем и с другим лицом. И сейчас люди Богомольца снова ищут его не щадя живота.

Каменскую больше всего интересовал вопрос об операции: насколько достоверны эти сведения, можно ли на них полагаться, или они являются плодом фантазии, основанной на домыслах. Она вчера специально говорила об этом Зарубину, и сегодня на встрече со «знающим» человеком Сергей попытался этот вопрос прояснить. Человек ничего точно сказать не мог, откуда появилась информация — он не знал, но был уверен, что она основана не на домыслах, а на знании. Можно, конечно, выяснить более точно, но на это нужно время. А времени у Зарубина не было.

В десять вечера он все еще сидел на скамейке напротив дома Нильских и с усмешкой думал о том, что все старания

Богомольца по предотвращению утечки информации ни к чему не привели. Информация утекала, да еще как! А все почему? Потому что главное оружие Богомольца — жесткость, подозрительность и жестокость, а когда ты жесток к людям и постоянно их в чем-нибудь подозреваешь, число обиженных и униженных тобою растет не по дням, а по часам. Всех убить невозможно, и те, кто остается в живых, далеко не всегда считают нужным сохранять тебе преданность или хотя бы лояльность. Если правда, что красота спасет мир, то организованную преступность может спасти только доброта. Только будучи добрым к своей команде, можно выстроить из нее непробиваемую крепость, через которую не проникнут ни правосудие, ни конкуренты. Команда должна тебя боготворить, тогда она за тебя костьми ляжет. А из страха, как показывает жизнь, никогда ничего толкового не получается. Доброта спасет мафию... Смешно! Но такой вот получается парадокс.

Из-за поворота наконец показались Руслан и Яна. Сергей всмотрелся в них и невольно напрягся. От этих двух людей, идущих вроде бы вместе и в то же время чуть порознь, веяло такой острой неприязнью, что сомнений не оставались: они крупно поссорились, даже не разговаривают друг с другом. Зарубин собрался было пойти им навстречу, когда Руслан неожиданно схватил Яну за руку и начал что-то горячо говорить ей. Яна руку вырвала и быстро пошла к подъезду. Сергею было видно, что она плачет. Руслан замедлил шаг, потом остановился, вытащил сигареты. «Пора», — решил Сергей, вставая и подходя к Нильскому.

— Вы? — Руслан равнодушно взглянул на него и тут же отвернулся.

— Я, — притворно вздохнул Зарубин. — Вы уж извините, что я вам и в Кемерове досаждаю, но сами понимаете, работа такая... У меня к вам еще ряд вопросов...

— Не сейчас, — резко бросил Нильский.

— А когда? — Сергей не боялся показаться настырным, он считал, что лучше надоесть человеку своими бесконечными разговорами, чем застесняться и что-то упустить. — Когда вы сможете со мной поговорить? Я вас жду здесь уже четыре часа, между прочим.

— Подождите, я выйду минут через пятнадцать.

Нильский раздавил носком ботинка окурок и скрылся в подъезде. Вышел он даже раньше, четверть часа еще не прошло. Лицо его было угрюмым, губы плотно сжаты, через плечо висела дорожная сумка на длинном ремне.

— Вы куда-то уезжаете? — удивился Зарубин.

— В Москву, — коротко ответил Руслан. — Если у вас есть вопросы, давайте поговорим по дороге в аэропорт.

— Вы возвращаетесь?

— А как еще это можно назвать? — ответил он вопросом на вопрос.

— Но ведь Яна... — растерялся Зарубин.

— Что — Яна?

— Она хотела уехать из Москвы, потому что боялась. И вы поехали с ней, чтобы не оставлять ее одну наедине с этими страхами. Разве не так?

— Так.

— Почему же вы уезжаете? Яна больше не боится?

— По-видимому, нет. Или ее страхи не настолько сильны, чтобы помешать ей ненавидеть меня. Впрочем, это не ваше дело. У вас машина?

— Да, — кивнул Сергей, — за углом стоит. Пойдемте.

Они проехали несколько кварталов, прежде чем Зарубин снова вернулся к разговору:

— Почему вы сказали, что Яна вас ненавидит? Вы поссорились?

— Это не ваше дело. У вас были какие-то вопросы? Задавайте их, а мою семейную жизнь оставьте в покое.

— Как скажете, — покорно согласился Зарубин. — Вам что-нибудь говорит фамилия Симонов?

— Симонов? — агрессивности в голосе Нильского чуть поубавилось, было видно, что такого поворота он не ожидал и от удивления забыл сердиться. — Вы имеете в виду Юрку Симонова, моего земляка?

— Именно его, — подтвердил Сергей.

— Ну, был такой в нашем городе. Мы с ним в одной школе учились. И что с того?

— А после школы, когда вы оба стали взрослыми, вам не приходилось встречаться?

— Нет, — Руслан отрицательно покачал головой.

— Это точно? Может, была какая-то мимолетная встреча, а вы запамятовали?

— Ничего я не запамятовал. Когда Юрку забирали в армию, я закончил девятый класс, а когда он вернулся в Камышов, я уже работал в Кемерове. Больше мы не встречались.

— Вы так точно помните, что закончили девятый класс, когда Симонова провожали в армию, даже не задумались ни на секунду, — в голосе Зарубина прозвучало недоверие, смешанное с упреком: мол, что же ты мне голову-то морочишь, дружочек.

— Да, я это помню, — скупо проронил Руслан. — У меня вообще с памятью все в порядке. Но если вам интересно, могу объяснить. Юрка, по моим представлениям, должен быть стать отъявленным преступником. А я собирался стать оперативником или следователем. И когда его забирали в армию, я вполне серьезно прикидывал, сколько мне будет лет, когда он вернется, буду ли я уже тогда работать в милиции и смогу ли его посадить. Я был наивным дурачком и не подозревал, что меня могут забраковать из-за зрения.

— А что, очень хотелось его посадить? — лукаво спросил Сергей.

— Тогда — да, хотелось. Я в те годы искренне считал, что его место за решеткой.

— А сегодня вы так уже не считаете?

— Я вообще не имею права рассуждать на эту тему. Я не судья и тем более не господь бог.

— И вам не интересно, как сложилась его жизнь?

— Абсолютно неинтересно.

Зарубин помолчал, придумывая, как бы продолжить прерванный разговор. Руслан к беседам явно не расположен, про ссору с Яной говорить не хочет, Симоновым тоже не интересуется. Или на самом деле интересуется, но интерес свой тщательно маскирует? Может быть, но зачем?

— Насколько я помню, рейс на Москву будет только в восемь утра, а следующий — в восемь сорок пять, — осторожно начал он.

— Ничего, в аэропорту посижу.

— Неужели у вас нет друзей, у которых вы могли бы переночевать? — не отставал Зарубин.

— С друзьями придется разговаривать, а у меня нет настроения. Что еще вы хотели узнать?

Ну слава богу, сам навстречу идет! Хоть и расстроен сверх меры, но понимает, что Сергей его не ради собственного удовольствия расспрашивает.

— Скажите, а в Москве вы случайно не видели Симонова?

— Вы опять о нем? — Нильский недовольно скривился. — Я же вам русским языком сказал: с тех пор, как Юрку забрали в армию, я его нигде и никогда не встречал.

— В таком случае объясните мне, почему же он вами так интересуется?

Зарубин брякнул наобум, это было всего лишь одной из версий. Он надеялся хотя бы таким способом вырвать Руслана из цепких объятий апатии, которая внезапно охватила его.

— Кто? — в голосе Нильского снова зазвучало удивление, на этот раз более отчетливое.

— Симонов. Или не он, а Петр Степанович Дыбейко. Впрочем, я так полагаю, что это одно и то же.

— Дядя Петя?! Да вы что? Вы что такое говорите? Что за бред?

— Это не бред, Руслан. Вашу жену похитили, чтобы напугать ее до смерти. Потом подбросили письмо. Потом дохлых крыс. Этого оказалось недостаточным, и тогда вы получили фотографии могилы.

— Для чего оказалось недостаточным? Я вас не понимаю.

— Вас хотели заставить уехать из Москвы и вернуться домой. Для этого в качестве основного объекта выбрали вашу жену. Она — слабая женщина, нервы у нее не такие крепкие, как у вас. Им нужно было вывести ее из равновесия и ввергнуть в панику, чтобы она испугалась и захотела вернуться, и чтобы она увезла вас с собой. И это у них вполне получилось, вы не находите?

— Но зачем? Зачем Юрке и дяде Пете добиваться моего возвращения в Кемерово?

— А я думал, вы мне сами это объясните, — разочарованно протянул Сергей. — Кстати, вы знаете, где сейчас живет ваш дядя Петя?

— Понятия не имею, — Руслан пожал плечами. — Знаю, что он вышел на пенсию и уехал из Камышова.

— Ага, — подтвердил Зарубин, — уехал, это точно. Сначала в Кемерово, потом в Липецк, а потом — в Москву. Работает руководителем службы безопасности в крупной и влиятельной преступной группировке Валеры Липецкого.

— Дядя Петя?! Не может этого быть. Вы что-то напутали.

— Да нет, ничего я не напутал. А Симонов, чтоб вы знали, ухитрился крупно поссориться с другой преступной группировкой, которую возглавляет некто Богорад по кличке Богомолец. Про него вы, как я полагаю, неплохо осведомлены.

— Да, я знаю его, делал материал о нем и его банде. Но я-то тут при чем? Какая связь между мной, Юркой и дядей Петей?

— Понимаете ли, какая штука получается... — Сергей сделал паузу, чтобы еще раз мысленно сформулировать то, что он собирался сказать Руслану. — Симонов навлек на себя гнев Богомольца. Ему нужно было спрятаться под чье-то крыло, найти защиту, ведь Богомолец собирался ни много ни мало убить его. И он обратился к Дыбейко, который для него, вероятно, тоже был, как и для вас, дядей Петей. И Дыбейко помог. Богомолец землю роет, чтобы найти Симонова, а Дыбейко изо всех сил старается этому помешать. В этом раскладе каким-то образом оказались вы, Руслан. И я хочу узнать ваше место в этом пасьянсе.

— Я ничего не понимаю, — пробормотал Нильский.

— Я тоже. Но мне это простительно, я вообще-то не местный, — усмехнулся Сергей. — А вот вы должны знать или хотя бы догадываться, зачем они хотят заставить вас вернуться в Кемерово.

Руслан помолчал несколько секунд, потом решительно произнес:

— Это все выдумки и бредни. В том, что вы мне рассказали, нет ни одного здравого зерна.

— Возможно, — легко согласился Зарубин. — Давайте договоримся с вами так: если вы возвращаетесь в Москву и в течение недели ничего не происходит, я беру все свои слова назад и расписываюсь в своем абсолютном и неизлечимом идиотизме.

— А что должно произойти?

— Ну, не знаю. Что-нибудь такое, что заставит вас снова вернуться домой. Вы им для чего-то нужны здесь. И если я прав, они не смирятся с тем, что вы опять появитесь в Москве. Вас могут обокрасть, ограбить, избить, начнут угрожать по телефону — все, что угодно, чтобы сделать ваше пребывание в столице тягостным и невыносимым. Вы должны будете принять решение вернуться, и они этого решения будут от вас добиваться всеми силами. Но вы можете не беспокоиться, вас не убьют, потому как вы, что очевидно, нужны им живым.

— А если ничего этого не случится?

— Значит, я был не прав. Но я обычный человек и имею право ошибаться.

Они подъехали к аэропорту, Нильский коротко поблагодарил Сергея, попрощался и хлопнул дверью машины.

* * *

Неудача его не обескуражила. Руслан не хочет напрягать извилины и думать над тем, что он сказал, но ведь есть еще Яна. Может быть, она сможет пролить какой-то свет на эту более чем странную ситуацию?

На следующий день рано утром Зарубин уже занял свой пост напротив знакомого подъезда, который он накануне так долго созерцал. Яна появилась в начале девятого, и судя по тому, как быстро она шла и как просто была одета, Сергей сделал оказавшийся правильным вывод о том, что молодая женщина спешит в магазин за продуктами к завтраку. Магазин находился здесь же, через два дома, и Зарубину даже не пришлось вставать с уже полюбившейся ему лавочки, чтобы посмотреть, куда идет Яна. Ну что ж, не будем пока ее дергать, она спешит, нужно кормить детей и родителей, и никакого разговора все равно не получится. Подождем, пока она выйдет гулять с девочками, это самое лучшее время для беседы, она никуда не будет торопиться.

Сделав покупки, Яна так же стремительно вернулась домой. Сергей терпеливо ждал, похрустывая картофельными чипсами, которыми предусмотрительно запасся, предвидя возможное долгое ожидание. Около одиннадцати Яна снова появилась, толкая перед собой широкую коляску, в которой сидели две очаровательные пухлощекие крохи. Зарубин уже вознамерился было подойти к ней, но пресек свой порыв, подумав, что вышедшие на прогулку с детьми мамочки, как правило, не идут так быстро и целеустремленно. Да еще поглядывая на часы... Ну-ка, ну-ка, посмотрим, куда это вы так спешите, Яна Геннадьевна.

Отпустив Нильскую на приличное расстояние, Сергей двинулся следом. Идти пришлось не очень долго, потому что уже на следующей улице, миновав перекресток, Яна подошла к машине — серебристому «Опелю». Из машины вышел мужчина, они обнялись и поцеловались как-то уж очень не по-дружески, во всяком случае сексуального интереса в этом объятии Зарубин углядел куда больше, чем интереса чисто платонического. Мужчина открыл багажник, подхватил детей на руки, Яна села на заднее сиденье, после чего мужчина передал ей девочек, ловко сложил коляску, спрятал ее в багажник и сел за руль.

Серебристый «Опель» промчался мимо Руслана, и он успел увидеть сияющее радостью лицо Яны Нильской. А мужчина, с которым она так страстно целовалась, был лет сорока — сорока пяти, крупным, полноватым, хорошо одетым. И очень напоминал описание того человека, с которым Яну видели в Москве, в ресторане на проспекте Мира.

Запомнив номер машины, Сергей стремглав кинулся к «Жигулям», которые ему уступили на время командировки.

Глава 17

Коротков не приходил к Насте уже второй день подряд, ночевал у Ирины Савенич, а днем носился по своим сыщицким делам, то и дело возникая в телефонной трубке, торопливо интересовался новостями и уклонялся от прямых ответов на любые вопросы.

Объявился он в воскресенье ближе к вечеру, бледный до синюшности, белки глаз сплошь покрыты красными прожилками.

— Что с тобой? — испугалась Настя. — Ты заболел? Или это любовные утехи на тебя так действуют?

Юра прошел в комнату, развалился на диване, вытянув ноги, устало прикрыл глаза.

— Я, конечно, мужик крепкий, — пробормотал он, — но и мое умение пить водку имеет свои пределы. Особенно ежели без закуси, в жару да под серьезный разговор.

Настя понимающе кивнула. В работе оперативников частенько складываются ситуации, когда без выпивки не обойтись. С тобой просто разговаривать никто не станет, если ты не поднимешь стакан.

— Но было ради чего страдать или все впустую?

— Да как сказать... Ничего нового, просто подтверждение уже имевшихся догадок. У Эдика Старшего действительно был конфликт с дамой сердца из-за залетного паренька, но только паренек этот был вовсе не Тимуром Инджия. Так что если Эдик и заказывал кого-то, то уж только не Тимура, он его вообще знать не знает и в глаза никогда не видел. Это во-первых. А во-вторых, группировка Старшего даже и не пыталась тянуть ручонки к заводу, принадлежащему фирме Ганелина. Там все было известно с самого начала, и фармацевтический завод люди Эдика за версту обходили. Так что никаких непоняток в смысле выплаты дани между Эдиком и Ганелиным тоже быть не могло, стало быть, и долгов не было, и способы их списать были не нужны. Вся информация Щербины была туфтовой от начала и до конца. Ему, блин, книжки надо писать, а не в МВД работать.

— Все? Или еще что-то припас?

Вопрос Насти не был праздным, она знала манеру Короткова никогда не выкладывать на стол главную новость, пока общество не насладится обсуждением новостей второстепенных. А то, что он рассказал, было как раз второстепенным, потому что факт отсутствия конфликтов между Эдиком

Старшим и Ганелиным стал очевидным еще тогда, когда Юра выложил перед ней ту самую бумажку, которая, по его словам, «пришла с опозданием». В бумажке было написано, что фирма «Центромедпрепарат» и все ее филиалы и дочерние предприятия имеют «красную» крышу. Иными словами, ни одна криминальная структура к ним сунуться не может, а если попробует, им быстро и толково объяснят, что они не правы и здесь им не обломится.

— Все тебе расскажи, — проворчал Юра. — А что мне за это будет?

— Могу покормить, — предложила Настя.

— Нет, только не это!

В голосе его было столько ужаса, что Настя не выдержала и прыснула. Обычно не страдающий отсутствием аппетита, Коротков после обильных возлияний начинал испытывать отвращение к еде, которое длилось до тех пор, пока последние остатки алкоголя окончательно не выветривались из организма.

— Могу организовать помывку твоего уставшего тела в ванне или под душем с ароматными моющими средствами и последующей подачей кофе на диван. Пойдет?

— Пойдет, — согласился Юра. — Давай ванну, только не горячую, и пены побольше. Ладно, слушай. В команде Валеры Липецкого есть один толковый мужичок, который раньше работал в разведке. Я пока не знаю, надо нам это или нет, но на всякий случай пусть будет.

Работал в разведке... Какая-то смутная мысль мелькнула в Настиной голове и тут же исчезла, не дав ухватить себя за хвост. Пока в ванну наливалась вода, Настя искала в шкафу чистое банное полотенце, стелила постель для Короткова, задумчиво перебирала флаконы с ароматными гелями, выбирая запах, а сама постоянно возвращалась к слову «разведка», пытаясь выманить хитрую мысль из укрытия и заставить заявить о себе. Но мысль и в самом деле оказалась хитрой и выманиваться отказывалась.

— Есть же счастье в жизни! — блаженно простонал Юра, вытягиваясь в ванне. — Эй, подруга, иди сюда, развлеки меня беседой, а то я тут усну в одиночестве.

— Не могу! — крикнула из кухни Настя, делая себе бутерброд, который она намеревалась съесть, пока Коротков не видит, чтобы не раздражать утомленного алкоголем товарища.

— Почему?

— Ты голый, я тебя стесняюсь.

— Я весь в пене, ничего не видно. Ладно, не хочешь заходить — возьми стульчик и поставь рядом с дверью, чтобы я мог с тобой разговаривать.

Она налила себе кофе, поставила стул у двери в ванную, взяла в одну руку чашку, в другую — бутерброд.

— Ну, я здесь! — громко объявила Настя. — О чем ты хочешь поговорить?

— Да мне без разницы, мне ж не для дела, а для удовольствия.

— Если для удовольствия, расскажи-ка мне, что происходит на фронте госпожи Вороновой. У тебя должны быть самые точные сведения.

— Ах да! — спохватился Юра. — Совсем забыл. Ты знаешь, что Нильский вернулся?

— Знаю, мне Зарубин звонил, предупредил. Не то он с Яной поссорился, не то она с ним. Я хотела Афоне сказать, что надо бы за Нильским наружку пустить, а он куда-то скрылся, найти его не могу. Он как в пятницу после разговора с тобой уехал к следователю, так больше в конторе не появлялся. Домашний телефон не отвечает, а мобильник «вне зоны действия сети». И ты где-то носишься, тебя тоже на месте нет, и мобильник ты выключил. Юр, надо завтра прямо с утра этот вопрос пробить, если мы правы и люди Липецкого пытаются выжить Руслана из Москвы, они будут что-то предпринимать. Может быть, мы уже опоздали, они еще вчера узнали о том, что Нильский вернулся, и состряпали какую-нибудь каверзу.

— Слушай, это что же получается, он у нас уже больше суток неприкрытый по Москве разгуливает?

— Ну а я тебе о чем? Черт же его дернул прилететь в субботу, когда до понедельника начальства не доищешься! Лето, жара, все на дачи ускакали. Остается надеяться только на то, что у Липецкого тоже выходные дни, как у всех. Я, конечно, вчера утром позвонила Вороновой, попросила связать меня с Русланом, как только он появится, но он мне не перезвонил. Я Вороновой телефон оборвала, вчера звонила и сегодня тоже, она меня уверяла, что Руслан жив-здоров, сидит в квартире ее сына, готовится к съемкам в понедельник. Меня это немножко утешило, но не сильно. Все-таки было бы лучше, если бы он остановился у Вороновой, а не на отшибе да без телефона.

— Да-а, дела, — огорченно протянул Коротков. — И я, козел безрогий, вовремя не сообразил, замотался со своими проблемами. А чего это у тебя дикция такая странная? Ты там ешь, что ли?

— Угу, — промычала Настя, откусывая кусок хлеба с бужениной. — И кофе пью к тому же.

— Вкусно тебе?

— Обалденно. Не хочешь?

— Нетушки, спасибочки вам, я уж как-нибудь так... Ася, я тебе еще не надоел?

— В каком смысле? Как начальник?

— Нет, как приживалка. Знаешь, я так по-дурацки себя чувствую, понимаю же, что мешаю тебе, но податься-то некуда. Еще неделю как минимум надо перекантоваться.

— Ладно, живи пока, — улыбнулась Настя, потом сообразила, что Юра ее не видит, и добавила: — Я это говорю с нежной улыбкой на устах, понял?

Разведка, разведка... На какую же мысль натолкнуло ее это слово? Нет, похоже, мысль утеряна безвозвратно, ничего, кроме Штирлица и Мюллера, в голову не приходит.

Коротков наконец выполз из ванной, завернутый в длинную махровую простыню, с мокрыми волосами и слегка посвежевшим лицом. В руках он держал фен.

— Не могу стоя башку сушить, ноги не держат, — пояснил он, перехватив удивленный Настин взгляд.

— Ну так не суши ее вообще, у тебя же волосы короткие, сами за полчаса высохнут.

— Не, я не могу столько ждать, я хочу свою головушку на подушечку уложить. И смотреть телевизор, как белый человек в свой законный выходной.

Он подошел к дивану, где сияла свежестью чистая постель, и принялся искать розетку для фена.

— Подруга, у тебя тут все розетки заняты. Можно что-нибудь отключить?

Настя, сочинявшая на компьютере послание мужу в далекую страну, испуганно схватила его за руку.

— Ты что?! Ничего не трогай, это все от компьютера.

— А вот это? — Он подергал за шнур, явно не принадлежащий передовой оргтехнике.

— Это настольная лампа, я без нее плохо вижу.

— Беда мне с тобой... У тебя тройник есть?

— Какой тройник?

— Ну такая штуковинка, в которую можно три прибора воткнуть.

— Был где-то, сейчас найду.

Она отправилась в прихожую искать в стенном шкафу тройник и внезапно поймала ту мысль, которая так упорно не хотела вылезать из своей норки. Ну конечно, все правильно! Совсем недавно это было, когда Колобок-Гордеев устраивал собственные проводы на пенсию у себя на даче. К ним тогда присоединился его пожилой сосед, которого представили как бывшего сотрудника разведки. Этот сосед оказался смешливым, разговорчивым дядечкой и развлекал общество разными байками из жизни шпионов.

Склонившаяся над инструментальным ящиком Настя словно наяву слышала его голос, произносящий отдельные фразы:

«Этот фокус получил название «тройник»...»

«Они воспользовались тем, что европейцы плохо различают азиатские лица...»

«Все свидетели говорили о том, что это был не то японец, не то китаец, не то кореец, мы замучились составлять его портрет, а на самом деле их было трое...»

В команде Валеры Липецкого есть человек, знающий практику разведки. Почему бы ему не применить такой же фокус с Симоновым? Правда, Симонов имеет европейскую внешность, но кто мешает собрать вместе более или менее схожих людей, на самом деле совершенно разных, но словесное описание которых даст примерно одинаковую картину? Рост, телосложение и цвет волос будет во всех описаниях одним и тем же, а с лицом придется помучиться, лица-то в показаниях свидетелей окажутся разными, и настоящего композиционного портрета реального человека ни у кого не получится. Сложно, но умно и элегантно.

— Держи, — она протянула Короткову тройник. — Суши свою гриву и дай слово, что не будешь надо мной смеяться.

— Не дам. Над тобой невозможно не смеяться, ты всегда что-нибудь эдакое отмочишь.

Юра включил фен и изобразил на лице повышенное внимание.

— Излагай! — скомандовал он.

Настя старалась говорить без эмоций и ничего не утверждать, только высказывала предположения и ставила вопросы.

— Понимаешь, Юрик, Гелий Ремис ездил в Камышов. Может быть, это неправда, может быть, он так сказал своей соседке, а на самом деле он ездил совсем в другое место, но то, что он вылетел из Москвы в Кемерово и из Кемерова же вернулся в Москву — это точно, я проверяла по регистрации аэропортов. И Ремис — это не Симонов. Если здесь был применен «тройник», то можно предположить, что в Камышов ездили Симонов, Ремис и кто-то третий. Но они могли упростить схему и ограничиться всего двумя персонами, тогда Ремис ездил вдвоем с Симоновым, без третьего.

— Ну ты наворотила, — покачал головой Коротков.

Он успел полностью высушить волосы, пока Настя делилась с ним своими соображениями, и выключил фен.

— Наворотила, — уныло согласилась она. — Но ведь это многое объясняет. Я все думала, зачем такие сложности, ну зачем, если нужно просто помочь матери! И потом подумала, что ситуацию могли использовать с двойной целью: Симонов помогает своей матери, а заодно создает условия для того, чтобы Богомолец ошибся, принял совершенно невинного человека за Симонова, убил его и успокоился наконец. Я поставила себя на место этого Богомольца и поняла, что он действовал бы точно так же, как мы. Он проверил бы в Кемерове регистрацию вылетающих пассажиров, отработал бы каждого из списка, нашел всех мужчин подходящего возраста и к каждому присмотрелся: а не Симонов ли это с новым лицом и новым именем? Дальше нужно было только сделать так, чтобы подозрение пало на Ремиса. Они его подставили Богомольцу, понимаешь?

— И что ты предлагаешь? Пойти тем же путем, каким шел Богомолец, и отрабатывать всех пассажиров, которые тридцать первого мая вылетали из Кемерова? Ты ж сама жаловалась, что не можешь растроиться и расчетвериться.

— Еще чего! — фыркнула Настя. — У нас есть перед ним огромное преимущество. Где-то среди людей Богомольца должен был человечек, который ездил в Москву устанавливать предполагаемых Симоновых. Может быть, даже не один человечек, а несколько. А в Кемерове у нас есть Зарубин, который может найти этих людей и задать им несколько правильных вопросов.

* * *

Человек, который так много знал о делах банды Богомольца, от повторной встречи с Зарубиным категорически отказался. Сергею надо было искать другие пути выяснить то, что велел Коротков.

Первым в очереди на разведопрос стоял тот самый мужчина, с которым Сергей видел Яну Нильскую. По номеру машины установили, что серебристый «Опель» принадлежит некоей пожилой даме, которая даже при самом сильном напряжении фантазии никак не могла сойти за крупного полноватого мужчину лет сорока с небольшим. Задавать прямые вопросы самой Яне Зарубин не хотел. Он перестал ей верить. Оставалось последовательно идти по всем, кому машина передавалась по доверенности.

Дело потихоньку двигалось, но Сергея грызли сомнения, а того ли человека он ищет. Даже если предположить, что любовник Яны Нильской и есть тот мужчина, с которым она встречалась в Москве, то какие у Зарубина основания подозревать его в причастности к преступлениям? Да, маленькая Яна изменяет мужу, да, она поехала вместе с ним в Москву на съемки, да, любовник не выдержал разлуки и примчался следом за ней в столицу, да, она с ним тайком встречалась. И что с того? Где тут криминал? Почему он непременно должен оказаться членом группировки Богомольца? Не должен. И вообще, он, вероятнее всего, к Богомольцу не должен иметь отношения, скорее он может оказаться человеком Валеры Липецкого, потому что если вокруг Симонова крутятся люди Богомольца, то вокруг Руслана и Яны — люди Валеры. Это Липецкому и Дыбейко что-то нужно от Нильского, а вовсе не Богомольцу. Хотя, конечно, Богомолец имеет на Руслана большой крепкий зуб, но это как-то... одним словом, несколько в прошлом. Или нет?

Четких ответов на все эти вопросы у Зарубина не было, он мучился сомнениями, ежечасно ощущая собственную слепоту, мешающую ему двигаться в точно заданном направлении и вынуждающую действовать на ощупь.

Можно было бы, как в хорошем кино, подкараулить Яну, когда она снова будет встречаться со своим другом, сесть ему на хвост и посмотреть, где он живет, а там и до установления личности рукой подать. Но если бы все было так просто! Сам Зарубин сделать этого не мог, ведь на стареньких «Жигулях» ему за «Опелем» никогда в жизни не угнаться, а если этот дядька все-таки в чем-то замешан, то он внимателен и осторожен и одну-единственную машину, которая таскается за ним следом по всему городу, наверняка тут же срисует. Для того, чтобы сделать все по уму, требовалась куча бумаг из Москвы, присланных спецсвязью, и долгие и нудные согласования между московскими и местными начальниками. Московские начальники (если сочтут нужным) будут требовать, чтобы местные начальники помогли в проведении оперативно-розыскных мероприятий по делу, которое находится в работе у москвичей, а местные будут этому всеми силами сопротивляться. И совершенно понятно, почему. Ну выделят они людей и технику, ну помогут москвичам распутать дело, а толку-то? Преступление будет считаться раскрытым у москвичей, им — галочка в отчетность, а местным что? Ничего, шиш с маслом. Людей столько, сколько есть, и помогать другим означает отрывать своих сотрудников от работы, оголять участки, то есть получается, что по своим преступлениям мы работу ослабляем, и нам за нераскрытие дадут по шапке, а москвичам — почет и слава. Так что даже если все бумаги будут в порядке, ждать толковой помощи — неоправданный оптимизм.

У Зарубина была с собой только одна бумажка — поручение следователя. И за каждый жест помощи со стороны кемеровских сыщиков он был им искренне благодарен. Вот один из них, уезжая в отпуск, машину свою уступил — огромное ему спасибо, редкостная удача, такая раз в десять лет случается, а то бегать бы Зарубину по всему городу на своих двоих и в Камышов на автобусе или на электричке ездить. Встречу с нужным человеком устроили — опять же низкий им поклон, искренний, без шутовства и ерничества. От всего сердца.

Машины продавать нынче стало немодным, платить налоги никому не хочется, поэтому их просто передают новому владельцу вместе с генеральной доверенностью, в том числе и на право продажи. Последним владельцем серебристого «Опеля» оказался хмурый хозяин продуктового магазина, отличающийся удивительной неразговорчивостью. Он долго отмалчивался, делая вид, что внимательно изучает какие-то накладные, ворохом лежащие перед ним на столе, потом неохотно процедил в ответ на вопрос, где в данный момент находится «Опель»:

— Знакомый из Москвы приехал, ему одолжил.

— А сами что ж, без машины остались? — посочувствовал Зарубин.

— У жены есть, на ней езжу.

— Как бы мне разыскать вашего знакомого?

— Зачем?

Хозяин магазина даже головы не поднял, задавая свой вопрос, все шарил глазами по разбросанным по столу бумажкам. Легенда у Зарубина была хилая, и виной всему — его муровское удостоверение. Пока что ему верили на слово, но в любой момент могли попросить показать документы, и тогда пришлось бы отвечать на вполне законный вопрос: почему это, собственно говоря, столичный сыскарь разыскивает в Кемерове человека, который ездит на машине с кемеровскими номерами? Поэтому, дабы не нарываться, Сергей строил из себя гражданина сугубо штатского и в случае чего мог показать паспорт.

— Понимаете, тут на днях моего приятеля машина сбила, — начал он ставшее уже привычным за последние сутки вранье, — я свидетелей ищу. Все на моих глазах произошло, и я видел, что мимо проезжал серебристый «Опель», номер 307, а буквы я не разглядел. Я мужикам из ГИБДД говорил об этом, а они отвечают, мол, без букв искать не будем, мало ли таких машин, может, она вообще из другого региона. Да ну их к чертовой матери, никому ничего не надо, никто ничего делать не хочет! Человека сбили, инвалидом на всю жизнь оставили, а теперь говорят, что он сам виноват, на проезжую часть в неположенном месте выскочил. А я же видел, что все не так было! Короче, я сам теперь свидетелей ищу.

Хозяин магазина не спешил с ответом, и Сергей терпеливо ждал, вперив в него взгляд, полный муки и надежды. Но надежды не оправдались.

— Не знаю я, — наконец бросил он.

— Не знаете, где его искать?

— Не знаю.

— А где он живет?

— Сказал же: не знаю.

— Но хотя бы как его зовут? Может, он в гостинице какой-нибудь остановился, так я все гостиницы обойду.

— Он в гостиницах не живет.

— А где же? — удивился Зарубин. — В частном секторе, что ли?

— На кой хрен ему гостиницы, когда он местный, всю жизнь здесь прожил, у него полгорода в друзьях-приятелях.

— Я найду, — горячо заговорил Зарубин, — костьми лягу — а найду, я ради друга на все готов. Вы только скажите, как его зовут, а уж все остальное я сделаю.

— Аликом его зовут. Фамилия — Серов.

— Алик — Александр?

— Ну.

— А отчество?

— Да на кой мне его отчество? Алик и Алик. Всю жизнь для меня Аликом был.

Выходя из магазина, Зарубин с усмешкой думал о том, что этот хмурый хозяин наверняка прекрасно знает, где искать Алика Серова. Так и отдал бы он свою машину, если б не знал, что в любой момент может найти его. И сегодня же вечером, в этом Сергей тоже был уверен, Серов узнает, что его разыскивают как возможного свидетеля дорожно-транспортного происшествия. Никакого происшествия он не видел, но это уже значения не имеет. Главное — он проинформирован и, значит, будет внутренне готов, когда Зарубин подойдет к нему на улице и начнет задавать вопросы. Не станет возмущаться, размахивать руками, кричать и требовать предъявить документы. Просто мило улыбнется и в доступных выражениях объяснит, что молодой человек ошибся, что, вероятнее всего, это был совершенно другой «Опель», тоже с номером 307, но с другими буквами.

Зачем ему подходить к Алику Серову и заводить с ним разговор, Сергей пока не знал. Возможно, даже этих скудных данных окажется достаточно, чтобы в Москве установить личность любовника Яны Нильской. Тогда и никаких контактов с Серовым не потребуется. А вот если в Москве ничего сделать не удастся, тогда Зарубину придется импровизировать на месте. Задел для этого уже есть. Сергей Зарубин вообще был запасливым, на деньги, правда, это качество не распространялось, но вот на работу — в полной мере.

Но с Яной все-таки что-то непонятное. Выходит, Серов какое-то время назад перебрался из Кемерова в Москву. А Яна, в свою очередь, настояла на том, чтобы ехать в столицу вместе с мужем, в надежде встретиться с бывшим любовником. Ну встретилась. Дальше что? Снова разгорелся романтический пожар, и он кинулся за Яной назад в Кемерово? Кто знает, может быть, и так. Но если пожар горел так сильно, что Яна даже не смогла скрыть от мужа свое равнодушие, то почему она истерически требовала возвращения домой? Сидела бы в Москве тихонечко, встречалась бы тайком с Серовым, дети, слава богу, присмотрены, и все довольны. Чего ж она домой-то рвалась?

Нет, что ни говори, женская душа — еще большие потемки, нежели мужская. Никогда Зарубину в этом не разобраться.

* * *

Начальник службы криминальной милиции, под крылом которого Зарубин разворачивал в Кемерове свою деятельность, был добродушным незлобивым мужиком, всегда готовым помочь, если это не требовало выделения людей и отрыва их от основной работы.

— Прямо и не знаю, что тут можно сделать, — хитро улыбаясь, сказал он, выслушав просьбу Зарубина: нужно узнать, кто из людей Богомольца не так давно ездил в Москву. — Впрочем, есть одна зацепка. В банде Богомольца дней десять назад беда приключилась, убили его старого сподвижника Шаню, Шанькина Сергея, многократно судимого. Первым делом, конечно, его сына дернули, поскольку сын тоже в этой группировке штаны протирает, погоняло имеет Батыр. А сынок сказал, что знать ничего не знает насчет того, кто папашу сделал, потому как его в то время вообще в городе не было, он в Москву ездил. Билет показал, все честь по чести, да мы и в аэропорту проверяли: действительно не было его. Может, это твой шанс, Серега?

Через полчаса Зарубин уже разговаривал со следователем, в производстве которого находилось дело об убийстве рецидивиста Шанькина по кличке Шаня.

— Ну что вам сказать? — пожилой следователь картинно развел руками. — Обычный пацан, в меру пальцатый, но именно в меру. У меня сложилось впечатление, что сын убитого Шанькина недоволен тем, как его используют в группировке. Он считает себя способным на большее и комплексует из-за того, что в банде его недооценивают.

— Это как же? — насторожился Зарубин.

— Видите ли, Сергей Кузьмич, я много повидал на своем веку, это вы сами понимаете, учитывая мой почтенный возраст. И кое-что понимаю в людях, даже и в молодых, хотя они уже совершенно из другого поколения. Но знаете ли, поколение-то другое, нравы другие, принципы взаимоотношений в преступной среде тоже изменились, а вот законы психологии остались прежними, их никто не отменял.

Зарубин с огромным удовольствием слушал этого старого следственного зубра, он точно знал, что нет в жизни ничего ценнее порядочности, а в работе — ничего ценнее опыта. Именно у таких вот стариков его и можно набраться. Да и вообще ему редко приходилось общаться с людьми, сохранившими привычку к церемонному обращению.

— Ирек Шанькин — прекрасный артист, пластичный, темпераментный. Я ведь не зря назвал его «в меру пальцатым». Было бы глупо полагать, что, находясь в банде Богомольца, Ирек мог вести себя как прирожденный интеллигент, да он им и не был, всю жизнь рядом с отцом-рецидивистом крутился, смотрел на него с обожанием, пытался подражать, заразился воровской романтикой. Но при этом здесь, в этом кабинете, он не произнес ни одного жаргонного слова. Вежливый мальчик с хорошей внятной речью и без братковских замашек. Слушая его, можно подумать, что он фени вообще не знает и не слыхал никогда о ней.

— Может, так и есть? Всякое случается, — предположил Зарубин.

— Это да, это да, — согласно покивал следователь. — случается всякое, только не с Иреком Шанькиным. Он как только из моего кабинета вышел, тут же кинулся кому-то по мобильнику звонить, а мне как раз нужда пришла в секретариат заглянуть, я по лестнице спускаюсь — слышу его голос. Должен вам заметить, я почти ничего не понял из того, что он говорил. Поколение все-таки другое, — он дробно засмеялся, лукаво поглядывая на Зарубина. — А мальчик закомплексованный, имени своего стесняется, это невооруженным глазом видно. И очень хочет показать, что он умный, что что-то умеет и чего-то стоит. Уж на что я старше его — лет на сорок, а он и со мной пытался выпендриваться, никак не хотел в голову взять, что он умнее меня по определению быть не может, потому как я преступлений и преступников на своем веку повидал больше, чем он за всю свою жизнь сигарет выкурил. А из этого какой вывод, уважаемый Сергей Кузьмич?

— Если мы хотим добиться успеха с Иреком Шанькиным, надо постараться потрафить его самолюбию, причем так, чтобы это прибавило ему очков не в наших глазах, а в глазах его шефов, — добросовестно, как на экзамене, оттарабанил Сергей. — И ни в коем случае не акцентировать внимание на его имени, а еще лучше — вообще его не упоминать.

* * *

Следователь вызвал Шанькина к себе на следующее утро, вроде бы на очередной допрос в связи с убийством его отца. Едва Ирек переступил порог кабинета, старый следователь поднялся, с улыбкой помахал рукой Зарубину и вышел.

— Здравствуй, Батыр, — приветливо начал Зарубин, изображая на лице приличествующую случаю серьезность. — У меня к тебе деловое предложение.

— А вы кто? — с недоумением спросил Ирек.

— Я из Москвы, а кто — значения не имеет. Давай обойдемся без имен, ладно?

— Ладно, — пожал плечами Шанькин. — А чего надо-то?

— Хочу предложить тебе сделку. Ты вот недавно в Москву ездил, так?

— Ну, ездил. Я и следователю говорил, что меня в городе не было, когда батю убили.

— Знаю. Что касается твоего бати — прими мои соболезнования. А теперь к делу. Что ты делал в Москве?

— А вам не все равно? — ощерился Ирек. — Вы кто такой, чтобы я перед вами отчитывался?

— А не надо отчитываться, я и так знаю. На твоем месте я бы спросил, какая тебе выгода от разговора со мной.

— Ну, спрашиваю.

— Я тебе предлагаю равноценный обмен информацией. А теперь послушай меня внимательно, Батыр. Скольких человек ты должен был отследить в Москве? Троих? Или двоих? Одного из них звали Гелий Ремис, набожный такой, все в церковь ходил. Так?

— Ну, допустим.

— Уже хорошо. Ты нашел всех, кого тебе приказали, и составил свое мнение о том, кто из них Симонов. Так?

Лицо Ирека непроизвольно дернулось, на вопрос он не ответил.

— Ты не отмалчивайся, Батыр, со мной разговаривать безопасно. На тебе ведь ничего нет, я точно знаю. И что бы ты мне ни сказал, против тебя это не обернется. Ты сработал, как хорошая сыскная служба, а за это срок не дают и не сажают. Когда Ремиса убивали, ты здесь был, тебя в этот день следователь допрашивал, крови на тебе нет. Итак, ты составил свое мнение о том, кто из них Юрка Симонов, и доложил. Кому? Старпому или самому Богомольцу?

— Старпому.

— И что сказал Старпом? Согласился с твоими выводами?

— Нет, — едва слышно процедил Ирек сквозь зубы.

— Все правильно. Он тебе не поверил, обозвал тебя дураком или еще как-нибудь похлеще и сделал свой вывод из того, что ты доложил. Так было дело?

— Ну.

— Он ошибся, Батыр. А ты был прав. Ты все видел на месте, своими глазами, ты проанализировал собранную тобой же информацию, все взвесил и сделал совершенно правильный вывод. А Старпом обо всем судил со своей колокольни. И ошибся.

Ирек вскинул голову, глаза сверкнули.

— Откуда вы знаете?

— Знаю. Когда Ремиса убили, милиция начала всю его подноготную проверять. Чистый он, как младенец. Каждый его шаг проследили, фотографии за всю жизнь собрали. Гелий Ремис всегда был Ремисом, ни имя не менял, ни внешность. И в Кемерове никогда не жил. Симонов — кто-то из оставшихся двоих. Ты знаешь, кто именно?

— Конечно. Я и Старпому говорил, что это Гусарченко, а он мне не поверил.

— Точно — Гусарченко, а не тот, третий?

— Да нет никакого третьего-то! Я же Старпому объяснял, что у Гусарченко еще одни документы на другое имя, и хата запасная, а он меня вообще за человека не считает, думает, он самый умный...

В голосе Ирека зазвучала почти детская обида.

— Правильно, Батыр, — одобрительно кивнул Зарубин. — Ты все верно говоришь. Мозги у тебя — что надо, а Старпом пусть отдыхает. Пусть-ка он попрыгает от злости, когда ты придешь к нему и скажешь, что он ошибся, что Ремис — подстава, на которую он клюнул, как последний лох. Он тебя, естественно, спросит, откуда ты об этом узнал, а ты ему ответишь, что у тебя в Москве есть свои источники, такие, каких у него сроду не было. Если хочешь еще совет — могу дать.

Ирек молча кивнул, завороженно глядя на Сергея.

— К самому Старпому с этим не ходи. Не тот у тебя статус, чтобы к нему без вызова являться. Верно я говорю?

В ответ — снова молчаливый кивок.

— Ты пацанам скажи. Только очень аккуратно, плохих слов про Старпома не говори. Только факты излагай, ты мужик умный, сам сообразишь, что к чему. Излагай, стало быть, факты и переживай: как, мол, неудачно получилось, и вроде все было изначально сделано как надо, а последнее решение оказалось ошибочным. Короче, в таком вот духе. Пацаны тебя уважать начнут, вот увидишь. А там, глядишь, до Старпома слушок дойдет, так он тебя сам вызовет. Вот тогда ты в полную силу и отыграешься за все свои унижения. А теперь скажи мне спасибо.

— Спасибо, — послушно произнес Ирек.

— Ну ничего себе! Спасибо, как говорится, в карман не положишь. Я тебе вон какую ценную информацию дал, а ты мне что? Я ж тебя с самого начала предупреждал: хочу предложить тебе сделку. Ты — мне, я — тебе, понял? «Я — тебе» уже состоялось, а «ты — мне» как же?

— А что вам надо? Что вы хотите узнать?

— Мне нужны полные данные на Симонова. Я сам с ним разберусь. Имя, фамилия, адрес, место работы, короче, все что ты нарыл на него. И могу тебе пообещать, что материал появится во всех центральных газетах, так что твой Старпом сам убедится, что ты был прав. Более того, после такого материала Богомолец выпрет его пинком под зад. И вполне возможно, предложит тебе занять его место.

Ирек еще немного поупирался, но было видно, что он буквально раздувается от гордости: ну как же, есть возможность самого Старпома уесть. И в конце концов продиктовал Зарубину все, что знал об официанте Эдуарде Гусарченко и о менеджере риэлторской фирмы Викторе Слуцевиче. Батыр был уверен, что это одно и то же лицо, и Зарубин не стал его разубеждать. Он-то прекрасно знал ранее судимого афериста

Эдика Гусарченко и понимал, что он ни при каких обстоятельствах не может быть Юркой Симоновым. А вот Виктор Слуцевич может. Очень даже легко.

* * *

Настя Каменская вот уже минут десять тупо разглядывала справку, полученную в ответ на запрос об Александре Серове. Серов Александр Алексеевич, 1958 года рождения, уроженец города Прокопьевска Кемеровской области, проживает в Москве с 1997 года, в настоящее время является заместителем генерального директора охранной фирмы «Нора», которая создана организованной преступной группировкой Валеры Липецкого. Когда же Яна Нильская с ним познакомилась? Давно, еще до брака с Русланом? Или позже, во время одного из приездов Серова в Кемерово? Или уже сейчас, в Москве? Хорошо бы понять роль Яны во всей этой истории, тогда можно было бы принимать решение, говорить с ней напрямую или нет. Зарубин в Кемерове ждет отмашки, а Настя все никак не может решить.

Надо отвлечься, заняться чем-нибудь другим и потом посмотреть на проблему свежим взглядом. Можно для разнообразия покопаться в заказных убийствах минувшего года на предмет освещения деятельности Симонова. Если ему действительно делали пластику, то на это нужны большие деньги, и их нужно было заработать. Или отработать. Единственное, что умеет Симонов, это играть в казино и устраивать взрывы. Вот и поглядим, что там у нас по взрывам... Спасибо Короткову, подсуетился, достал в министерстве данные за последний год по всей стране.

Вот при взрыве автомобиля погиб вместе с охранником лидер преступной группировки в Ростове-на-Дону... Сопоставляем даты и видим, что эта неприятность случилась за две недели до того, как Богомолец обнаружил недостачу в «общаке». Других подходящих кандидатов на первую жертву Симонова пока не видно, стало быть, ставим плюсик.

Идем дальше. Вот вполне подходящий взрыв... Нет, сроки сомнительные, есть точная дата взрыва в шахте, при котором якобы погиб Симонов, после этого ему нужно было хотя бы несколько дней, чтобы исчезнуть из Кузбасса и осесть там, где ему заготовил гнездо добрый дядя Петя Дыбейко. Кстати, сам взрыв в шахте тоже надо занести в багаж Симонова, теперь уже очевидно, что это не был несчастный случай.

Это убийство раскрыто... это тоже раскрыто... А вот к этому надо присмотреться... Хотя нет, не пойдет, оно совершено все в том же Кемерове, куда до переделки лица Симонов не посмел бы сунуться. Ладно, идем дальше.

Сколько времени он должен был зарабатывать себе на операцию? Или ему сначала сменили фасад и документы, авансом, так сказать, а потом отправили отрабатывать? Тогда нужно смотреть взрывы за последние полгода, а не за предыдущий период.

Она медленно шла по строчкам, заглядывала в географический атлас, сверяла даты и не замечала, как бежит время. Опомнилась только тогда, когда оглушительно затрещал стоящий на столе телефон.

— Анастасия Павловна, это Нильский. Я могу с вами встретиться?

Ну вот, подумала Настя, клиент наконец созрел для разговора. На переданную через Воронову просьбу перезвонить он не откликнулся, но Настя суетиться не стала, поскольку Афоня, жаждущий громкого раскрытия и такой же громкой славы, без звука подписал все бумажки и решил вопрос с наружным наблюдением. За Руслана теперь можно было не беспокоиться, за ним присматривали, и если бы кто-то попытался снова воздействовать на него с целью заставить уехать из Москвы, это не осталось бы незамеченным.

Погода благоприятствовала прогулкам, и Настя договорилась встретиться с Нильским на бульваре, неподалеку от здания ГУВД. Купила в уличном кафе стакан сока и булочку с сосиской и уселась на скамейку. Господи, сколько же раз за последние пятнадцать лет она сидела здесь, вот на этой самой скамейке! То Чистякова ждала, то еще кого-то, с кем нужно было встретиться, а то и просто сидела, погрузившись в собственные мысли, когда не хотелось ехать домой, но и сидеть в кабинете больше сил не было. Если бы еще эта изматывающая работа не была на девяносто процентов вхолостую... Вот взять для примера дело Тимура Инджия: сколько версий отрабатывали, сколько людей опросили, сколько схем вычертили, сколько сведений запрашивали — и все впустую. Ну, не все, конечно, но почти все. Самая трудоемкая версия, связанная с публикациями и романом Нильского, потребовала кучу усилий и времени, а оказалась в результате не «в цвет». Версия об убийстве Тимура по личным мотивам — тоже, а ведь как упорно ее отрабатывали, даже двух подозреваемых задержали. О версии вокруг финансовых проблем Ганелина и говорить нечего, а она ведь тоже времени и сил требовала. А версия о Ганелине и Яне? И на нее время ушло, а толку никакого.

— Добрый вечер, Анастасия Павловна.

Настя вздрогнула и виновато улыбнулась. Она и не заметила, как подошел Руслан.

— Здравствуйте, Руслан Андреевич. Рада вас видеть.

Она хотела было спросить, что у него стряслось и почему он попросил о встрече, но Руслан не дал ей начать.

— Ваш коллега был прав, — приступил он к делу, едва усевшись рядом с ней.

— Который из них?

— Сергей... фамилию, извините, не помню.

— Зарубин, — подсказала Настя.

— Да-да, конечно. Он меня предупреждал, что в Москве может опять начаться... это... А я ему не поверил.

— Что-то произошло? — настороженно спросила Настя, внутренне подбираясь.

— Не знаю, может быть, это не имеет отношения... Но мне было неприятно. И если бы это случилось два года тому назад, даже полтора — я бы тут же кинулся в аэропорт и полетел домой.

— И что же случилось?

— Мне позвонили...

— Минутку, — перебила его Настя, — куда вам позвонили? У вас же нет телефона, насколько мне известно.

— Позвонили Наталье Александровне, когда я у нее был. Вчера вечером. Попросили меня к телефону.

— И?..

— И сказали, что у Яны есть любовник. Причем очень давний. Она с ним познакомилась еще до нашей свадьбы. И якобы она специально спровоцировала ссору со мной, чтобы я уехал в Москву.

— Сочувствую вам. Это действительно неприятно. Вы хотите вернуться домой и все выяснить?

— В том-то и дело, Анастасия Павловна... Можете себе представить, какую веселую ночь я провел. Разумеется, я никуда не поеду, пусть Яна поступает, как считает нужным. Но я вот о чем подумал... Ваш коллега был прав, это мог придумать только дядя Петя. Я имею в виду Дыбейко. Он меня знает с детства, но в последние годы мы не встречались. Все это мог придумать только человек, который хорошо знает, каким я был, но совершенно не представляет, каким я стал. Понимаете?

— Как схему — да, понимаю. Но хотелось бы конкретики, — осторожно ответила Настя, которая на самом деле понимала сказанное Русланом весьма и весьма смутно.

— Мне всегда было интересно, что стоит за тем или иным фактом, поступком. Когда я был маленьким, я следил за людьми, записывал, кто когда куда и с кем пошел, кто откуда вышел, как был одет, что нес в руках. Кто с кем общается или, наоборот, не общается. И из всех этих разрозненных фактов порой вырисовывалась цельная картинка, я вдруг начинал понимать, почему люди поступают так или иначе... Я испытывал восторг, когда часами просиживал за своими листочками с записями и вдруг начинал понимать, что дядя Вася изменяет своей жене с тетей Машей, а тетя Маша, в свою очередь, ворует на работе продукты, но не домой их несет, а тете Зине, которая, как выяснилось, ездит в соседний город ими спекулировать. Я никому не делал зла, Анастасия Павловна, я ни на кого не доносил и никого никогда не шантажировал, я просто наслаждался своим умением искать объяснения разрозненным фактам. Мне всегда было интересно: а что за этим стоит? а как все было на самом деле? И тот, кто подбросил нам сначала записку, потом крыс, а потом фотографию надгробия, рассчитывал именно на это мое качество. Я не зря вам сказал, что еще полтора-два года назад обязательно помчался бы в Кемерово выяснять, чья это могила, что это за человек, какое отношение он имеет ко мне, как он связан с цитатой из Марка Твена и с образом обезглавленных крыс. Я бы не успокоился, пока не понял бы, что все это означает. И конечно же, я помчался бы выяснять, действительно ли моя жена мне изменяет. Дядя Петя все точно рассчитал.

— В чем же он ошибся? Почему вы не поехали и не стали разбираться со всем этим?

— Видите ли... Это долгая и тягостная история, я не хочу о ней говорить. Важен результат. Я понял, что не имею права составлять картинки из разрозненных фактов, потому что всех фактов я никогда не узнаю, а из неполного их набора может получиться неправильная картинка. Я оглашу свои выводы, и пострадает невиновный. Чтобы вы поняли, что я не просто так это говорю... В общем, я долго собирал материал на одного человека, наконец мне показалось, что все части картинки соединились в безупречный рисунок, и я опубликовал материал. Человека этого начали травить, и через два дня он умер от инфаркта. И в тот же день я узнал, что ужасно ошибся. Это был порядочный и благородный человек, а я его оболгал и фактически убил. После этого я ушел из журналистики. И полностью потерял интерес к составлению картинок. Мне этого больше не нужно. Я этого боюсь. Боюсь совершить еще одну ошибку, которая приведет к таким же трагическим последствиям. Но дядя Петя этого не знал. Он помнил меня прежним — любознательным и активным.

— Понимаю, — тихо сказала Настя. — Но вы ведь не для этого хотели со мной встретиться, правда? У вас есть что-то еще?

— Да. Как только я понял, что ваш коллега был прав и все дело именно в дяде Пете, я стал думать, как это может быть связано с Юркой Симоновым. И вспомнил... Я увлекался криминалистикой, дядя Петя привозил мне учебники, что-то объяснял, если было непонятно, что-то сам показывал, если была возможность. Когда дело дошло до дактилоскопии, он велел мне прийти к нему на работу, в милицию. Дядя Петя показал мне, как снимают отпечатки, как заполняют бланки. Потом попросил дежурного дать знать, как только кого-нибудь задержат и доставят в отдел, а пока суд да дело — сделал дактокарты свои и мои, чтобы я тренировался писать формулы. Даже кого-то из коллег попросил отпечатки оставить, чтобы у меня было больше материала для тренировок.

— А потом привели задержанного Симонова, — пробормотала Настя.

— Как вы узнали? Кто вам сказал? — голос Руслана зазвенел нотками недоверия.

— Никто не сказал, сама догадалась. Так привели Симонова, да?

— Да. Его в очередной раз поймали на опушке леса за изготовлением взрывного устройства. У него тоже был свой пунктик. У меня — чужие истории, у него — взрывчатка, его с детства к ней тянуло.

— И Дыбейко сделал его дактокарту?

— Да. Его и еще трех пацанов, которые вместе с ним были.

— Где теперь эта карта?

— В архиве. Свои детские записи я, конечно, давно выбросил, а эти карты не смог, рука не поднялась. Наверное, я был по-идиотски сентиментальным... Короче, я их сохранил, и теперь они лежат вместе со всем моим журналистским архивом. О том, что такая карта существует, знали дядя Петя и сам Симонов. Ну и я тоже, разумеется. Ваш коллега сказал, что Симонов сделал пластическую операцию, и я подумал, что эта карта представляет для него реальную угрозу. По ней можно точно сказать, что, как бы его ни звали сегодня, раньше он был Юркой Симоновым. Это все из-за нее, да?

— Подозреваю, что из-за нее. Вы знаете о том, что дом вашей матери обокрали?

— Как обокрали? Мама мне ничего не говорила! Откуда вам это известно?

— Руслан, это известно каждому жителю вашего родного города. Просто вы давно там не были. А ваша матушка не хотела вас волновать, вы же в Москве, заняты таким важным и интересным делом... Так вот, к ней в дом залезли воры, взяли какую-то ерунду, но перевернули все вверх дном. Осмелюсь предположить, что искали ваш архив. Но ведь его там не было, верно? Потому что если бы они его нашли, то не было бы всего остального.

— Верно, — кивнул Руслан, — архив находится в другом месте.

— Вас интриговали непонятными событиями, чтобы заставить поехать в Кемерово и начать работать с архивом. В первую очередь вы должны были взять его и поискать там упоминание о Николае Бесчеревных и о человеке, который любит читать Марка Твена.

— Да, наверное, я именно так и поступил бы. А что потом?

— А потом ничего. Они шли бы за вами по пятам, узнали бы, где вы храните архив, и на другой же день забрали его, чтобы посмотреть, есть там дактокарта Симонова или нет. Если нет — то и слава богу. Если есть — изъять и уничтожить. Вот и все.

— А Яна? Почему ее похитили?

— Чтобы напугать. Вас надо было заинтриговать, а ее — напугать, только в таком комплекте мог получиться нужный результат: ваш отъезд. Согласитесь, они отлично сработали, ведь вы все-таки уехали, Яна вас заставила. Другое дело, что они не учли изменений в вашем характере, и вы практически сразу же вернулись, да еще эта ссора с Яной масла в огонь подлила. Вот они и пытаются снова вернуть вас домой. А как только вы приедете в Кемерово, там немедленно случится что-нибудь такое, что вынудит вас обратиться к архиву.

— Я не поеду, — угрюмо сказал Руслан. — Не собираюсь идти у них на поводу. Я не марионетка и никому не позволю собой управлять.

— Не надо так, — Настя мягко положила ладонь на рукав его легкой куртки. — Не принимайте скоропалительных решений. Дайте нам время подумать и все обсудить.

Она долго смотрела вслед его невысокой ссутулившейся фигурке, потом вытащила из сумки телефон и набрала номер Короткова.

Глава 18

Из Москвы Зарубин получил несколько имен с адресами, которые назвал Руслан: подруги его жены Яны. Среди них Зарубину нужно было отыскать всего двоих, одна должна быть стервой, другая — круглой дурой. Стерва, желательно такая, с которой Яна поссорилась, по его замыслу, обязательно рассказала бы ему о любовнике Нильской, если он, конечно, не появился в самое последнее время. Исключительно из вредности выложила бы всю подноготную. А дура, желательно такая, с которой Яна продолжает тесно общаться, поведала бы о нынешнем состоянии дел. Но как в короткие сроки найти две столь яркие фигуры среди нескольких молодых женщин, которых до сего дня Сергей и в глаза никогда не видел и подходов к ним никаких не имеет?

Искать стерву все-таки было легче, с этого Зарубин и начал. Методично обошел все указанные адреса, провел легкий и непринужденный разведопрос соседских бабушек и подростков, «срисовал» всех искомых молодых женщин и начал атаку на их близких, причем именно тогда, когда самих подруг Яны дома не было. Легенда у него была вполне в духе «Анжелики»: познакомился в Москве на съемках с женой писателя Руслана Нильского, влюбился без памяти, а теперь Яна уехала домой вместе с мужем, и он, несчастный покинутый влюбленный, кинулся за ней следом, да вот не знает, как к ней подобраться, чтобы у Яночки не было неприятностей с ревнивым супругом. Не поможет ли ваша дочь восстановить разорванную связь?

Ответы были самыми разными, начиная от «конечно, конечно, вы приходите вечерком, часов в восемь, дочка вам поможет и все устроит» и до «да как вам не стыдно разрушать семью, моя дочь (жена, сестра, внучка) ни за что не станет помогать вам в этом грязном деле». Но Сергею нужен был всего один ответ, который он в конце концов и услышал:

— Вряд ли Лена вам поможет, они с Яной поссорились еще зимой, так и не помирились.

— Что вы говорите? — притворно ужаснулся Зарубин. — А из-за чего поссорились, не знаете?

— Знаю... Яна приревновала Руслана к Лене. На какой-то

вечеринке ей показалось, что Леночка строит глазки ее мужу, танцевать все время приглашает. Глупость, правда ведь?

— Глупость, — согласился Сергей.

Вот это как раз то, что нужно. Девушка, покушающаяся на мужа подружки, даже и в шутку, — заведомая стерва. Зарубин добросовестно дождался, когда та самая Лена появится возле своего дома, и приступил к делу.

— Леночка! — Он постарался улыбнуться как можно обаятельнее. — Вы не уделите мне немного времени?

Красивая яркая блондинка в вызывающе короткой юбке, обнажающей длинные стройные ноги, высокомерно взглянула на него, видимо, приняв за поклонника, о знакомстве с которым она уже благополучно забыла.

— Разве мы знакомы? — надменно пропела она.

— Пока нет, сейчас познакомимся. Меня зовут Сергеем, я из Москвы, работаю в уголовном розыске. А вы — Елена Тихомирова. Вот и познакомились.

Слова об уголовном розыске сработали магически, на красивом лице девушки тут же появилась заинтересованность.

— А где мы будем разговаривать? Только не у меня дома, — тут же поспешно добавила она.

«Естественно, — мысленно ответил Сергей. — К тебе домой я и не собирался, там еще с твоей мамой пришлось бы объясняться».

— Можем прогуляться по улице, погода хорошая.

На лице Лены отразилось разочарование, она, вероятно, начитавшись американских детективов, ожидала, что московский сыщик пригласит ее в кафе посидеть за чашечкой кофе или, на худой конец, в бар.

— Не хочу гулять, я устала, — капризно заявила она.

— Хорошо, можем посидеть на скамейке во дворе, если вас так больше устроит. Разговор у нас будет строго конфиденциальный, и лишние уши нам с вами совершенно ни к чему.

На это объяснение Лена «купилась» и, как только они уселись на скамейку, тут же нетерпеливо спросила:

— А что случилось?

— У Яны Нильской большие неприятности. Вы знаете, что она уехала в Москву?

— Конечно. Но она же вернулась, разве нет? Мне девчонки говорили, что она приехала еще на той неделе. А какие у Янки неприятности?

И столько жадного любопытства, столько готовности позлорадствовать было в ее голосе, и во взгляде, и в повороте головы, что Сергей мысленно похвалил себя. Он не ошибся в выборе собеседницы, эта выложит все, что знает, и даже то, чего не знает. Лишь бы Яне насолить.

— Видите ли, Лена, я не могу рассказать вам всего, это профессиональная тайна. Но кое-что сказать могу. Яна вернулась домой вместе с Русланом, через день они крупно поссорились, и Руслан снова улетел в Москву. А на днях ему кто-то позвонил и сообщил, что у Яны есть любовник в Кемерове, такой крупный полный мужчина лет сорока с небольшим, и она проводит с ним время в полное свое удовольствие. И мне поручено выяснить, правда это или нет. Вы же понимаете, Леночка, что, если я спрошу об этом у самой Яны, она мне, разумеется, ответит, что это неправда. А мне для раскрытия преступления надо обязательно знать точно, так это или нет. Я должен выяснить: те люди, которые позвонили Руслану, сказали ему правду или солгали в каких-то своих преступных целях?

— Крупный, лет сорока с лишним? — переспросила Лена. — Так это Алик Серов, с ним Янка крутила еще до того, как познакомилась с Русланом. Только я думала, что у них все кончено. Алик в Москву переехал, Янка замуж вышла за своего борзописца.

— Может быть, они встретились в Москве и снова закрутили роман? — предположил Сергей. — Как вы думаете, Яна могла бы на это пойти?

— Кто, Янка? Да запросто! Она по Алику всегда сохла, она и за Руслана-то вышла от обиды на то, что Алик ее бросил. Мы с Янкой в последнее время мало общались, — Лена дипломатично умолчала о том, что уже полгода не общалась с Яной вообще, — но она всегда Алика помнила, всех мужиков с ним сравнивала и вздыхала. Не понимаю, что она в нем нашла. Ну если только деньги. А так — ну что в нем? Старый, несовременный. Всего-то и достоинств, что был ее первым мужчиной, трахнул Янку, когда ей было семнадцать лет, а ему — тридцать.

— Так, может, это была любовь?

— Да ну, какая любовь... — Лена выразительно махнула рукой. — Просто она запала на первого мужика и никак выпасть не могла. Слыхали такое выражение: «Я выпал из любви, как из шкафа»? Вот Янка залезла в шкаф и выпасть не может. За гвоздь, наверное, зацепилась.

Зарубин не сдержал улыбку, образ был циничным, но очень ярким.

— То есть вы считаете, что если бы Яна случайно встретила в Москве этого Алика Серова, то забыла бы обо всем и кинулась ему на шею?

— Наверняка. На сто процентов. Даже на двести. Я Янку знаю как облупленную, мы с третьего класса дружили.

— Что ж, спасибо вам, Леночка. Это очень ценная для нас информация. А вот как бы мне теперь узнать, действительно ли они встретились в Москве и не продолжается ли это у них до сих пор? Не поможете? Мне ведь что важно, — Зарубин доверительно понизил голос, — мне важно, чтобы Яна не узнала, что я этим интересуюсь. Она может невольно дать знать преступникам, и вся наша операция сорвется.

— А что, Янка во что-то вляпалась? — Глаза Лены загорелись еще ярче.

— Нет, она не сделала ничего плохого, те преступники, которых мы ищем, просто оказались в круге ее знакомств. А Яна, как мне кажется, очень плохая актриса, совсем не умеет притворяться, и кроме того, она болтушка, ей нельзя, в отличие от вас, доверить профессиональную тайну, поэтому мое начальство строго-настрого запретило мне встречаться с ней и вообще... Вы меня понимаете?

— Чем же я могу вам помочь? Я бы очень хотела, но я не знаю, как.

— Вы должны назвать мне такую подругу Яны, от которой у нее нет секретов. Я понимаю, вы очень заняты своей работой и личной жизнью, и у вас совершенно нет времени регулярно встречаться с Яной и быть в курсе всех перипетий ее жизни. Но среди ее подружек наверняка есть кто-то, кто не так занят и с кем Яна продолжает постоянно делиться своими маленькими и большими тайнами. Только это должна быть девушка разумная, ни в коем случае не глупее вас, и умеющая держать язык за зубами. Есть такая?

— Надо подумать, — пробормотала Лена.

Зарубин понимал, что поставил перед ней задачу поистине непосильную. Ну как это она признает, что есть еще кто-то не глупее ее самой?

— Ну если только Светка, — наконец выдавила Лена. — Она живет в том же доме, где и Янка, этажом выше.

— А вы с ней дружите?

— Ну... в общем, да.

— Вы можете позвонить ей и предложить встретиться? Придумайте что-нибудь такое простенькое, не вызывающее подозрений, а когда она придет, вы меня с ней познакомите, хорошо? Главное — чтобы Яна не узнала, что Света будет встречаться со мной. Мне к ее дому подходить близко нельзя, Яна меня знает в лицо.

Лена обещала все сделать и отправилась домой звонить, а Зарубин остался во дворике ждать результатов, предварительно предупредив девушку о том, что был у нее дома и слегка обманул ее бдительную маму. Мамам ведь доверять нельзя, поэтому ей он не стал говорить об истинной цели своего прихода и о том, зачем ему понадобилась ее дочка Лена. Девушка понимающе кивнула и скрылась в подъезде.

Минут через двадцать она появилась снова, одетая более строго и в то же время более нарядно, в синие, расклешенные по вновь возродившейся моде, брюки и легкую светло-голубую кофточку, и сообщила, что Светка будет ее ждать через час в баре ресторана «Жар-птица». Зарубин понял, что девушка не оставила надежду раскрутить столичного опера хотя бы на коктейль и чашку кофе, и всю дорогу до ресторана тоскливо прикидывал, сколько у него осталось денег и что он будет есть до окончания командировки.

* * *

Светлана, в отличие от Лены Тихомировой, оказалась куда менее болтливой и доверчивой, и Зарубину стоило немалых трудов заставить ее поверить в то, что с ним можно и нужно иметь дело. Особый упор он делал на то, что Яну некие люди пытаются использовать в своих грязных играх втемную, что он искренне жалеет молодую женщину, старается не причинить ей вреда и именно поэтому вынужден действовать окольными путями, чтобы не травмировать ее саму и не вносить разлад в ее семейную жизнь. В конце концов Светлана сдалась.

Да, Яна действительно сейчас встречается с Аликом, которого очень любила и продолжает любить до сих пор. Вернувшись в Кемерово, Яна первым делом побежала к Светлане и дрожащим от возбуждения голосом поведала ей совершенно невероятную историю, жуткую, романтичную и на первый взгляд абсолютно неправдоподобную. Настолько неправдоподобную, что Света сперва даже не поверила, решила, что Янка опять придуривается и разыгрывает ее. Яна всегда любила приврать, но бескорыстно, наплетет с три короба небылиц и через пять минут с хохотом признается в этом.

...В Москве Яна отчаянно скучала. Когда ехала к мужу на съемки, мечтала, как перезнакомится со всеми знаменитыми артистами, которые будут сниматься в фильме, подружится с ними, как они вместе будут тусоваться по ресторанам и клубам и весело проводить время. На деле же все оказалось совсем не так, актеры, замордованные собственными проблемами, репетициями, съемками, спектаклями, переездами из города в город, бытовыми неурядицами и личными конфликтами, не испытывали ни малейшего интереса к жене сценариста и автора романа, по которому снимали сериал. Они появлялись на съемочной площадке, отрабатывали свой кусок и тут же разгримировывались и убегали по своим делам. Руслан все время общался то с режиссером, то с актрисой Савенич, что тоже заставляло Яну нервничать и ревновать.

Отдушиной для нее был водитель Тимур, с которым Яна подружилась. И в один прекрасный день Тимур, лукаво улыбаясь, отвез Яну в ресторан, где ее ждал Алик. Оказалось, Алик узнал, что Яна в Москве, разыскал ее, но не стал подходить, потому что рядом всегда был ее муж. Он заприметил

Тимура и договорился с ним о помощи. Может быть, даже заплатил ему, во всяком случае, с того дня Тимур стал ее ангелом-хранителем, развлекал, помогал скоротать время и при каждом удобном случае давал возможность повидаться с Аликом.

А потом случилось чудовищное... Тимура убили, а Яну похитили. Сначала она ужасно испугалась, но когда ее привезли на квартиру, там ее ждал Алик. Господи, она так любила его, что даже выбросила из головы убитого водителя. Это были самые счастливые три дня за последние пять лет. Они были вдвоем двадцать четыре часа в сутки, вставая с постели только для того, чтобы принять душ и перекусить. Алик ей сказал:

— Понимаешь, малышка, я связан с очень серьезными людьми. Если ты хочешь, чтобы мы были вместе, тебе придется мне помочь. Нужно, чтобы твой муж вернулся в Кемерово. И ты должна этого добиться, ты должна его уговорить. А я со своей стороны сделаю все, чтобы облегчить тебе эту задачу. Если он вернется в Кемерово, мы сможем постоянно встречаться. Здесь он тебя все время контролирует, а дома ты гораздо более свободна. Я приеду следом за тобой, и мы снова будем счастливы.

— Но зачем? — спросила Яна. — Зачем вам нужно, чтобы он возвращался?

— Я не знаю, малышка. Мое задание — сделать так, чтобы он вернулся. В детали меня не посвящают. Но одно могу сказать тебе точно: твоему мужу ничто не угрожает, с его головы даже волос не упадет. Ты мне веришь?

Конечно, Яна ему верила. Она вообще всегда верила Алику, в его присутствии она теряла способность здраво рассуждать, он имел над ней огромную власть.

— Почему убили Тимура? — спрашивала Яна, и он отвечал:

— Так было нужно. Иначе тебя не смогли бы похитить, и мы не провели бы вдвоем, в полном уединении, эти чудесные дни. Знаешь, малышка, эти три дня — самое лучшее, что было в моей жизни. Ты мне веришь?

Яна и этому верила.

Через три дня рай кончился и превратился в ад. Ее отпустили, довезли почти до самого дома. На прощание Алик долго и страстно целовал Яну и в сотый, наверное, раз повторил свой инструктаж: она ничего не видела и никого не запомнила. Везли ее с завязанными глазами, окна в квартире были оклеены газетами, так что она даже приблизительно не может сказать, где находится тот дом, где ее держали в плену. Люди, охранявшие ее, были в масках и почти не разговаривали с ней, так что ни лиц, ни голосов, ни особенностей речи и произношения... Если она сделает все как надо, то никто не пострадает, серьезные люди решат свои серьезные проблемы, а они с Аликом будут жить долго и счастливо. Он даже собирается жениться на ней и растить ее двоих дочек как собственных любимых детей. Яна поклялась сделать все, как он велел.

Она вернулась к мужу и с ужасом поняла, что не может его видеть. Не может выносить его прикосновений. Не может принимать его заботу. Ей было стыдно, ведь Руслан думал, что она была в руках преступников, он пытался облегчить ее страдания, утешить, успокоить, накормить, уложить спать, дать лекарство, развлечь. А ей это было не нужно, она хотела, чтобы все оставили ее в покое и не мешали в одиночестве предаваться воспоминаниям об Алике, о его руках, его губах, его шепоте и обещаниях. Она содрогалась при мысли о близости с Русланом и отказывала ему под любым предлогом. Алик был прав, лучше вернуться домой, где они живут в трехкомнатной квартире вместе с родителями Яны, ее сестрой и близнецами. Дети спят в одной комнате с Русланом и Яной, и там всегда есть повод для отказа, мол, девочки проснутся или она сама смертельно устала...

Уговорить Руслана вернуться оказалось не так-то легко, ни странное письмо, ни окровавленные крысиные трупики его не заинтересовали и не испугали, а истерики, которые добросовестно устраивала Яна, большого впечатления не произвели. То есть произвели бы, конечно, если бы в дело не вмешался Андрей Константинович, муж режиссера, которая снимала сериал. Он взял на себя Яну и пообещал сделать так, что она не захочет никуда уезжать. Он очень старался, и Яна на какое-то время действительно развеялась. Она с удовольствием ездила вместе с Андреем Константиновичем по выставкам, магазинам, паркам, клубам и ресторанам, особенно после того, как в первый же день к ней подошел Алик. Это было в «Пассаже» на Петровке. Яна зашла в секцию женского белья, а Андрей Константинович деликатно оставил ее одну, не мешая примерять миниатюрные трусики и кружевные бюстгальтеры. Алик возник рядом словно из воздуха, громко обратился к Яне за советом, делая вид, что выбирает подарок для своей дамы, и шепотом произнес:

— Ты умница, малышка, ты все делаешь правильно. Развлекайся пока, а мы тебе поможем.

И при этом подмигнул и выставил вверх большой палец.

Алик сдержал обещание, через несколько дней в машине Андрея Константиновича возник какой-то пистолет, и его арестовали. Яна снова заскучала, а тут подбросили фотографию с кладбища. Ее истерика на этом фоне выглядела совершенно естественной, и Руслан все-таки увез ее в Кемерово.

На другой день в Кемерове объявился Алик. Яна нервничала, ей хотелось улучить момент и сорваться на свидание к любимому, присутствие Руслана раздражало ее все больше и больше, они постоянно ссорились, причем инициатором конфликта всегда выступала она. Ей хотелось иметь право хлопнуть дверью и уйти на несколько часов, якобы в смертельной обиде. Уйти, чтобы из первого же автомата позвонить Алику и бежать к нему. Но получилось все наоборот. Дверью хлопнул Руслан. Зато теперь Яна проводит в обществе Алика целые дни с утра до вечера, забирает детей и уезжает с ним, только ночевать является домой, потому что родители ее адюльтера не поймут...

— Да-а-а, Света, ну и историю вы мне рассказали, — обескураженно покачал головой Зарубин. — С трудом верится.

— Вот и я тоже не поверила сначала. Но когда увидела Яну вместе с Аликом, подумала, что если она и наврала, то не все. Скажите, Сережа, а Яну действительно в Москве похитили?

— Действительно. И письмо было, и крысы, и фотография. Тут Яна вас не обманула.

— А водитель? Его убили?

— Да, Света. Его убили. А теперь у меня к вам деликатный вопрос. Я понимаю, что Яна, выполняя просьбу своего любовника, твердила нам, что ничего не видела и ничего не помнит. С ваших слов можно понять, что это далеко не так. Нам она сказала, что не видела, кто стрелял в Тимура. Якобы было темно, а этот человек позвал их из кустов. А вам она что сказала?

Светлана замолчала, разглядывая вишенку в давно опустевшем стакане для коктейля.

— А Янке ничего не будет за то, что она вас обманула?

«Еще как будет, — сердито подумал Зарубин. — По шее ей надавать надо, Янке твоей, да розгами отходить по одному месту. У нее на глазах человека убили, а она только о любовнике и думает, вертихвостка».

— Нет, — неискренне ответил он, — ей ничего не будет. Кто убил — того накажут, а она ведь никого не убивала. Она просто скрыла от следствия, что в преступлении замешан ее любовник, но это вполне можно понять, чисто по-человечески.

— Ну, в общем... Она видела того человека, который стрелял в Тимура. Она его хорошо рассмотрела, потому что он был в той машине, в которой ее увозили, и потом он провел ее в квартиру, где ждал Алик.

— Яна что-нибудь говорила об этом человеке? Описывала его?

— Да. Среднего роста, примерно метр семьдесят два, размер сорок восемь — пятьдесят, темноволосый, нос перебит, как у боксера, и бровь рассечена шрамом.

— Ну и глазомер у вашей подруги! — восхитился Зарубин.

— Она же портниха, — тихо пояснила Светлана. — У нее это профессиональное.

* * *

Рост примерно метр семьдесят два, размер сорок восемь — пятьдесят, волосы темные, перебитый нос и шрам через левую бровь. Ну что ж, сказала сама себе Настя, можно с чистой совестью вычеркивать из списка еще два убийства и оставлять единственное — убийство Теймураза Инджия. Переданное Зарубиным описание в точности соответствовало внешности Антона Плешакова. Теперь бы узнать еще, кто застрелил самого Антона, и можно от всей души выспаться хоть один раз за три недели.

— Похоже, убийство Инджия не было заранее спланировано, — сказала она Короткову, — иначе откуда бы взялся слух о межнациональном мотиве? Получается, что Плешаков, осуществляя операцию по похищению Яны Нильской, пошел на самодеятельность, за что и был наказан своими же шефами. Я думаю, убийцу Плешакова надо искать в группировке Валеры Липецкого.

— Ты что же, полагаешь, что Плешаков убил Тимура просто потому, что тот — грузин? — недоверчиво прищурился Коротков.

— Полагаю. А что тебе не нравится?

— Что же он, по-твоему, полный идиот, что ли?

— Ну Юра, ну ты что? — взмолилась Настя. — Где ты умных преступников-то видел в таких количествах? Если только в кино. То есть они есть, конечно, но их катастрофически мало в общей массе, среди нашего контингента процентов восемьдесят — отмороженные на всю голову. Ты посмотри, сколько умных у нас в этом деле появилось, по закону статистики хоть один-то должен оказаться придурком, а то как будто мы не на земле живем, а в сказочном королевстве.

Она уже в который раз и мысленно, и при помощи бумаги и ручки составляла схему, пытаясь связать все концы и выявить так называемые дырки — пробелы, которые еще придется заполнять. Итак, есть две группировки — Богомольца в Кемерове и Валеры Липецкого в Москве. И между ними болтается, как щепка в проруби, некто Юрий Симонов, ныне имеющий другое лицо и новое имя. Люди Богомольца хотят его найти и убить, люди Липецкого стремятся этому помешать. Пока все складно.

У Липецкого есть две проблемы. Первая: помешать людям Богомольца вычислить бывшего Симонова. Вторая:

найти неофициальную дактокарту Юрия Симонова и уничтожить ее, дабы начисто стереть все его следы. Эта проклятая дактокарта висит над Симоновым как дамоклов меч. Ведь ее могут найти и люди Богомольца, и тогда не помогут никакие хитроумные комбинации с двойниками и тройниками; если в руках у Богомольца окажется эта карта, то идентифицировать Симонова можно будет за десять минут: негласно взять отпечатки у всех «подозреваемых» и сравнить, всего и делов-то, только специалиста пригласить, но с такой работой справится даже студент, знакомый с азами криминалистики. Пока что Богомолец о карте не знает, но беда вся в том, что он может узнать в любой момент. Для этого достаточно поговорить с Русланом Нильским. Насколько велика вероятность такого разговора? Велика, и очень. Богомолец Нильского знает. И если до него вдруг дойдет, что Нильский и Симонов родились и выросли в одном городе, он может попытаться выжать из этой информации максимум. Вот и весь расклад. Значит, надо торопиться. Надо не только попытаться заморочить голову людям Богомольца, подставив им липового Симонова в лице Гелия Ремиса, тихонько подождать, пока его убьют, и на этом успокоиться. Надо еще выяснить, сохранилась ли дактокарта, и если да — уничтожить ее. Такая вот двойная задачка. До этого момента тоже все складно.

Богомолец и Липецкий — люди принципиально разного склада. Богомолец жесток и прямолинеен, он не останавливается перед убийствами, для него человеческая жизнь — всего лишь средство для достижения собственных целей. Он легко пошел на убийство сестры Симонова, чтобы выманить его на похороны. А кстати, почему он был так уверен, что Симонов узнает о смерти сестры? Ведь Юрий числится погибшим, стало быть, ни мать, ни соседи, ни друзья информировать его не будут. Так откуда же он должен был узнать об этом? И ведь действительно узнал... Да, на похороны не поехал, но все равно узнал. Стало быть, в городе Камышове есть источник, есть кто-то, кто поддерживает связь с группировкой Липецкого. И Богомолец об этом прекрасно знает. Здесь у нас получается «дырка», но штопать ее придется кемеровским операм, это их забота.

Валера же Липецкий, разошедшийся с Богомольцем по идейным соображениям, действует куда более тонко и изощренно. Ему претит избыточное насилие, и он с успехом пользуется услугами бывшего специалиста по разведке, который имеет кличку Спилберг и, будучи склонным к сложной режиссуре, придумывает разные заумные комбинации. Осуществлять их сложнее, что и говорить, зато все они, как правило, находятся за рамками Уголовного кодекса, а если и попадают в эти рамки, то так, что сами рамки делаются шаткими, хрупкими и прозрачными. То есть милиции и взять за горло-то не удается. Конечно, когда надо кого-то убить — тогда надо, тут и разговора нет. Но все прочие задачи Липецкий старается решать изящно и без риска излишнего приближения к правоохранительной системе.

Рассмотрим данный тезис на конкретном примере. Нужно добраться до бумаг Руслана Нильского. Воры первым делом влезают в дом его матери в Камышове и пытаются эти бумаги найти. Не находят. Заметим себе: работают они тогда, когда Ольги Андреевны Нильской и ее мужа нет дома. То есть никого не пугают, не связывают, не угрожают оружием и не пытают. Происходит это в апреле, когда Руслан уже находится в Москве. И тогда ушлый бывший разведчик принимается за «тройник». Подыскивает подходящих людей, договаривается с ними, оплачивает их услуги. Никакого криминала. Загадочно? Непонятно? Да. Но не преступно. Ребята поехали вместе с Симоновым-Слуцевичем, помогли несчастной матери. Что плохого? Ни-че-го. К чему милиция может прицепиться? Не к чему. А результат ошеломляющий: труп Ремиса. И убийство его совершено вовсе не Липецким, Липецкий к этому вообще не причастен, а людьми Богомольца. Кем конкретно? Это еще одна «дырка», и штопать ее придется московским сыщикам рука об руку с кемеровскими. Говорят, Богомолец на компромиссы с милицией не идет, а жаль, можно было бы с ним сторговаться. Имя убийц Ремиса в обмен на пожизненное тюремное заключение для оставшегося в живых Симонова. Впрочем, тут еще есть над чем подумать... У таких жестоких и прямолинейных лидеров всегда есть оппозиция, а с оппозицией можно попробовать договориться.

Теперь что касается второй задачи Липецкого — дактокарты. Можно было прижать маленького Руслана в темном углу, пугануть пистолетом или ножом, пригрозить всяческими бедами, которые могут случиться с его дочерьми или женой и заставить показать архив. Но это, во-первых, грубо, а во-вторых, может попасть в те самые рамки Уголовного кодекса, если Руслан обратится в милицию. Милиционеры, не будь дураки, сразу спросят, а почему это кого-то так интересует дактокарта человека, который вроде как числится погибшим, хотя и не был идентифицирован после взрыва. И вся дальнейшая работа окажется бесполезной. Люди Липецкого действуют куда хитрее. Вот, допустим, исчезла Яна... При этом за некоторое время до исчезновения она ссорится с мужем, и это видят все, присутствовавшие на съемочной площадке. Что произойдет, когда убитый горем муж обратится в милицию? А известно что. Раньше чем через неделю никто и не почешется, особенно если наличествует факт ссоры. Яна же вернется домой значительно раньше, причем без следов насилия, здоровенькая, чистенькая, сытая и выспавшаяся. Никто ей ничем не угрожал и ничего от нее не требовал. Что сделает милиция? Правильно, с облегчением вздохнет, порвет заявление мужа о пропаже жены и выбросит в корзинку для мусора. Муж и жена — одна сатана, сами и разбирайтесь, сегодня поссорились — завтра помиритесь, а у нас и без ваших ссор работы невпроворот, только одних убийств в Москве каждый день по три штуки происходит, не говоря уже о грабежах, разбоях, кражах и угонах автомашин.

В подметном письме, которое подсунули Руслану в ресторане, нет ни одного слова угрозы. И ни одного слова, свидетельствующего о том, что оно адресовано именно Нильскому. Даже если автора письма схватить за руку, что ты ему предъявишь? А он ответит, что ошибся курткой, сунул письмо не в тот карман, хотел приятеля разыграть. И вообще за это статьи не предусмотрено. Коробка с дохлыми крысами? Да, некрасиво получилось, но я совсем не имел в виду напугать Нильского и его прелестную жену, ведь квартира-то числится за неким Алексеем Вадимовичем Вороновым, коробка ему предназначалась. Студенты, шутники, хулиганят по молодости лет. И опять же статьи за это дело нет в Кодексе. Фотография могилы? Ну и что? За это сажают? И объяснений можно придумать миллион, а даже если и не придумаешь, то и не страшно, все одно не криминал. Ни по одному из этих эпизодов милиция не то что не почешется — даже разговаривать с тобой не станет. Так-то вот. А звонок Руслану с радостным сообщением о том, что у Яны есть любовник? Даже говорить смешно. Тем более что это правда.

Что же касается Алика Серова и его контактов с Яной Нильской, то тут уж вообще ни к чему не придерешься. Давнее знакомство, это кто угодно может подтвердить, и их встречи в Москве ну просто совершенно никак не связаны с Симоновым и всей этой кутерьмой вокруг него. Сейчас господин Серов числится на приличной должности, как-никак заместитель генерального директора фирмы, так что какие к нему могут быть претензии? А то, что когда-то он был активным членом группировки Богомольца и ушел от него следом за своим другом Валерием Лозовым, переименовавшим себя в Валеру Липецкого, так и что? Его прямое участие в совершении преступлений если и имело место, то не было доказано, стало быть, взятки с него гладки.

В этом — стиль Валеры Липецкого и его вполне грамотного консультанта. И все вышло бы именно так, как они спланировали, если бы придурковатый Антон Плешаков не пошел на поводу у эмоций. Кавказцев он, видите ли, не любит! Тоже мне, славянин в сотом поколении, борец за чистоту расы. То ли у него были личные причины ненавидеть грузин, то ли он действительно отмороженный, но факт остается фактом: Антон грубо нарушил инструкцию и при похищении Яны самочинно застрелил Теймураза Инджия. За что и поплатился. Его убийцу искать придется ей, Насте, таково было задание Афони. Это еще одна «дырища». Но Коротков обещал, что, если дело дойдет до контактов с группировкой, он поможет, нечего хрупкой нежной леди туда соваться. Впрочем, если Валера Липецкий и в самом деле отличается от Богомольца полным отходом от воровских традиций, то договориться с ним будет несложно. Отправить Руслана в Кемерово, пусть пойдет туда, где лежит его многострадальный архив, приведет за собой людей Липецкого. Этих людей кемеровские ребята возьмут без шума и пыли при попытке кражи, и их можно будет отпустить в обмен на имя того, кто убил Плешакова. Так что эту «дыру» есть шанс залатать при помощи минимального количества ниток.

Так или иначе, но Плешаков нарушил все планы, такие изощренные и эстетичные, что хоть картину пиши и в галерее выставляй. Он убил Тимура, и в дело вмешалась милиция. Н-да, нехорошо получилось...

Остается неясным вопрос: брать Слуцевича-Симонова прямо сейчас или подождать дактокарту, чтобы не ошибиться? Лучше, конечно, действовать наверняка, но есть опасность, что Липецкий что-нибудь почует и спрячет киллера-взрывника подальше, ищи его потом. Хотя с чего бы ему заволноваться? Пока все идет вроде гладко, в соответствии с замыслом, вот и Нильского мы сейчас в Кемерово отправим, якобы верность супруги проверять. Ах, не сорвалось бы!

* * *

— Вы считаете, что мне обязательно надо ехать?

Голос Руслана был наполнен таким страданием, что Насте стало почти физически больно.

— Поймите, Руслан, — терпеливо объясняла она, — эти преступники достаточно умны, чтобы не дать нам возможности прийти к ним со своими требованиями. Да, мы знаем, что это Валера Липецкий и его люди. Но с чем мы можем к нему явиться? С какими претензиями? С какими вопросами? Он сразу же нам ответит, что не имеет никакого отношения к делу, и нам нечего будет ему возразить. Дайте нам возможность взять с поличным хотя бы одного члена его группировки, тогда и разговор сам собой сложится.

— Я не могу... не хочу идти домой, к Яне. Я ей мешаю. Я ей больше не нужен.

— Ну что вы, Руслан, — Настя попыталась его успокоить, — неужели вы поверили этому мерзкому звонку? Вы же понимаете, что им важно заставить вас уехать, вот они и лепят что попало, лишь бы вас взбудоражить.

— Нет, — он печально покачал головой, — нет. Дело не в том, поверил я им или нет. Просто тот человек сказал мне по телефону то, о чем я и сам догадывался. Яна отдалилась от меня в последние дни, избегала разговоров со мной. Даже смотреть на меня не хотела. Я знаю, я это уже проходил в своей жизни, — он горько усмехнулся. — Не в первый раз женщина мне изменяет. Хорошо, я поеду. Но только жить я буду не дома, а у товарища.

— Пожалуйста, — согласилась Настя, — живите где хотите. Но одно непременное условие: Яна должна знать, что вы возвращаетесь.

— Зачем? — он вскинул на нее непонимающий взгляд. — Какое она имеет к этому отношение?

— Она — никакого. Но где-то возле нее крутится человек, который должен получить информацию о вашем возвращении. Иначе все хлопоты впустую, вы пойдете смотреть архив, а Липецкий и знать не будет, что вы в Кемерове. Они же отслеживают вас по адресу, а коль вы там появляться не хотите, они и не узнают о вашем приезде.

— Возле Яны кто-то крутится? — обеспокоенно спросил Нильский. — Кто-то из преступников? Ей грозит опасность?

— Ей ничего не грозит, — мягко произнесла Настя, совершенно не собираясь раскрывать обманутому мужу всю правду о его жене и ее любовнике, которому она в тот же момент доложит о приезде Руслана. — Вполне возможно, ей просто регулярно звонят по телефону и спрашивают вас, а Яна отвечает, что вы в Москве. Вот и нужно, чтобы в один прекрасный момент она ответила, что вы приехали и найти вас можно там-то и там-то. Кстати, а где вы храните ваш архив?

— У товарища. У него собственный дом на окраине города, коттедж, там места много, мои папки никому не мешают.

— Вы именно у него собираетесь остановиться?

— Да.

— Ему можно доверять? Он надежный человек?

— Более чем, — усмехнулся Руслан.

— Хорошо. Вы дадите мне его координаты, Зарубин свяжется с ним заранее, чтобы не было никаких неожиданностей. И еще одно, Руслан. Сергей Зарубин будет в кемеровском аэропорту, когда вы прилетите. Постарайтесь его не заметить, а если уж не получится, ни в коем случае не подходите к нему сами. Будет нужно — он вас найдет.

* * *

Наконец-то для Сергея Зарубина в конце тоннеля забрезжил свет, иными словами — стал виден тот сладостный день, когда он сможет вернуться в Москву и сделать предложение Гуле. Сегодня прилетает Нильский, с его другом уже все обговорено, парень оказался толковым и сообразительным. Яна тоже проинформирована. Два — максимум три дня, и незваные гости явятся в симпатичный двухэтажный коттеджик на окраине города, чтобы проверить, не там ли хранит Нильский свои бумажки. Вот тут-то их и возьмут, а все остальное — вопрос техники, напора и умения договариваться.

Сергей приехал в аэропорт, чтобы проконтролировать процесс «встречи». Собственно, он не был уверен, что Руслана непременно кинутся встречать, вполне возможно, Яна знает, где находится коттедж, но если все будет происходить в духе Липецкого, то ее об этом никто не спросит. Опасно спрашивать-то, у Яны ведь в ответ могут и свои вопросы появиться, и что на них отвечать? Зачем ее любовнику Серову знать, где собирается остановиться ее муж? Главное, что не дома, а до остального ему и дела не должно быть. Ведь Серов говорил Яне, что его задача — заставить Нильского вернуться в Кемерово, а про архив он и слова не произнес. Значит, непременно должен в аэропорту быть кто-то, кто встретит Руслана и проводит его до нового места жительства. Это будет правильно.

Зарубин лениво прогулялся перед входом, добрел до табло прилета, постоял в очереди в справочную, исподтишка окидывая равнодушным взглядом пассажиров, провожающих и встречающих. Купил банку пепси-колы, выпил ее, стоя возле урны и со вкусом покуривая сигарету. До объявленного времени посадки оставалось еще двадцать минут. Сергей сладко зевнул. Московские рейсы прибывают страшно неудобно, первый — в половине второго ночи, последний — в половине седьмого утра, хорошо еще, что Нильский прилетает в шесть тридцать, но все равно поспать Зарубину как следует не удалось.

А вот и знакомая физиономия появилась, господин Серов собственной персоной. Видимо, из Москвы прислать соглядатаев не успели, Нильский позвонил жене прямо перед отъездом, и у Липецкого скорости не хватило запихнуть в один с ним самолет своих людей. А в Кемерове единственный, кто знает Руслана в лицо и кому можно доверить задание, это именно Серов. Что ж, все логично. Сейчас и проверим, по Русланову ли душу прибыл сюда Александр Алексеевич или по каким-то другим делам. Вот и «заначка» пригодилась. Хорошо быть запасливым и предусмотрительным!

Сергей стремительно вышел из здания, чуть не сбив с ног Серова, выскочил на улицу и подошел к серебристому «Опелю» со знакомыми номерами. Обошел машину вокруг, вытащил сигареты, снова закурил и демонстративно облокотился на капот. Сейчас Алик посмотрит на табло точное время прибытия рейса и наверняка выйдет из здания. Чего ему там околачиваться, когда можно с приятностью посидеть в мягком салоне, музыку послушать? Тем более что громкая связь выведена на улицу, все объявления отлично слышно и здесь.

Серов появился через пару минут. Увидев парня, бесцеремонно прислонившегося к его автомобилю, нахмурился и решительно двинулся защищать свои права собственника. Но Зарубин его опередил.

— Простите, это ваша машина? — спросил он со смущенной улыбкой.

— Моя, — недовольно ответил Серов, — а в чем дело? Что вам нужно?

Сергей принялся тщательно и неторопливо излагать все ту же легенду о сбитом машиной товарище и о поиске свидетелей, которые видели, как было дело. Как он и предполагал, Серов был предупрежден, поэтому не удивился и не стал возмущаться приставаниями незнакомца, напротив, он сочувственно кивал, охотно участвовал в критике сотрудников ГИБДД, поддакивал и охал в нужных местах. Прямо над их головами оживший громкоговоритель устало объявил о прибытии сто семьдесят первого рейса авиакомпании «Сибирь» из Москвы. Зарубин, не обращая внимания на слова диктора, продолжал, размахивая руками, свой горестный, исполненный гнева и возмущения рассказ. А вот Серов на объявление внимание обратил и прервал его:

— Простите, я вам очень сочувствую, но ничем не могу помочь. На месте происшествия меня не было, вы видели какую-то другую машину.

— А, московский рейс встречаете, — понимающе протянул Сергей.

— Да... нет, никого я не встречаю. Простите, у меня дела, я должен идти.

— Конечно, конечно, — Сергей протянул ему руку, — извините за беспокойство. Я, честно признаться, так надеялся, что это были вы...

Все правильно, господин Серов, хорошую выучку вы прошли у Липецкого и его сподвижника из разведки. Никогда не ври по пустякам. Вот сказал бы он сейчас, что встречает человека с московского рейса, вроде бы никакого криминала, а через пятнадцать-двадцать минут Зарубин увидит его садящимся в машину в гордом одиночестве. Ерунда, конечно, кто такой Зарубин? Никто, посторонний, случайный человек. Но ведь может подойти, с вопросами пристанет, мол, где же ваш гость, отчего не встретили, еще и помощь начнет предлагать от широты натуры. Или, что гораздо хуже, попросит подбросить до города, а Серов в своем маршруте не волен, ему за Нильским ехать надо, а не случайных попутчиков подвозить. Москва — город большой, в нем ежедневно находится тринадцать миллионов человек, если считать с приезжими, и то постоянно случайные встречи происходят, а Кемерово куда меньше и по территории, и по населению, и здесь тем более ничего гарантировать нельзя. Не нужно, чтобы этот парень (имеется в виду Зарубин) заподозрил Серова в неадекватном поведении, как знать, не придется ли где-нибудь столкнуться. Молодец, человек из разведки, хорошо своих псов натаскал!

Зарубин занял удобную позицию, скрывшись за припаркованным неподалеку междугородним автобусом. Отсюда хорошо были видны и выход из здания аэровокзала, и серебристый «Опель», и стоянка такси. Минут через двадцать он заметил Нильского, бледного, с измученным лицом и запавшими глазами. Руслан быстро договорился с каким-то частником и укатил на темно-серой «Волге». Следом за ним двинулась машина Серова.

* * *

Все прошло на удивление быстро и гладко. То ли у Липецкого были в Кемерове надежные люди, то ли успел он быстренько спровадить своих исполнителей из Москвы в Сибирь следом за Нильским, но покушение на кражу из коттеджа, принадлежащего другу Руслана, было зарегистрировано на следующий же день после появления бывшего журналиста в городе. Всех жильцов дома, включая и гостя, отправили подальше половить рыбку и пособирать землянику, денька эдак на два, при этом отъезд их оформили по всем правилам театрального искусства: с погрузкой в машину палаток, раскладных стульев и столика и внушительных размеров сумки-холодильника, дабы у тех, кто наблюдает за домом снаружи, не оставалось ни малейших сомнений в том, что жилище будет пустовать по меньшей мере сутки. Даже собаку и кошку с собой прихватили.

Двоих посетителей взяли в тот момент, когда они методично изучали содержимое папок, стоявших на самой верхней полке высокого, под потолок, стеллажа. И даже не тогда, а чуть позже, когда одному из них повезло и он с довольным видом спрятал в карман куртки несколько листков одинакового формата. Вот по поводу этих листков его и донимали уже вторые сутки кемеровские оперативники по очереди со следователем: зачем, мол, ты спер какие-то старые дактокарты, тем более любительские, в уголовном деле никогда не лежавшие, ежели, как ты сам утверждаешь, ты залез вместе с напарником в дом с целью совершения банальной кражи? Напарника его трясли отдельно, в другом помещении, но вопросы задавали те же самые. Внятных ответов пока получить не удалось, но на них никто особо и не рассчитывал, ведь и без того ясно, зачем взяли эти дактокарты. Пока что шел этап изматывающего напора вперемешку с угрозами, после чего по плану должен был наступить этап переговоров в поисках разумного компромисса. Второй этап начнется после того, как будут получены результаты проверки личности задержанных и в этих результатах станет четко просматриваться их связь с московским криминальным авторитетом Валерой Липецким.

Зарубин позволил себе немного расслабиться и помечтать о том, как завтра встанет на рассвете, часиков в пять, покидает в сумку нехитрые пожитки, позавтракает, чем бог пошлет, и помчится в аэропорт, чтобы в восемь утра вылететь в Москву. Самолет прибудет в Шереметьево-1 в пять минут девятого по московскому времени, весь день впереди, и столько полезного и приятного можно будет успеть сделать! Главное — встретиться с Гулей и серьезно поговорить с ней об их совместном будущем...

Он уже почти заснул в своем тесном гостиничном номере, когда прямо над ухом взорвался звонком телефонный аппарат.

— Ты, кажется, Серовым интересовался? — послышался голос одного из оперативников.

— Ага, — подтвердил Зарубин, еще плохо различая сон и явь. — А что с ним?

— Застрелили. Хочешь подъехать?

Сон как рукой сняло. Сергей торопливо натянул джинсы и рубашку, плеснул в лицо холодной водой из-под крана и выскочил на улицу. Хорошо, что взятую напрокат машину он договорился вернуть завтра утром, по пути в аэропорт.

Несмотря на поздний час, зевак собралось немало. Зарубин поставил машину и подошел поближе к тому месту, где работали следователь, оперативники и эксперты. Знакомый серебристый «Опель», левое крыло и дверь со стороны водителя изрешечены пулями. Здесь же, с левой стороны, лежит труп Серова, над ним склонился медик в белом халате. Окровавленная рубашка задрана, обнажая поросший рыжеватыми волосами рыхлый живот. На асфальте кровь, много крови, целая лужа.

С другой стороны «Опеля» Зарубин увидел еще одного медика, задумчиво качающего головой, глядя себе под ноги. Сердце у него упало: неужели там еще один труп? Неужели?..

Лежащая на боку с подвернутыми под себя руками маленькая Яна Нильская была издалека похожа на улегшуюся спать девочку. Крови не было видно, наверное, из-за того, что на Яне было черное вечернее платье с пышной длинной юбкой.

— Достали его все-таки, — послышался рядом с Зарубиным знакомый голос того оперативника, который ему звонил.

— Кто?

— Да дружки по банде Богомольца. Какие-то у Серова с ними неразрешенные дела остались, вот и рассчитались с ним. Даже девушку не пожалели, скоты. Сам-то Серов, понятное дело, слова доброго не стоит, а девчонка совсем молоденькая, ей-то за что пуля досталась? И документов при ней нет, даже не знаем, кому сообщать.

— Я ее знаю, — тихо произнес Сергей. — И имя, и адрес, и телефон. Запиши, если надо.

Наутро он все-таки улетел в Москву. И все четыре часа полета думал о том, имеет ли право жениться на Гуле и вообще жениться. Наступит вот так на хвост какой-нибудь группе отморозков, захотят они с ним рассчитаться, и не пожалеют никого, кто будет в этот момент рядом с ним. Жену, ребенка, коллегу, случайного прохожего. Правда, такого пока, кажется, с милиционерами не случалось, но, как любит говорить Каменская, все когда-то бывает в первый раз.

* * *

По дороге Эдик Гусарченко завез Любу домой и отправился к себе. Таксист попался словоохотливый, с удовольствием слушал рассказы Эдика об отдыхе на Кипре, и Эдик с не меньшим удовольствием дал себе волю предаться вслух сладостным воспоминаниям о прозрачном море, песчаном пляже, уютном гостиничном номере и изобилии еды, напитков и развлечений. Шикарно отдохнул, одним словом. Он бы еще пару недель там проболтался, да деньги были на исходе, а тут и позвонили ему, мол, можешь возвращаться. Об этой мелкой детали он, правда, таксисту говорить не стал, не его ума это дело. Эдик и вправду начал было беспокоиться, ведь когда тот мужик, что завербовал его на поездку в Кемерово, велел уехать из Москвы подальше, лучше — за границу, ненадолго, Эдик радостно воспринял это как возможность отдохнуть и о деньгах как-то не подумал, много брать не стал, думал, они с Любой на два-три дня всего едут, ну максимум — на пять. А вышло куда дольше, и он даже обрадовался, когда ему на мобильник позвонили и разрешили вернуться.

Оказавшись в своей квартире, Эдик быстро разобрал сумку, покидал грязные шорты, плавки и майки в стиральную машину, принял душ и собрался было сесть за телефон обзвонить друзей-приятелей, о приезде сообщить, новости узнать, но его планы нарушил звонок в дверь. На пороге стоял парень с до боли знакомым лицом, вспоминать которое у Эдика не было ни малейшего желания. Он, правда, ни капли не испугался, в последнее время за ним ничего не было, но все равно неприятно было.

— Войти-то пригласишь? — насмешливо спросил Зарубин.

Эдик с хмурым видом отступил в сторону, давая оперативнику пройти.

— Прямо с дороги поймали, в себя прийти не успел, а доблестная милиция тут как тут, — недовольно процедил он.

— Ну, с приездом, коль так, — добродушно усмехнулся Зарубин. — А где был-то? Далеко?

— На Кипре отдыхал.

— А-а-а, — протянул тот, — а я думал, опять в Кемерово летал, деньги зарабатывал.

Сердце у Эдика нехорошо екнуло. Нет-нет, не было в той поездке ничего такого, за что милиция могла бы взять его за жабры, все честь по чести, чинно-благородно. Но ведь узнали же, падлы легавые, и почему-то заинтересовались. Почему? Не было там ничего, ну не было, как бог свят!

— Ладно, Эдуард Олегович, не буду тебя томить, время и вправду позднее, хорошим мальчикам спать пора, а поскольку ты мальчик вроде бы хороший, расскажи-ка мне про ту поездку в Кемеровскую область. С кем ездил, зачем, все подробненько. Вопрос об оплате можешь опустить, меня пока не сильно интересует, сколько тебе за это заплатили. И не забудь упомянуть, почему ты на Кипр так неожиданно собрался, вроде ведь не планировал в июне отдыхать.

«А и расскажу, — с внезапной решимостью подумал Гусарченко, — мне скрывать нечего, я ничего плохого не сделал. Пусть подавятся моими рассказами, если им больше заняться нечем, кроме как такой ерундой интересоваться. Тоже мне, герои-сыщики, Жегловы-Шараповы, Шерлоки Холмсы беспорточные. Лучше бы убийства раскрывали, чем по ночам порядочных людей дергать».

* * *

Для съемок очередного эпизода Вороновой нужна была полуспортивная аккуратненькая машинка «Ауди-ТТ», точь-в-точь такая, как у ее друзей Гольдманов. В целях экономии решено было попросить машину именно у них, и Инна Гольдман с удовольствием согласилась помочь любимой подруге и пригнать автомобиль в указанное место к указанному времени.

Ирина Савенич уже разгримировывалась после трехчасовой изматывающей съемки, когда в автобус заглянула Наталья.

— Ириша, ты скоро?

— Уже!

Ирина промокнула салфеткой крем с истерзанного гримом лица, достала пудреницу, провела спонжем по щекам, носу, подбородку.

— Все, готова.

— Я тебя попрошу, созвонись с Инной и выйди на перекресток, встреть ее, а то она, боюсь, нас в этих дворах не найдет.

— Хорошо, Натулечка.

— Кстати, как Руслан? Не звонил?

— Звонил, — Ира горестно вздохнула. — В плохом он состоянии, конечно, но держится. Сказал, что до девятого дня побудет дома, а потом приедет.

— Может, не стоит его дергать? — озабоченно проговорила Наталья. — Все-таки человек жену потерял, какая ему теперь работа?

— Руслан сказал, что ему так лучше. С детьми есть кому заниматься, а он хочет работать, чтобы окончательно не раскиснуть. Господи, как же его жалко! И его, и Янку...

Ира всхлипнула, но тут же взяла себя в руки, выскочила из автобуса и отправилась встречать Инну Гольдман. Ей удалось найти хорошие ориентиры, и уже через несколько минут симпатичная обтекаемой формы «Ауди-ТТ» притормозила рядом с подворотней, куда надо было въехать, чтобы попасть на съемочную площадку. На заднем сиденье Ирина заметила сжавшуюся в комочек Юлю, дочь Инны.

Когда машина тихонько доползла до места, Инна вышла, чтобы поздороваться с Натальей.

— А Юлька чего не выходит? — удивленно спросила Ира. — Так и будет в машине сидеть?

— Пусть сидит, — ответила Инна, понизив голос. — У нее личная драма, взяла ее с собой, чтобы одну не оставлять. Сначала посидит, потом, глядишь, выйдет, на съемки посмотрит, отвлечется от грустных мыслей.

— Что за драма? С кавалером поругалась?

— Вроде того. Она считает, что он ее бросил. Уже несколько дней не звонит.

— Так пусть она ему позвонит, может, он болен или в командировке. Чего проблему на пустом месте делать? — Ира пожала плечами.

— В том-то и дело, что она его телефонов не знает.

— То есть как? Совсем не знает?

— Совсем. Юлька у меня чокнутая, никогда у своих ухажеров телефоны не берет и никогда им не звонит, даже если знает номер. Она считает, что они сами должны за ней гоняться, а не она за ними. Захотят ее увидеть — позвонят, а не позвонят — стало быть, не очень-то и хотят с ней встречаться, а навязываться она не будет. Такая вот у нее концепция личной жизни. Зато теперь вот страдает.

— Ну и дурь! — Ирина округлила глаза и выразительно покачала головой. — Это ж надо такую дурь в голову себе вбить! А парень-то хоть стоящий?

— Юлька говорит — ничего, самостоятельный, работает, квартира есть, машина, и возраст хороший — чуть за тридцать. Я его никогда не видела, она его пока еще в дом не приводила.

— Чуть за тридцать? — повторила Ира. — Кажется, я его видела, Юлька с ним в подъезде целовалась, когда мы к вам на серебряную свадьбу приехали. Красивый парень, ничего сказать не могу. Действительно красивый. И все равно я не понимаю, ну есть же имя, фамилия, место работы, неужели так трудно его найти?

— Да не станет она его искать никогда в жизни! — засмеялась Инна Гольдман. — Это же концепция, понимаешь? Если бы он захотел ее видеть — объявился бы обязательно. А коль нет — так и нет. Ничего, Ириша, это не катастрофа, не первый парень в ее жизни и не последний. Пострадает недельку и нового найдет, а об этом и думать забудет.

* * *

Коротков ввалился в кабинет к Насте, когда она заканчивала печатать на компьютере запросы, на которых нужно было получить подпись начальника.

— Сейчас, Юр, секундочку, — проговорила она, не отрывая глаз от экрана, — последнюю бумажку доделаю, мне надо срочно получить на них Афонин автограф.

— Ты к нему сейчас не ходи, — посоветовал Коротков, когда Настя вытащила из принтера пачку запросов.

— Почему?

— А он злой как я не знаю что, — радостно сообщил Юра. — У него сегодня большой траур.

— Что случилось? — испугалась она. — Кто-нибудь умер?

— Типун тебе на язык! У Афони траур по честолюбивым замыслам. Ну сама посмотри, сколько обломов ему упало. Убийство водителя съемочной группы обещало быть таким громким, и телевидение тут замешано, и муж режиссера, и конкуренты. А что оказалось? Убийство Ремиса на религиозной почве — тоже обломалось, никакими сатанистами там и не пахло, а ведь он с такой радостью тащил это дело с территории! Убийство Плешакова на почве межнациональной неприязни — и тут незадача, не так все красиво, как ему мечталось. Но тут ему обвалилась огромная удача: хорошо законспирированный киллер, совершивший около десятка громких и не очень громких убийств, да еще имитировавший собственную смерть и сделавший пластическую операцию. Конфетка! Прямой и короткий путь к мировой славе в масштабах Петровки.

— Ну? — непонимающе спросила Настя. — Такое дело все прежние неудачи перевешивает, так из-за чего траур-то?

— А из-за того, подруга, что в нашем министерстве тоже не дураки сидят. Дело-то полчаса назад в главк забрали!

Настя чуть не подпрыгнула вместе со стулом.

— Да ты что!

— Ну! Так нашему Афоне и доверили разматывать киллера, который по всей стране трупы раскладывал. Они сами с усами. Симонова мы им вычислили, за что спасибо большое господину Богораду по кличке Богомолец, а все остальное они уж как-нибудь без нас доделают.

У Насти словно груз с плеч свалился. Она не была честолюбива и никогда не страдала, если ей не доверяли довести дело до конца и присваивали результаты ее работы. Подумаешь! Она — женщина, и как бы успешно она ни раскрывала преступления, какие бы фантастические результаты ни показывала, все равно никто и никогда не признает ее лучшим сыщиком управления, а уж тем более — лучшим сыщиком страны. Настя давным-давно это понимала, как понимала все законы и условности работы в мужском коллективе, и никуда не рвалась, ни в лучшие, ни в главные. Ей было достаточно получать удовольствие от работы, никаких других дивидендов она от нее не ждала.

Забрали громкое дело — и пусть. Но Афоне-то каково, а? Бедолага. И ведь он хороший сыщик, толковый, профессиональный, ан нет, славы ему захотелось...

Она собрала распечатанные запросы, сложила в прозрачную папочку, провела руками по голове, проверяя, не выбились ли пряди волос из-под тугой заколки.

— Пойду, — она встала из-за стола.

— Неужели рискнешь здоровьем? — прищурился Коротков. — Не боишься начальственного гнева?

— Не-а. Чего мне его бояться? Ну наорет, ну скажет что-нибудь мерзкое, с меня корона не свалится. Знаешь, Юра, я как только после дня рождения поняла, что уже слишком старая, чтобы бояться начальства, мне сразу так легко жить стало!

— Ну иди, старая, — ехидно напутствовал ее Юра, — на обратном пути не забудь зайти ко мне рассказать, чем дело кончилось. Очень мне интересно посмотреть, в каком виде ты от Афони выйдешь.

Коротков не обманул, полковник Афанасьев и впрямь был чернее тучи. Бросив на Настю полный неприязни взгляд, он с ненавистью посмотрел на принесенные ею запросы. Невооруженным глазом было заметно, что ему страшно хочется хоть на ком-нибудь отыграться, унизить, сделать выговор, наказать, чтобы выплеснуть кипящую в нем агрессию.

— Почему я вижу эти запросы только сейчас? — спросил он голосом, предвещавшим мало приятного.

— Потому что я их только что подготовила.

— А тебе не кажется, Каменская, что это можно и нужно было сделать уже давно? Дела стоят, преступления не раскрываются, а ты чем занимаешься? Только не говори мне, что ты работаешь.

— А что же я, по-вашему, делаю?

— Ты, Каменская, занимаешься личной жизнью. Ты что же думаешь, мне ничего не известно? Думаешь, я не знаю, что твой муж уехал надолго за границу и ты ему изменяешь с

Коротковым? Думаешь, я не знаю, что Коротков ушел от жены и живет у тебя, пока твой муж деньги зарабатывает, чтобы тебя содержать? Ты считаешь, что это все прилично? Что это поведение, достойное офицера милиции? Ты полагаешь, это допустимо — спать со своим руководством? Коротков твой начальник, он мой заместитель, и вы нагло, на глазах у всего коллектива устраиваете свои омерзительные случки! Я не намерен это терпеть!

Полковник заводился от собственных слов все больше и больше, распаляясь и повышая голос. «Ну вот, — равнодушно и даже как-то апатично подумала Настя, слушая его выкрики и глядя на капельки слюны, вылетающие из его рта, — нашел на ком пар выпустить. Говорит мне гадости обо мне и о Юрке. А я должна это терпеть. Кстати, кто сказал, что я должна терпеть?»

Снова перед ее мысленным взором встал длинный коридор, по которому она шла, шла, шла до тех пор, пока не уткалась в запертую дверь. И не было другого способа продолжить движение, кроме как развернуться и идти назад все по тому же коридору. Но с чего она взяла, что дверь заперта? Ей об этом сказали? Нет, она сама так решила. Даже не подергала ее за ручку, не попыталась открыть, просто приняла как аксиому: дверь заперта. А если попробовать?

Настя легонько надавила на дверь рукой, створка легко поддалась, и на темный пол узкого коридора упала полоска света. Дверь не заперта, и там есть свет, и значит — есть какая-то жизнь.

Она поставила локти на стол, оперлась подбородком о сцепленные пальцы, с любопытством посмотрела на начальника.

— Прости, Афоня, я сейчас нарушу обещание, которое тебе дала, — сказала она спокойно. — Но я сделаю это с огромным удовольствием. Я обещала не называть тебя Афоней и не вспоминать, что мы когда-то вместе учились. Но я хочу сказать все, что о тебе думаю. Ты хороший опер, я в этом уверена, иначе тебя не двигали бы по службе. Но хороший опер и настоящий опер — это две большие разницы и одна маленькая. Хороший опер — это крепкий профи, а настоящий опер — это человек. Ты, Афоня, профи, но не человек. Для тебя люди — грязь. Для тебя их жизни и их страдания — только повод продвинуться по службе, заявить о себе раскрытием громкого преступления. А если преступление не прогремит — оно тебе неинтересно, и свой высокий профессионализм ты на него тратить не собираешься. Может быть, я и буду работать под твоим руководством. Но уважать тебя я не буду никогда. Подпиши запросы, и я уйду.

Она говорила эти слова неспешно и ровно, и так же медленно и ровно открывалась незапертая дверь, мягко, без скрипа, и полоса света на темном полу делалась все шире, а длинный коридор — все светлее. Там, за дверью, была жизнь, может быть, другая, может быть, непривычная, но не страшная. Там были люди, которые жили этой жизнью, обычные люди, такие же, как Настя. И кто сказал, что она не сможет жить так же, как они?

Май — июль 2001 года

Литературно-художественное издание

Маринина Александра Борисовна

НЕЗАПЕРТАЯ ДВЕРЬ

Издано в авторской редакции
Ответственный редактор *О. Рубис*
Художественный редактор *В. Щербаков*
Художник *В. Федоров*
Технический редактор *Н. Носова*
Компьютерная верстка *В. Шибаев*
Корректор *М. Мазалова*

Налоговая льгота — общероссийский классификатор продукции ОК-005-93, том 2; 953000 — книги, брошюры

Подписано в печать с готовых диапозитивов 23.11.2001.
Формат 60 × 90[1]/[16]. Гарнитура «Таймс».
Печать офсетная. Усл. печ. л. 26,0.
Тираж 250 000 экз. Заказ № 2441.

ЗАО «Издательство «ЭКСМО-Пресс». Изд. лиц. № 065377 от 22.08.97.
125190, Москва, Ленинградский проспект, д. 80, корп. 16, подъезд 3.
Интернет/Home page — www.eksmo.ru
Электронная почта (E-mail) — info@ eksmo.ru

Отпечатано с готовых диапозитивов
в полиграфической фирме «КРАСНЫЙ ПРОЛЕТАРИЙ»
103473, Москва, Краснопролетарская, 16.

ISBN 5-04-008932-5